SHELINA ZAHRA
JANMOHAMED

LIEFDE
MET EEN
HOOFDDOEK

the house of books

Oorspronkelijke titel
Love in a Headscarf
Uitgave
Aurum Press Ltd., Londen

Vertaling
Gea Scheperkeuter
Omslagontwerp
marliesvisser.nl
Omslagdia
Corbis
Opmaak binnenwerk
ZetSpiegel, Best

ISBN 978 90 443 2704 5
D/2010/8899/71
NUR 320

www.thehouseofbooks.com

Voor mijn moeder en vader
Voor alles

Voor Maryam en Aamina
Onze toekomst

Voor de ware
Je weet waarom

‘Love is the answer, at least for most of the questions in my heart. Like why are we here? And where do we go? And how come it’s so hard?’

Jack Johnson

‘Liefde heeft niets te maken met
de vijf zintuigen en de zes richtingen:
Haar enige doel is om de aantrekkingskracht
te ervaren die de Beminde uitoefent.
Naderhand zal God, misschien
zijn toestemming verlenen.
De geheimen die gehoord moeten worden,
zullen welsprekend worden verteld
en de verwarring zal verdwijnen.
Niemand weet de oplossing van het raadsel,
behalve degene die het geheim bewaart.
En voor de scepticus
bestaat het geheim helemaal niet.’

Roemi (*Mathnawi* VI: 5-8)

‘En Hij heeft jullie [mannen en vrouwen] uit één ziel geschapen.’

Koran (6:98)

‘En dit is onder Zijn tekenen, dat Hij uit uw midden paren voor u schiep, opdat jullie rust vinden bij elkaar, en Hij heeft liefde en tederheid onder u geplaatst. Daarin zijn zeker tekenen voor een volk, dat nadenkt.’

Koran (30:21)

Inhoud

Inleiding door de auteur

Liefde. *Amour, ishq, hubb, amor, pyar.* Voor mij betekenen die woorden iets heerlijks én iets alledaags, iets onweerstaanbaars en subliems. Liefde leidt tot grote daden, absurde keuzes en onbegrijpelijke gevolgen. Liefde heeft de touwtjes in handen en laat harten sneller kloppen of breken. Liefde kan bemiddelen tussen leven en dood en verbindt lichaam en ziel, soms met een donderslag. Alles draait om liefde.

Beschavingen botsen niet over de vraag of liefde al dan niet bestaat. Alleen over het doel van die liefde. Mensen ruziën om dezelfde minnaar. Ze zijn het oneens over hoe je met liefde moet omgaan. Maar liefde, Liefde met een hoofdletter, ligt diep verankerd in elk hart en elke cultuur. Al sinds mensenheugenis gaan ontelbare boeken vol klaagzangen en odes in allerlei talen over één ding: de liefde. Zelfs in deze tijd, nu alleen wat we zien zeker is en de wetenschap uitmaakt wat waar is en wat niet, blijft de liefde ongrijpbaar en ongelooflijk. Liefde fladdert vrolijk tussen alles en iedereen door, en belooft de mensen iets totaal nieuws en onbekends.

Maar liefde doet het niet zo goed bij onze generatie. We voelen liever extase en romantiek. We willen voortdurend high zijn van de liefde en voelen ons bedrogen en afgewezen als de adrenalinestroom door onze aderen verandert in een rustig vriendschappelijk gevoel. We houden de liefde tegen en sluiten haar op in het kringetje van etentjes bij kaarslicht en wandelingen bij volle maan. Als we in het openbaar over liefde praten, vinden we het blijkbaar niet zo belangrijk. Helemaal fout! Laten we de liefde opnieuw omarmen in onze maatschappij, als de mooiste, belangrijkste deugd die bestaat. Liefde is fantastisch en groots. We weten allemaal vanbinnen dat we houden van onze vrienden, hartsvriendinnen, ouders en anderen met wie we samenleven. Om van iemand te houden heb je geduld en toewijding nodig. Je zet jezelf niet op de eerste plaats. Sommige mensen, zoals ik, hebben ook het gevoel dat liefde de weg is naar God. De Schepper die geen vorm, plaats of tijd kent, maar die gewoon *is*.

De kans dat een moslim zomaar in het openbaar over de Liefde praat, is klein. Maar net als in de meeste samenlevingen en culturen, zijn moslims erdoor geobsedeerd. Sterker nog, moslims en moslima's besteden een groot deel van hun tijd aan de vraag waar ze in 's hemelsnaam een partner moeten vinden. De zoektocht naar die ene speciale persoon is zo belangrijk in het moslimbestaan dat vrijwel iedereen erbij betrokken wordt: ouders, broers en zussen, tantes, ooms, imams en zelfs de buren.

Achter de doorschijnende sluiers van moslimvrouwen bevinden zich kloppende harten, dromen over de liefde, fantasieën over sprookjes en prinsen, over ze leefden nog lang en gelukkig. Achter de vaak misleidende krantenkoppen over terreur en aanslagen, zogenaamd op gezag van de islam, zijn er de moslims. De gewone mannen en vrouwen die dat ene gemeen hebben dat mensen meesleept en onze grote emoties verbindt met ons alledaagse leven: De Liefde. Moslima's hebben de nodige verhalen te vertellen. Sommige daarvan zijn afschuwelijk. Sommige vrouwen moeten pijn, onderdrukking en mishandelingen ondergaan in naam van het geloof. Maar in werkelijkheid heeft dat met de cultuur en de zucht naar macht te maken. Die pijn mag nooit worden vergeten en moet stoppen. Mijn verdriet erover is dubbel zo groot, want ik voel mee met mijn gelovige zusters, maar zie ook dat de schoonheid van mijn religie wordt bezoedeld. Zo wordt de islam verkeerd voorgesteld en misbruikt om onmenselijke doelen te dienen.

Verhalen zoals het mijne zijn tot dusver zeldzaam. Mijn verhaal past niet netjes binnen de overheersende stereotypen die vooral gaan over de onderdrukking door de islam of mensen die de islam afwijzen. Maar toch is mijn levensverhaal even belangrijk om te kunnen begrijpen wat het betekent een moslima te zijn. Niet elke islamitische vrouw krijgt te maken met een gedwongen huwelijk, ontvoering of opsluiting. We zijn geen stripfiguren achter zwarte sluiers. Veel moslimvrouwen, zoals ik, vinden de islam positief, bevrijdend en stimulerend. Juist door ons geloof houden we nog meer van het leven. Mijn relaas draag ik op aan alle moslimvrouwen, want humor, hoop en menselijkheid horen ook bij ons verhaal.

Moslima's zijn er in alle soorten, smaken en kleuren en mijn verhaal gaat gewoon over de ervaringen van één van die vrouwen. Je vindt er de hartstocht en hoop in die veel moslimmannen en vrouwen koesteren. Maar ook de emoties van mensen met een ander geloof of mensen die helemaal niet gelovig zijn. Hun zoektocht naar de liefde is misschien wel net zo moeilijk, hartverscheurend en humoristisch geweest als de mijne. De zoektocht naar liefde is een reis waarop je van alles tegenkomt. Het is de zoektocht naar een partner en maatje, naar de opwinding van romantiek. Het is ook de zoektocht naar een dierbare: iemand om voor te zorgen en iemand die voor jou zorgt. Het is een zoektocht naar de betekenis van het leven, om zeker te weten dat je iets hebt bereikt. Het gaat erom dat iemand jou ziet zoals je bent en van je houdt zoals je bent. Dan voel je je onsterfelijk. Liefde kan de ontsnapping betekenen uit je lichaam, op weg naar God. Of de overstap van je hoofd naar je hart. De zoektocht naar de liefde is een tocht met een zeker doel: je wilt weten wat het betekent om mens te zijn en dat met een ander te delen.

Proloog

Ik verberg een verrassend verhaal onder mijn hoofddoek. Ik deel het graag met je, maar beloof me dat je het niet geheimhoudt. Als ik dapper genoeg ben om mijn verhaal te vertellen, durf jij dan mijn vriendin te zijn? Mijn *hijaab* is roze, de kleur van een zonsondergang in april of een dieproze roos in de zomer. Het is een lange, soepele lap zijde die aan de uiteinden overgaat in felpaars, een kleur die me doet denken aan koninklijk brokaat en heilige ontdekkingen. Hij ruikt naar *bukhoor*, een geur die me overal omringt, niet te opdringerig maar duidelijk aanwezig.

Ik vertel dit verhaal het liefst onder het genot van een kopje koffie – een cappuccino graag, maar zonder suiker. We zouden al dubbel liggen van het lachen en de suiker zou dat alleen maar erger maken. Als het verhaal echt spannend wordt, grijpen we onze kopjes stevig vast van opwinding of ontzetting, met uitpuilende ogen van ongeloof alsof we twee tieners op een slaapfeestje zijn. Als we bij het onderwerp gebroken harten aankomen, slaan we onze ogen neer, staren in de zwarte vloeistof en nemen sombere, kleine slokjes.

We hebben ook koekjes nodig, chocolade- en hazelnootkoekjes, in de vorm van hartjes. Ik zal ondeugend glimlachen als jij ze bestelt, maar ik vertel niet waarom, nog niet. Jij hebt vast en zeker ook zo'n koekjesmoment gehad. Kunnen we fijn ervaringen uitwisselen. O, en help me alsjeblieft herinneren dat ik mijn zonnebril en mijn brillenkoker meeneem als we de koffictent verlaten.

Vraag jij je ooit af wat er echt speelt in het leven van de moslimvrouwen die je op straat tegenkomt? Ik ben heel anders dan de vrouwen die je in de krant of op tv ziet: ik draag geen lange zwarte mantel en geen sluier. Ik woon niet in een straat met een moskee, maar in een laantje met bomen in een buitenwijk. Ik ben niet bescheiden en word niet onderdrukt. Sterker nog, ik denk dat sommige mensen me een tikje brutaal vinden en zich daardoor soms zelfs geïntimideerd voelen. Ik vind dat erg grappig. Is dat niet grappig?

Ik wil dat je mijn wereld leert kennen, de wereld van een Brits-Aziatische moslima. Soms is het best ingewikkeld om je weg te vinden binnen de verschillende culturen, geschiedenissen en ideeën. Ik ben niet Aziatisch zoals je misschien denkt dat Aziaten zijn, ik ben niet islamitisch op de manier die je misschien van moslims verwacht. Ik pas niet in de hokjes die andere mensen verzinnen.

Dit verhaal gaat over hoe ik mezelf, mijn geloof en mijn grote liefde vond, maar vooral over hoe ik leerde mezelf te zijn.

EEN

☆☆☆

De eerste keer

Een topdag voor hoofddoeken

In de keuken spetteren de samosa's, ze balanceren tussen perfect goudbruin en aangebrand zwart. Mijn moeder, die haar haar in een oude handdoek heeft gewikkeld, concentreert zich op de enorme pan met kokende olie en denkt aan de mensen die elk moment op de stoep kunnen staan. Het zijn belangrijke gasten, misschien wel de belangrijkste tot nu toe.

De bel gaat. Ik word met een tikje van de theedoek naar boven gestuurd. Er wordt wat paniekerig heen en weer gerend in huis. Kussens worden opgeschud. Gordijnen rechtgetrokken. De keukendeur slaat met een klap dicht en mijn vader wordt overvallen door een kakofonie van gillende stemmen: 'Ze zijn er! Ze zijn er! Doe open!' Het huis valt acuut stil. De lelies in de woonkamer staan in de houding. Mijn vader slentert onverstoord naar de voordeur en zwaait hem open voor de man die misschien zijn toekomstige schoonzoon is.

Dit is de eerste keer dat mijn familie en ik formeel worden voorgesteld aan een huwelijkskandidaat. Het was een ware worsteling om geschikte kleren uit te zoeken. Ik moet aantrekkelijk genoeg zijn voor de man in kwestie en tegelijkertijd bescheiden en ingetogen lijken voor zijn familie. De kleurrijke inhoud van mijn la met hoofddoeken ligt verspreid over mijn slaapkamervloer in hoopjes roze, paars, blauw en groen. Elke doek heb ik zorgvuldig om mijn hoofd gedrapeerd en vastgezet en vervolgens op schoonheid en effect beoordeeld. Ik kies er eentje van roze zijde. De kleur is zacht en uitnodigend, vrouwelijk en niet te meisjesachtig. Ik vouw de vierkante zijden doek doormidden, leg de driehoek op mijn hoofd en zet hem onzichtbaar vast onder mijn kin, waarna ik de uiteinden losjes over mijn schouders gooi. De stof valt soepel over mijn haar en schouders. Gelukkig! Ik heb een Goede Hoofddoekdag.

Mijn blouse, in dezelfde tint roze, heeft lange mouwen met ruches en contrasteert mooi met mijn zwierige, roomkleurige rok die net over de grond sleept. Iedereen in de familie doet druk over wat ze aan moeten. De eerste ontmoeting is een verplicht overgangsritueel. Het zou mijn enige ontmoeting kunnen worden. Ik hoor helaas geen galmende, officiële stem vanbinnen die verkondigt: 'Vanaf nu ben je een Vrouw.' En niemand zegt: 'Veel succes.' En niemand staart met ouderlijke trots naar me om mijn overgang van kind naar volwassene vast te leggen. Ik ben niet anders dan duizenden, miljoenen andere jonge vrouwen op de wereld die op de drempel van het huwelijk staan.

Ik sta voor de spiegel, staar nerveus naar mezelf en doe mijn uiterste best om mijn razendsnelle polsslag te beheersen. Ik haal een keer diep adem. Adem in, adem uit. Wat is hij voor iemand? Wat moet ik tegen hem zeggen?

Ik ben negentien en sta op het punt om een wereld in te stappen waarop ik sinds mijn vroegste jeugd ben voorbereid. Het belang van traditie, dat zo plezierig op mijn Aziatische moslimschouders heeft gerust sinds mijn geboorte, weegt net zo zwaar als het onschuldige wachten op de Liefde. Ieder stemmetje in mijn hoofd is overtuigd van de liefde. De romantische tv-series uit Hollywood zitten vol ware, glorieuze en gepassioneerde liefde. In sprookjes voor kinderen wint de liefde. De islam belooft elk mens een partner die hem of haar zal verrijken. In de Aziatische cultuur gaat het huwelijk vóór alles. En de liefde, dat zoete, heerlijke, allesomvattende gevoel bloeit op in het hart van elk huwelijk.

Het feit dat ik mijn potentiële echtgenoot ontmoet om te kijken of we elkaar aardig vinden, beschouwen sommige kennissen als akelig modern. Ik heb altijd geweten dat ik mijn aanstaande man op deze manier zou ontmoeten. Maar waarom klopt mijn hart dan zo wild? De man en zijn familieleden komen om Mij Te Keuren en, natuurlijk, ga ik Hem Keuren. Dat beide partijen aan die keuring meedoen, werkt helaas niet bepaald kalmerend. Dit is niet zomaar een blind date, dit is een blind date met de hele familie.

In de spiegel op mijn slaapkamer staart Cilla Black, presentatrice van de spelshow *Blind Date*, me meesmuilend aan. 'Ga je voor Familie Een, de accountants uit Londen? Of voor Familie Twee, de artsenclan uit Gloucester? Of wordt het Familie Drie, de importeurs-exporteurs uit Birmingham?'

Misschien is hij wel de enige sprookjesprins die ik ooit zal ontmoeten, die ik ooit hoef te ontmoeten. En wat is daar mis mee? Ik verlang naar mijn eigen prins en droom ervan een teder, verliefd stelletje te vormen. In werkelijkheid zal ik hem waarschijnlijk ontmoeten door middel van een formeel introductieproces.

Tijdens zijn eerste bezoek aan ons huis zal hij vergezeld worden door ten minste een, zo niet meer, 'volwassenen'. Dat ik zijn familie leer kennen en zijn achtergrond begrijp, is minstens zo essentieel als zijn score voor lang, donker en knap. Hij en zijn familie zullen mij op dezelfde manier op waarde schatten: het is een groepsdate die draait om een groepsbesluit, waarbij hij en ik in het centrum van de belangstelling staan.

Ik kijk opnieuw naar mijn spiegelbeeld en oefen mijn glimlach. Mona Lisa of Julia Roberts? Ik doe wat parfum op en zink met een nerveuze zucht neer op de vloer. Ik zeg een paar verzen uit de Koran op, wat me helpt om mijn zenuwen te bedwingen, zodat ik weer normaal kan doen. De ritmische melodie en de wijsheid van de woorden geven me een rustig gevoel. Ik doe een paar muntjes in een speciaal doosje voor goede doelen dat bij ons thuis staat, dat heet *sadaqa*, en trek mijn kleren recht. Geld geven aan mensen die het nodig hebben, lijkt op de chaostheorie: een klein beetje groeit en wordt machtiger tot de positieve energie uiteindelijk terugkeert bij jou. Ik heb een goed karma nodig op dit moment.

De voordeur gaat open; mijn adem stokt. De ware jakob is gearriveerd.

Ik ren naar het raam in de slaapkamer aan de voorkant van ons huis en kijk naar zijn gevolg, terwijl ze hun auto parkeren. Ik kniel, zodat ik tussen het gordijn en de vensterbank door kan gluren. Ik zie een grijsbruine Toyota. Of is het een Honda? Doet het merk van de gezinsauto van een typische, betrouwbare Aziatische familie er eigenlijk toe? Mijn ogen dwalen vluchtig over het stel dat over ons tuinpad klikklakt. De Jongen, Ali, loopt stilletjes achter hen aan.

De gasten komen opgewekt binnen en doen alsof er niets ongebruikelijks is aan dit bezoek. Zelfs tijdens deze eerste introductie blijft het doel van het bezoek discreet en onuitgesproken. Het huis gonst van de luchtige gesprekken. De gasten zien er te onschuldig, te vriendelijk uit om mijn hele leven overhoop te gooien. Zijn ze hier echt om mij uit de boezem van mijn familie te rukken? Ik ben dol op mijn familie, ik ben hier gelukkig. Waarom moet ik weg? Hun komst maakt me onrustig. Lichtelijk in paniek wapper ik met mijn handen en begin ik geluidloos te ijsberen, in mijn eentje, wachtend op het juiste moment om in het hol van de leeuw af te dalen. Een meisje moet een goede eerste indruk maken op een afspraakje. Dat weet iedereen.

Ik blijf abrupt staan en spreek mezelf streng toe. Wil ik niet verliefd worden en nog lang en gelukkig leven? Deze man kan mijn sprookjesprins zijn. Wie weet voert hij me mee naar een wereld van rozen en Assepoesterbaljurken. Zal ik vlinders in mijn buik voelen en op het eerste gezicht verliefd op hem worden?

Ik weet vier dingen over hem. Dat hij drieëntwintig is en accountant, is belangrijk om te weten. Dat hij een 'aardige' jongen is en uit een 'goed' nest komt, vind ik oninteressant. Op mijn negentiende vallen deze feiten in het niet naast mijn simpele verlangen om verliefd te worden.

Ik hoor wat geschuifel in de woonkamer, waar iedereen een plekje zoekt. Ik sluip stilletjes de trap af en ga buiten hun gezichtsveld zitten, maar wel zo dat ik kan horen wat er gezegd wordt. Ze praten een poosje over familiebanden en de plek waar ze oorspronkelijk vandaan komen en of ze misschien in de verte familie zijn. Aziaten praten over familie zoals Engelsen over het weer: het is een veilig onderwerp waar je uren over kunt kletsen. De beleefdheden die worden uitgewisseld bieden ook belangrijke aanwijzingen over je gesprekspartner. Wat is hun achtergrond, hun geschiedenis en reputatie?

De twee partijen praten tot ze een gemeenschappelijk familielid op het spoor zijn. Aziatische talen zijn heel geschikt voor dit soort gesprekken, omdat er specifieke namen zijn voor heel ingewikkelde familierelaties. Zo kun je snel een ver familielid traceren. Ik kan in twee stappen achterhalen wie de zus van de man van mijn moeders zus is, terwijl je daar in het Engels tweemaal zo lang voor nodig hebt; of in drie stappen wie de man van de zus van de schoonmoeder van de zus van de moeder van de vrouw van de broer van mijn vader is. Beide partijen zijn oprecht in hun verlangen een familielid of vriend te vinden die hen verbindt. Ineens lijkt er dan een zoemer te klinken en een stem die roept: 'Bingo! Het is raak!'

Na een paar minuten weet ik instinctief dat het tijd is om mijn entree te maken. Ik oefen mijn glimlach nog eens in de spiegel: krul ik mijn lippen maar zo'n beetje aan de zijkanten of toon ik een brede glimlach? Of moet ik mijn hoofd vrijwel onzichtbaar buigen als ik de kamer binnenstap? Ik stop een paar wispelturige haarlokken terug onder mijn hoofddoek, trek mijn rok recht en schrijd naar de deur. Mijn hart bonkt in mijn keel, mijn voorhoofd is bezweet, mijn wangen gloeien. Hoogste tijd om de man te ontmoeten.

De deur naar de woonkamer staat op een kier. Ik zwaai hem open en loop de kamer in waar het gonst van de gesprekken. Ik verwacht dat het stil zal vallen, dat alle ogen ineens op mij gericht zullen zijn. Maar ook al sta ik er al enkele seconden, niemand lijkt mij op te merken. Het opgewekte geklets gaat vrolijk door. Moet ik gaan zwaaien? Moet ik iets zeggen?

Ineens ziet mijn vader me. 'O-ho!' roept hij uit, een typisch Aziatische woordklank. 'Dit is mijn dochter Shelina.' Hij kijkt de gasten aan alsof mijn komst een verrassing voor ze moet zijn.

Plotseling ben ik me heel erg bewust van mezelf, zoals ik daar alleen midden in de kamer sta. Onze zitkamer is een grote vierkante ruimte met stemmig lichtgroene wanden en smaragdgroene fluwelen gordijnen voor de ramen. De openslaande deuren leiden naar een kleine, schilderachtige tuin die mijn ouders liefdevol onderhouden. Ze zijn dol op hun tuin, en de tuin is dol op hen. De gasten zitten gerieflijk op zachte leren banken die in een cirkel staan – met perfect uitzicht op wie er ook maar in het midden staat.

Ik lach even en neem de omgeving nerveus in me op. Zoals gebruikelijk zitten de mannen aan de ene en de vrouwen aan de andere kant van de kamer. Waar is de vrouwelijke gast? De beleefdheid wil dat ik haar als eerste begroet. En waar is de sprookjesprins? Ik moet zijn aanwezigheid met een zichtbaar maar bescheiden knikje erkennen. Hoe zit iedereen precies en waar kan ik het beste plaatsnemen? Snelle, slimme beslissingen zijn cruciaal om een goede eerste indruk te maken.

Ik beweeg me richting de vrouwelijke gast en zeg '*Salam alaikum*', de islamitische begroeting die betekent 'Vrede zij met u'. Ze is de tante van Ali. Ik kus haar op de wang en ze kust me terug. De beschrijving van de koppelaarster moet op dit moment door haar hoofd schieten. Wat heeft ze te horen gekregen? Voldoe ik aan de verwachtingen? De koppelaarster is er ondanks haar afwezigheid bij en oefent grote invloed uit op mijn leven en de levens van talloze andere singles.

Ik kijk verlegen om me heen, zie de Jongen en knik hem beleefd toe. Ik neem instinctief plaats op een lege plek bij de deur. Ik ga netjes zitten en sla mijn handen bevallig om mijn knieën. Ik glimlach charmant voor me uit. Het gesprek komt weer op gang. Ik haal opgelucht adem en probeer mezelf te vermannen. Ik werp een vluchtige blik op de huwelijkskandidaat zonder hem rechtstreeks aan te kijken. Ik ben me ervan bewust dat ik word gekeurd. Hij lijkt ontspannen, zoals hij achterovergeleund op de bank met mijn vader zit te praten. Mijn vader kletst met iedereen gemakkelijk een eind weg, niet gehinderd door hun rang, leeftijd of status. Hij is praatgraag aan de buitenkant, maar rustig en vastberaden vanbinnen. Hij heeft een korte, witte baard die goed past bij zijn persoonlijkheid en zijn waardige karakter. Hij plaagt me graag door enthousiast met zijn baard langs mijn wangen te kietelen. Zijn enige concessie aan het gegil dat hij op die manier sinds mijn vroegste jeugd veroorzaakt, is dat hij zijn baard wast met shampoo en conditioner. Zo schuren zijn baardharen niet zo hard langs mijn huid.

'Werk je of studeer je?' Het valt stil in de kamer. Ik staar wezenloos naar de mensen om me heen. Iemand spreekt me aan. Het dringt niet door.

Uiteindelijk piep ik: 'Bedoelt u mij?' Ik schraap mijn keel om het hoge tekenfilmstemmetje kwijt te raken. 'Ik studeer.'

'Heel goed,' vervolgt de oudere mannelijke gast, de oom van Ali. 'Ik hoorde dat je psychologie en filosofie studeert.'

Ik knik zwijgend. Mijn stem is nog boven, in mijn slaapkamer, uit protest tegen deze gênante situatie.

'Dus dat betekent dat je weet wat ik nu denk?' Hij grinnikt en lacht daarna zo hartelijk dat hij een hoestbui krijgt.

'Shelina, *beti*, haal een glaasje water voor hem,' zegt mijn vader. Beti is een koosnaampje voor dochter. Het laat zien dat hij aan me gehecht is.

Ik kom terug met een glas ijswater en ga weer zitten. Ik blijf een paar minuten rustig zitten, tot mijn moeder me bijna onmerkbaar toeknikt. Ik verlaat stilletjes de kamer en trippel over het zachte tapijt naar de keuken. Ik vul de waterkoker met water, zet hem aan en kijk naar het felrode lichtje, wachtend tot het water kookt. Ik staar afwezig voor me uit en ga terug naar de woonkamer. Ik zet mijn liefste, meest beleefde, toekomstige schoondochterstem op en vraag: 'Wilt u misschien een kopje thee of koffie?'

Ik voel me ineens veel zelfverzekerder: ik heb een rol. Ik lach beurtelings naar de gasten en vraag ze wat ze willen drinken en hoeveel suiker en melk ze in hun thee of koffie willen. Ik schiet bijna in de lach als iemand vraagt om vier lepeltjes suiker en gezoete poedermelk. Typerend voor theedrinkende Aziaten die voorkeur voor mierzoete thee. Ik probeer niet te veel naar de Jongen te kijken als ik de bestelling opneem. Hij ziet er net zo benauwd uit als ik.

Ik dreun de bestelde drankjes als een mantra op in mijn hoofd. Goed kunnen koken en gastvrouw spelen zijn essentiële vaardigheden voor een 'echte' vrouw in de Aziatische cultuur, net zoals vroeger in Europa. Elke vrouw moet een godin in het huishouden zijn. Het zou niet in mijn voordeel zijn als ik nu een fout maakte.

Eenmaal terug in de keuken zet ik de kopjes op een dienblad, in een volgorde die overeenstemt met de plek van de gasten in de kamer. Dat helpt me om het juiste drankje aan de juiste persoon te serveren. Ik doe theezakjes in de kopjes, schep koffie in (het is oploskoffie, voor het gemak), verdeel de suiker, schenk heet water op en veeg schoon wat ik gemorst heb. Ik trek mijn kleren recht en pak het dienblad op. Ik probeer te voorkomen dat ik over de zoom van mijn rok struikel en strompel naar de woonkamer. Ik heb enorme spijt van mijn keuze voor deze lange, zwierige chiffon rok, omdat ik steeds op de sierstroken stap. Ik zet het dienblad midden op de koffietafel en plaats elk kopje voorzichtig op een onderzetter bij de juiste persoon. Ik pak het theekopje voor de Jongen en weet ineens niet goed wat ik ermee moet. Ik loop naar zijn stoel, zoals ik ook bij de anderen deed, en zet het kopje naast hem neer. Als ik hem bedien, kijk ik even op en werp een blik op zijn gezicht. Ineens verlegen kijk ik snel weer weg. Ik baal van die zenuwen, kijk toch weer op en onverwacht staren we elkaar aan. Plotseling is het magische moment voorbij en stap ik terug in de normale werkelijkheid. Stuntelig en verhit vlucht ik naar de keuken.

Samosa's

Ik pak een tweede dienblad dat al klaarstond. Het staat vol schaaltjes met hapjes, waaronder de volmaakt goudbruine samosa's van mijn moeder. 'Het binnenbrengen van de schaal met samosa's' is een restant uit het oorspronkelijke ontmoetingsproces: de enige keer dat het meisje de kamer inging waar haar toekomst werd bepaald. Het is nu gewoon een grappige benaming voor de kennismaking van een meisje met een jongen.

Maar soms is dit misschien de enige kans van het meisje om haar toekomstige bruidegom te bekijken. Ook de jongen moet die mogelijkheid met beide handen aangrijpen. Dit is niet het moment om de kamer te verlaten en naar het toilet te gaan. De jongen heeft, met zijn hele familie, misschien wel honderden kilometers afgelegd voor dit ene korte moment, voor – wie weet – zijn enige kans om de vrouw te zien met wie hij de rest van zijn leven zal delen.

Zullen zijn ogen stralen als hij haar ziet? Valt hij voor haar zwierig omgeslagen *dupatta*, de doorschijnende sjaal die vrouwen in sommige delen van Azië vaak op hun hoofd dragen in plaats van een hoofddoek? Stel dat die afglijdt als ze bukt om de bordjes met eten uit te delen en hij een glimp opvangt van haar lange, ravenzwarte haar? De manier waarop ze de theekopjes op tafel zet of waarop ze de bordjes met *halwa* uitdeelt, kan haar lot bepalen.

'Het binnenbrengen van de samosa's' is oorspronkelijk bedacht om de bruidegom-in-spe en zijn gevolg een blik te gunnen op de potentiële echtgenote. Het meisje werd er niet bijgehaald om haar mening te geven of om een rol te spelen bij de besluitvorming. Haar lot lag in handen van de bruidegom en zijn familie. Hij was de jager, zij de prooi.

De jongen zou zich afvragen: is ze aantrekkelijk? De mannelijke begeleiders zouden overwegen: is ze een goede partij? Een paar blikken van de bruidegom op zijn aanstaande bruid en de zaak zou worden beklonken. Ze was misschien zozeer bedekt dat hij haar nauwelijks kon zien. Of misschien zou zij, als ze hem zijn thee gaf, dapper opkijken en hem een brutale blik toewerpen. Het gaat ten slotte altijd om dat ene moment, of dat nu in een succesvolle Bollywoodfilm of in *Pride and Prejudice* van Jane Austen voorkomt. In onze cultuur kon het serveren van de samosa's bepalend zijn voor je toekomst, je lot en je hele familie.

Het meisje zei geen woord tijdens het hele gebeuren. Zij moest zich bescheiden en ingetogen opstellen. Onder streng conventionele omstandigheden zou ze vooraf niet zijn binnengekomen, zoals ik had gedaan, en zou ze – de hemel bewaar ons – niet hebben gesproken. De korte ontmoeting die het uitdelen van de knapperige vleespasteitjes met zich meebracht, was bepalend voor de beslissing van de bruidegom. Het enige wat het arme meisje kon doen, was wachten op de uitspraak. Als de reactie afwijzend was, hoewel ze was aangemerkt als iemand uit een 'goede' familie, moest ze wel concluderen dat haar uiterlijk haar in de steek liet, toch?

De vrouwelijke familieleden die ook op bezoek waren, zouden

de arme jonge vrouw grondig ondervragen en hun oordeel doorgeven aan de bruidegom en de mannelijke besluitvormers van de familie. De jongen krijgt niets van het meisje te horen behalve wat het vrouwvolk hem heeft verteld. Het introductiesysteem houdt er geen rekening mee dat de jongen misschien een heel ander type vrouw aantrekkelijk vindt dan zijn vrouwelijke familieleden denken. Hij moet accepteren dat Moeder het Beste met hem voorheeft.

Het belang van de mening van de vrouwen moet niet worden onderschat. Een huwelijk is niet alleen een verbintenis tussen bruid en bruidegom, maar ook tussen hun families. Traditioneel werkte de vrouw niet buitenshuis. Ze bracht meer tijd door met haar schoonmoeder en schoonzussen dan met haar echtgenoot, want de hele familie woonde vaak bij elkaar in één huis. Zelfs wanneer een stel uitging, zou zij zich gezellig terugtrekken met de vrouwen, terwijl hij zich samen met de mannen ontspande. Dat ze gezelligheid moest brengen in haar nieuwe familie was voor de kersverse bruid net zo goed een uitdaging als het zorgen voor vuurwerk in de slaapkamer.

Ik deel de schaaltjes met hapjes uit. Deze keer werp ik Ali een warme glimlach toe als ik langs hem schuifel. Ergens tijdens het uitdelen vind ik mijn zelfvertrouwen en persoonlijkheid terug en dat voelt goed. Hij glimlacht nerveus terug, maar we hebben contact. 'Dank je,' zegt hij – het is de eerste keer dat hij rechtstreeks iets tegen mij zegt. Als ik terugloop naar de keuken, voel ik me een stuk zekerder. Ik ben een kamer binnengelopen die vol zit met mensen die speciaal voor mij zijn gekomen, ik heb geglimlacht, ik heb gepraat en ik heb contact gemaakt met een jongen die er niet onaantrekkelijk uitziet.

Mijn moeder komt achter me aan. Ze is klein, heeft een zachte, bruine huid en een lach die me uit mijn treurigste stemming kan halen. Ik kijk haar lief en onderzoekend aan, probeer haar geheim aan haar af te lezen. Ze spreekt me op een fluistertoon toe. Mijn wenkbrauwen schieten van verbazing omhoog. 'Je moet met hem gaan praten in de andere kamer.'

Dit is de hoofdact: ik ga met een man over Trouwen praten.

Ik werp een blik in de eetkamer om te checken of alles netjes is en ga dan zitten. Dit wordt onze onderhandelingsruimte. De eetkamer is, net als de woonkamer, vierkant maar hier overheersen de blauwtinten en er staat een grote mahoniehouten eettafel in het midden. De donkerbruine stoelen hebben gebogen armleuningen en roomkleurige damasten bekleding. In het midden van de eettafel staat een blauwe vaas met fleurige gele narcissen. Ik vraag me af waar hij gaat zitten en of dat aan de goede kant van mijn gezicht zal zijn. Ik draai mijn linkerwang naar de plek waar hij vermoedelijk gaat zitten en daarna mijn rechterwang, en dan ga ik zitten en doe alsof ik een gesprek met hem voer. Vervolgens neem ik de stoel die voor hem is bedoeld en doe alsof ik reageer op mijn eigen uitspraken: 'Ik vind je oogverblindend en ik ben verliefd op je geworden,' laat hij me plechtig weten.

Ik oefen mijn glimlach nog eens: een brede glimlach, een brutale, een flirterige of helemaal geen glimlach.

Het is niet passend om in dit stadium te enthousiast of te joviaal te reageren. Ik moet mijn gebruikelijke uitbundigheid matigen om te voorkomen dat ik hem afschrik. Ik heb al meermalen van de Tantes en andere ouderen om me heen te horen gekregen dat ik te zelfverzekerd en bijdehand ben, en dat jongens daar niet van houden. Als ik serieus aan de man wil, moet ik dat verbergen. Ik mag ze wel een glimp laten zien, maar de jongens mogen me niet te slim vinden. De Tantes gingen zelfs zo ver om te zeggen dat ik beter geen Masters of – stel je voor! – doctorstitel kan halen, omdat er dan niemand met me wil trouwen. Dat zou dan mijn eigen schuld zijn. 'Niemand wil een meisje dat te hoog is opgeleid,' waarschuwen ze me. 'Voor je het weet ben je oud en blijf je altijd alleen. Het is beter om eerst te trouwen en je man goed te leren kennen, dan kun je daarna doen waar je zin in hebt.'

De Tantes waren zonder uitzondering grote, weelderige vrouwen met een sterk accent dat zowel hypnotiserend als irritant was. Hun stemmen galmden door mijn hoofd alsof er een legertje opgewonden krekels rondvloog. Ze waren luidruchtig en overdonderend en er klonk een erfenis in door van eeuwenoude tradities. Wie was ik om hun wetten aan mijn laars te lappen?

'Ken je dat meisje, Sonia?' begon een van hen dan. 'Zo'n aardig meisje, zo snoezig en zo licht.'

'Ze kreeg een aanzoek uit een goede familie, en de jongen was heel aantrekkelijk.'

'Knap, dus?'

'Ja, heel knap.'

'Ze was nog maar zeventien.'

'Ja, zeventien pas, maar heel slim.'

'Ja, heel slim.'

'En hij had een goede baan.'

'Ja, een heel goede baan bij een groot advocatenkantoor. Senior partner, let wel.'

'Dus ze is met hem getrouwd. En nu heeft ze drie kinderen. En tegen de tijd dat ze vijfenveertig is, heeft ze haar handen vrij. De kinderen zijn dan inmiddels zelf getrouwd en uit huis, en dan is ze vrij. Dan kan ze doen wat ze wil. Studeren, werken, reizen.'

'Ze gaat al naar de universiteit. Ze heeft haar bachelor al gehaald en volgt nu een masteropleiding.'

'Voor het boenen van de keuken heb je anders echt geen diploma nodig!' riep de weelderigste van de Weelderige Tantes schaterend uit.

'Een diploma voor het maken van roti en biryani!' giechelden ze beiden met krassende stemmen en adem die vaag naar *paan* rook. Kauwen op paanbladeren brengt stimulerende stoffen in het bloed, net zoals nicotine bij roken, en het laat gele vlekken op de tanden achter.

De Weelderige Tantes deden mijn haren te berge rijzen met hun zelfverzekerde commentaar. Hun onwankelbare vertrouwen in hun eigen kijk op de wereld was bedreigend voor me. Het ging precies om wat me het allermeest verwarde: het kruispunt tussen mijn islamitische, Aziatische en Britse achtergrond. Ik was niet in staat de vanzelfsprekende cultuur die uit hun poriën stroomde opzij te zetten, zodat ik de nuttige Aziatische wijsheden eruit kon zeven en gebruiken. Zelfs hun titel – 'Auntie' uit respect en 'Jee' voor nog meer respect – versterkte hun status als bolwerken van ons erfgoed en de traditie. Ik vond hen ouderwets, terwijl ik mezelf als progressief en modern beschouwde. Ik voelde een jeugdige afkeer tegen de tuttige stereotypes van vrouwen die zij voor ogen hadden en de tiener in mij verzette zich tegen alles waar ze bij ons voor stonden. Maar ik zag geen probleem in mijn deelname aan het traditionele huwelijksproces, waar zij de motor achter waren. Als ik een echtgenoot wilde, was er maar één manier.

Ik verjaag hun stemmen terwijl ik zit te wachten op het grote moment, het moment dat mijn leven zal veranderen en waarvoor ik ben klaargestoomd. Ik trommel met mijn vingers op tafel. Fluistert iemand nu in zijn oor dat hij naar de andere kamer moet? Is hij opgewonden? Of in verlegenheid gebracht?

De deur zwaait langzaam open en een klein hoofd kijkt om het hoekje. 'Hallo,' piept hij nerveus. Hij schraapt zijn keel. 'Mag ik binnenkomen?' Hij kijkt wat schaapachtig naar me en schuifelt de kamer in. We kijken elkaar opgelaten aan. Het is veiliger om te doen alsof de situatie heel gewoon is dan om onze angst te tonen. Zijn dit soort ontmoetingen alleen voor mensen die zijn opgegroeid met romantische Hollywoodfilms geforceerd en gênant? Of zijn aanbidders over de hele wereld gedwongen hun hart open te stellen voor een volslagen vreemde in de hoop een levenspartner te vinden? Ik stel me een levensgrote poster op de muur voor: 'Trouwen, ja of nee? Stem nu!'

Ik vraag me af of ik moet opstaan en hem een stoel moet aanbieden, of ik mijn plichten als gastvrouw moet vervullen. Gastvrijheid is diep verankerd in de islam. De Britse en Aziatische stemmen in mijn hoofd eisen dat ik blijf zitten: in onze cultuur is het de taak van de man om een stoel aan te bieden, zeggen ze. De zoektocht naar een echtgenoot gaat boven de gastvrijheid, oordelen ze. En trouwens, mijn eigen stem zegt ook dat een vrouw een man zijn mannelijke trots moet gunnen. Precies zoals hij ook gevoelig moet zijn voor de vrouwelijkheid van een vrouw. Ik geef de jongen de kans De Man te zijn.

We zitten aan de hoek van de eettafel, op negentig graden van elkaar, voldoende dichtbij om een gesprek te voeren maar allesbehalve intiem. De deur staat wijd open, waardoor iedereen naar binnen kan kijken en kan horen wat we zeggen. Het luchtige geklets vanuit de woonkamer bereikt ons in vlagen, wat de stilte tussen ons versterkt.

Ik zucht, laat mijn schouders hangen om me te ontspannen. Mijn moeder verschijnt met een dienblad waarop twee kopjes koffie, een paar koekjes en de onvermijdelijke samosa's liggen. Ze glimlacht en zegt tegen Ali: 'Jullie zijn je drankje helemaal vergeten.' Hij bloost, ik bloos, en dan bloost zij ook en vertrekt snel.

Ik zou met deze man kunnen trouwen, denk ik. Ik zie mezelf al in een bruidsjurk. Hoe hij me over de drempel zal dragen. We zouden in een mooi huis met vier slaapkamers en twee badkamers wonen en hij zou 's avonds een wandelingetje met me maken door onze eigen rozentuin. De kinderkamer van ons eerste kind zouden we lila schilderen en we zouden er een eikenhouten, met de hand bewerkt bedje in zetten.

Het blijft stil. Hij ontspant zich en lijkt blij om hier te zijn. Ik vraag me af of hij een verlovingsring in zijn broekzak heeft.

Ik bekijk hem eens goed. Hij heeft kort, keurig verzorgd haar, een netjes geknipte baard en een kleine, metalen bril. Hij draagt een blauw overhemd en een roomkleurige katoenen broek. Zijn stijl is niet ouderwets en niet supermodern.

Hij schraapt zijn keel: 'Je heet Shelina.'

'Ja.'

'Is dit jouw huis?'

'Ja.'

'Je woont bij je ouders?'

'Ja.'

'Ben je in Engeland geboren?' Hij laat zijn stem wegsterven, houdt zijn hoofd een beetje scheef, en lijkt me aan te moedigen om wat meer te vertellen.

Ik kijk hem vertwijfeld aan en krimp ineen: 'Ja-ha.'

Hij houdt hardnekkig vol: 'En je studeert in Oxford, klopt dat?'

'Hm-mm,' antwoord ik instemmend. Ik hoor de Tantes afkeurend mompelen in mijn hoofd vanwege de houterige indruk die ik maak. Ik had me geen slechter begin kunnen voorstellen.

'Dan moet je behoorlijk slim zijn.' Zijn gezicht vertrekt. Ik denk van afschuw, niet van de zenuwen. De Weelderige Tantes schreeuwen, wiebelend met hun lijvige lichamen. *Zie je wel, we hebben je gewaarschuwd. Hij zegt nu al dat dat een probleem is. Maar nee, je wilde niet naar ons luisteren. Jullie jongelui denken altijd dat je het beter weet.*

Ik snak naar adem en staar zwijgend naar mijn handen.

'Hoe vind je het?' Hij is een doodlopende weg ingeslagen, maar gaat wanhopig door.

'Goed. Eh, ja, goed,' stamel ik. Ik weet niet hoe ik het ijs tussen ons moet breken en zijn pogingen zijn al evenmin succesvol.

Hij wacht tot ik verder praat.

'Het is echt, eh, heel goed,' leg ik uit.

Onze handen bewegen naar onze kopjes koffie. We brengen de kopjes naar onze mond en wachten. Als we op het punt staan een slokje te nemen, ontmoeten onze ogen elkaar. We zijn als bevroren: oog in oog, kopje aan de lippen. Ik sla als eerste mijn blik neer en giet de koffie achterover. De koffie is gloeiend heet en ik schrik me rot van de brandende pijn op mijn lippen.

'Gaat het?' vraagt hij, en hij kijkt met grote ogen in de richting van de woonkamer. Zal hij verantwoordelijk worden gehouden voor mijn verwonding?

Ik glimlach per ongeluk en verander van ondoorgrondelijk in doorzichtig. Ik voel me schaapachtig. Hij glimlacht ook, bezorgd maar opgewekt. Ik voel me ineens kwetsbaar en dat voelt prettig.

'Wat weet je van mij?' vraagt hij. De uitdrukking op zijn gezicht is nu meer relaxed, vriendelijker.

'Nou, je heet Ali. Je bent 23 jaar. Je bent accountant van beroep. Klopt dat zo'n beetje?'

'Bijzonder scherp.' Hij trekt zijn wenkbrauwen op alsof hij heel wijs en tegelijkertijd onder de indruk is.

Ik kijk hem op mijn beurt met opgetrokken wenkbrauwen aan en zet hoger in: 'Moet ik nog meer weten?'

'Ik ben geboren in Nairobi en ben in mijn tienerjaren hier naartoe gekomen, heb de middelbare school afgemaakt, de universiteit doorlopen en ben op een of andere manier accountant geworden.' Er sprankelt ironie in zijn ogen. Hij praat zachtjes en vriendelijk. Het is geen hoogdravend gesprek en het is amper boeiend te noemen, maar het kabbelt voort. We kletsen. Soms gaat het vanzelf, soms hakkelen we. Bijzonder is het in elk geval totaal niet.

Het voelt nogal raar om met een vreemde te praten, wetend dat je na een handjevol gesprekken besluit om met die persoon te trouwen. Onder het mom van een luchtig gesprek moet je erachter komen hoe die persoon in elkaar zit en moet je vragen stellen die ondenkbaar zouden zijn bij een gewone kennismaking. Het proces is bedacht om beide partijen de kans te geven de ander gewichtige vragen te stellen over levensdoelen, normen en waarden en wat je van een relatie verwacht.

'Wat voor persoon zoek je?' vraagt hij me. 'Wil je graag kinderen, en zo ja, hoeveel?' vraag ik op mijn beurt. We praten over onze hobby's en interesses en wat we later graag willen doen. Wat voor soort leven zien we voor onszelf weggelegd? Wat voor baan? Waar wil hij wonen? Wat doet zijn familie? Wat verwacht hij van zijn vrouw? Daarna dwaalt het gesprek af naar alledaagse zaken. Wat is zijn favoriete film? Wat vindt hij lekker eten? En dan weer terug naar serieuze zaken. Hij hoopt dat ik mijn studie aan de universiteit afmaak. Ik ben het met hem eens: dat is een van mijn prioriteiten. Hij vraagt: ben je er klaar voor om te trouwen? Ik reageer: loop je al lang met trouwplannen rond? En zo gaat het nog een tijdje door.

Hoewel het gesprek wat onbeholpen begon, vind ik het niet ongewoon of vreemd dat ik mijn toekomstige partner op deze manier ontmoet. Beginnen alle relaties, waar dan ook, niet met een simpel gesprek om dingen over elkaar te weten te komen? Is dit anders dan met iemand zitten kletsen in een bar, disco of restaurant? Ik ben er tenminste zeker van dat hij oprecht geïnteresseerd is in een serieuze relatie en wil trouwen. Ik verdoe mijn tijd niet met iemand die last heeft van bindingsangst. Hij staat, op z'n minst, open om zich te binden. Instinctief ken ik de vragen die rondspoken bij mensen die een nieuwe relatie beginnen: 'Is hij echt geïnteresseerd? Zal hij wel? Zal hij niet?' De turbosnelheid van gebeurtenissen in romantische films en romans onderstreept enkel die menselijke behoefte aan antwoorden in een vroeg stadium. Door dit soort kennismakingsgesprekken krijg ik die antwoorden razendsnel.

Het hele rijtje handelingen is glashelder voor mij: beide partijen moeten zich – weliswaar via hun bemiddelaars – na de ontmoeting uitspreken over hun bedoelingen. Dus het is helemaal niet vreemd om grote, belangrijke vragen te stellen tussen de verhalen over elkaars leven en luchtige zaken door. Dat geeft beslissende informatie die bepaalt of we samen verdergaan, of we liefde, geluk en voorspoed kunnen delen. Ik probeer, uiteraard, indruk op hem te maken. Ik wil dat hij me leuk vindt. Wie wil er nu – vooral de eerste keer – afgewezen worden?

Er wordt zachtjes op de deur geklopt en iemand die we niet zien, zegt: 'Ali, ze roepen je, ze staan op het punt te vertrekken.'

'Weet jij wat er nu gebeurt?' vraag ik.

'Ik denk dat jij met je familie moet praten over ons gesprek en moet laten weten hoe je het vond,' antwoordt hij galant.

Ik vraag hem niet om advies. We bevinden ons in dezelfde positie, maar staan niet aan dezelfde kant. We nemen beleefd afscheid en het ongemakkelijke gevoel dat we hadden afgeschud, sijpelt de eetkamer weer in.

Als we in de woonkamer komen, moet ik blozen. Ze weten allemaal dat we samen waren, dat we zaten te kletsen in de eetkamer waar iedereen binnen kon lopen. Ik schaam me, ook al is ons gesprek de belangrijkste reden voor dit bezoek. Ik vraag me paniekerig af of ze misschien denken dat we van alles en *je weet wel wat* hebben uitgehaald, maar natuurlijk is dat niet zo. En dat weten ze. Mijn schaamte is een duveltje dat ik zelf heb verzonnen.

Onverwacht klinkt er geritsel van kleren, gerinkel van sleutels in broekzakken en wordt er met stoelen en tafels geschoven. De gasten staan op. Ali knikt me toe en ik glimlach als vanzelf, en moet daarna meteen blozen omdat ik me zo brutaal gedraag. Mijn moeder kijkt ons op haar beurt allebei aan en glimlacht ook. We moeten gaan, luidt het zogenaamde excuus van de gasten. Nee, blijf alstublieft, en neem nog een kopje thee, is de zogenaamde tegenwerping van mijn vader. Nee, nee, we moeten nog een eind rijden, is hun reactie. Hun antwoord laat zien dat ze de etiquette van het afscheidnemen kennen: ze wonen amper vijf kilometer verderop.

Ze schuifelen richting voordeur, bewegen zich uiterst langzaam voort om niet onbeleefd te lijken. De tante van Ali fluistert iets in mijn moeders oor. De woorden van de twee vrouwen zijn olie voor de bemiddelingsmachine. Ze spreken af dat ze allebei de koppelaarster zullen bellen die de ontmoeting heeft geregeld om verslag uit te brengen. Als de reactie van beide kanten positief is, komen we in de volgende fase. Dan zien we elkaar weer en de onderhandelingen worden serieuzer. Alle andere aanwezigen doen alsof ze niets in de gaten hebben. Want hoewel hun gefluister onverstaanbaar is, weten we allemaal waarom we hier zijn en wat ze tegen elkaar zeggen. De rest doet net alsof dit niets meer en niets minder is dan een doorsnee zondagmiddagbezoek.

'Kom gauw nog eens langs,' dringen wij aan. 'Jullie moeten eerst eens bij ons langskomen,' zeggen zij in koor. 'Het was een heerlijke middag.' 'Zo'n prachtig huis ook.' 'We zien jullie vast binnenkort in de moskee.' 'Breng alstublieft onze *salams* over aan uw familie.' 'We zouden dit vaker moeten doen.'

De tante van Ali draait zich om en kijkt me aan. Ze laat haar blik van mijn hoofddoek naar mijn voeten dwalen en staart me daarna weer in het gezicht. 'Ik heb veel over je gehoord voordat we hier kwamen,' zegt ze veelbetekenend. 'Het was prettig om je eindelijk echt te ontmoeten.'

'Dank u, Tante, het was ook fijn om u te ontmoeten. We hebben genoten van uw bezoek.' Ik lach haar eerbiedig toe. Ze is ouder dan ik en ik toon haar het respect dat ze verdient.

De mannen kijken wat gegeneerd om zich heen in de hal en willen overduidelijk snel weg. Ze houden niet zo van de beleefdheden die horen bij het bezoek.

'Het is in Allahs handen, weet u.' De vrouw wendt zich nadrukkelijk tot mijn moeder. Geeft ze uiting aan haar vroomheid of is het een hint over de naderende afwijzing? 'Het lot beslist.'

Ze nemen afscheid, verlaten een voor een ons huis en lopen gezamenlijk terug naar hun behoorlijke-maar-gewone auto. Mijn vader staat bij de voordeur, zijn ene hand op de deurkruk, zijn andere in de lucht in een vage groet naar onze vertrekkende gasten. Hij kijkt hoe ze instappen, de portieren dichtslaan en wegrijden. Hij zwaait even heel enthousiast en daarna verdwijnt de auto, met prins en al, tussen het beton van de voorstad.

We gaan terug naar de woonkamer en ik plof neer op een van de leunstoelen.

'Ik ben kapot,' jammer ik. Ik maak mijn hoofddoek los en doe de haarband af die mijn haar op zijn plek hield. Ik voel me meteen beter.

'Arm kind,' verzucht mijn moeder, en ze aait even over mijn hoofd.

Ik kijk naar mijn vader, die in zijn favoriete stoel zit met de afstandsbediening binnen handbereik, zodat hij kan kijken of er nog nieuws is. Ik besluit even voor stoorzender te spelen: 'Wat vind jij, pap? Vond jij hem leuk?'

'Hij leek best aardig,' beaamt hij. 'Maar het is nu aan jou. Jij moet bedenken wat je wilt.'

Ik trek een pruillip.

'Wij zijn je ouders,' vervolgt hij. 'We kunnen je advies geven, maar jij moet de rest van je leven met hem samenleven.'

'Wat vinden jullie?' vraag ik de anderen.

'Hij leek mij ook heel aardig,' zegt mijn schoonzusje, die haar benen strekt en op de salontafel legt. 'Ik denk dat hij een goede echtgenoot zou zijn en dat je heel gelukkig met hem zou worden. Hij heeft een leuke familie, een goede baan, hij is gelovig en hij ziet er niet onaardig uit.' Ze zwijgt even en kijkt me dan zogenaamd beledigd aan. 'Wat? Wat? Als ik een knappe vent zie, mag ik dat toch wel zeggen?'

Ik kijk vragend naar mijn moeder en wacht op haar mening. 'Weet je, vroeger zou een familie het eerste redelijke aanzoek accepteren.' Ze zwijgt even. 'Hij is een goede keus. Je zou je kans moeten grijpen.' Haar aarzelende toon spreekt haar woorden tegen. Ik begrijp meteen dat mijn gevoelens dezelfde zijn als de hare, maar ik hecht grote waarde aan haar advies. Als vrouw, echtgenote en moeder heeft ze de reis die ik ga beginnen al eens afgelegd.

'Hij lijkt aardig, maar dat is het enige wat jullie steeds zeggen: aardig, aardig, aardig. Hoe moet ik het weten? Hoe weet ik het?' Ik keek ze een voor een smekend aan.

Hoe kun je het ooit weten? lijken hun ogen te zeggen.

Hij was mijn eerste, een Prins onder de prinsen. Elke prins zou me een ander leven bieden. Hoe moest ik kiezen?

De romantiek vroeg: *Geeft hij je vlinders in je buik?*

De Weelderige Tantes fluisterden: *Is hij een goede partij?*

Het Geloof wilde weten: *Is hij een praktiserend moslim, net als jij?*

Ik was het spoor bijster. De eisen leken zo tegengesteld.

Maar toch kwam het allemaal neer op een en dezelfde vraag: *Is hij de ware?*

Zippora

De volgende dag belde de koppelaarster. Ze was lid van de Huwelijkscommissie van de plaatselijke moskee, een groep vrouwen die enkel en alleen bestond om families aan elkaar voor te stellen die hun zoon of dochter graag zagen trouwen. Als jouw kind klaar was voor het huwelijk, kon je de commissie benaderen en aangeven dat je op zoek was naar een partner voor je kind. De commissieleden gaven de huwelijkskandidaten toegang tot hun enorme netwerk van familie en kennissen. Plus hun onvoorwaardelijke toewijding, tijd en energie om te bemiddelen. De islamitische gemeenschap was altijd oprecht geïnteresseerd in haar jongere leden en wilde hen graag helpen een bevredigend en goed leven te leiden. Een passend en gelukkig huwelijk was dus belangrijk.

De eerste keer dat de koppelaarster ons thuis belde, hield ze een beleefd praatje over het belang van geschikte partners voor jonge mensen die wilden trouwen. De hele gemeenschap moest een bijdrage leveren, had ze verklaard. De inleidende opmerkingen van de koppelaarster waren beleefd maar ook oprecht gemeend.

Het huwelijk is een zaak van de hele gemeenschap en degenen die zich aanbieden om als bemiddelaar op te treden, spelen een belangrijke rol in de bescherming van het gezin. Volgens de islam wordt iemand die twee mensen in een huwelijk bij elkaar brengt in religieuze zin ruimschoots beloond voor zijn of haar goede daad. De koppelaarster wees mijn moeder erop dat, aangezien ik inmiddels op de universiteit zat, dit een uiterst geschikt moment was om op zoek te gaan naar een echtgenoot. Het was heel acceptabel dat een jonge vrouw haar opleiding afmaakte voor ze in het huwelijksbootje stapte.

'Dit soort zaken kosten tijd,' had ze mijn moeder voorgehouden. 'En als jullie de juiste persoon vinden, kan Shelina trouwen en haar studie afmaken of ze kunnen zich eerst verloven en trouwen nadat Shelina is afgestudeerd.'

En ze voegde er onheilspellend aan toe: 'De beste jongens worden tegenwoordig razendsnel weggekaapt.' Ze zweeg even en vroeg: 'Zal ik gaan uitkijken naar iemand voor haar?'

Zowel mijn moeder als de koppelaarster wist dat die vraag puur voor de vorm werd gesteld. Ze waren allebei al op zoek. Ouders zijn altijd, vanaf de vroegste jeugd van hun kroost, op zoek naar geschikte partners voor hun kinderen. En dat laten ze subtiel aan die potentiële huwelijkskandidaten weten zodra ze volwassen zijn. Als je een partner wilde vinden, was het belangrijk om ver vooruit te denken. Maar de etiquette vereiste een antwoord en mijn moeder bedankte haar dan ook voor haar betrokkenheid. Ze gaf toe hoe moeilijk de positie van een bemiddelaar soms was en herhaalde dat God haar zou belonen voor haar toewijding aan haar islamitische plichten.

'Ik heb iemand,' verkondigde de koppelaarster meteen. 'Een heel leuke jongen.'

Mijn moeder maakte een bemoedigend geluid en de koppelaarster gaf uitgebreidere informatie. Mijn moeder luisterde aandachtig, krabbelde aantekeningen op een notitieblokje en knikte enthousiast terwijl de koppelaarster alle goede eigenschappen van de jongeman opsomde. Ze beschreef zijn familie en hun relaties net zo lang tot mijn moeder precies wist wie ze waren. Ze ging uitvoerig in op de financiële situatie, de kwaliteiten, de reputatie en het opleidingsniveau van de familie. Ze maakte vervolgens ook de nodige opmerkingen over de toekomstige schoonmoeder en welke eisen zij aan de bruid van haar zoon stelde. Ze eindigde met een korte beschrijving van de jongen zelf.

'Ik zal met Shelina praten en kijken wat ze ervan vindt,' zei mijn moeder. 'En dan bel ik u om te zeggen wat we hebben besloten.' Ze zweeg even. 'Vriendelijk bedankt dat u aan Shelina hebt gedacht, dat waarderen we enorm.'

Mijn moeder gaf alle informatie vervolgens door aan mij en aan de rest van de familie. Hij was gelovig, afgestudeerd, had een goede baan en kwam uit een gerespecteerde familie. Hij had de juiste leeftijd en was kennelijk best knap. 'Hij klinkt veelbelovend,' was mijn reactie. Iedereen was het met me eens en mijn moeder belde terug om onze belangstelling te bevestigen.

De volgende keer dat de koppelaarster belde, gaf ze een datum en een tijd door waarop de huwelijkskandidaat langs zou komen. 'Ze zijn erg enthousiast en kijken ernaar uit om Shelina te ontmoeten,' voegde ze eraan toe.

Nu, na de eerste afspraak, belde ze opnieuw op om te horen hoe het gesprek was verlopen. Ze had de familie van de jongen al gesproken – zij werden geacht het initiatief te nemen.

Mijn moeder zette de telefoon op de luidspreker, zodat ik kon meeluisteren. Ze kletsten even wat, wisselden beleefdheden uit. En toen vroeg ze abrupt: 'Wat vond Shelina van hem?' Mijn moeder schrok op, hoewel ze de vraag natuurlijk verwachtte. Haar antwoord was, uiteraard, de enige reden voor dit gesprek.

Mijn moeder omzeilde het antwoord handig door zelf een

vraag te stellen. 'Waarom vertelt u niet wat Ali vond?' vroeg ze op haar beurt. Een mening geven lag ingewikkeld. Als wij als eersten zeiden dat ik hem leuk vond en zij hadden mij afgewezen, dan stelden we ons erg kwetsbaar op en dat kon gênant worden. Als we als eersten 'ja' zeiden en zij hadden sowieso ook 'ja' gezegd, dan zouden wij te happig zijn. Als wij eerst 'nee' zeiden en zij waren van plan om 'ja' te zeggen, zouden ze onmiddelijk alsnog 'nee' zeggen om te voorkomen dat de jongen werd afgewezen, en dan zouden we zijn ware gevoelens nooit kunnen achterhalen. Maar als zij als eersten hun mening gaven en 'nee' zeiden, en wij vervolgens ook 'nee' zeiden? Dan zou het lijken alsof wij met hem verder wilden en alleen 'nee' zeiden om ons gezicht te redden. Bovendien zouden we deze mensen en hun verwanten geheid weer tegenkomen in de moskee en bij activiteiten binnen onze gemeenschap. En hoewel er nooit met een woord over de ontmoeting zou worden gerept, zou iedereen op de hoogte zijn. De uitkomst moest heel tactvol worden overgebracht, zodat niemand zich beledigd zou voelen.

De koppelaarster gaf zich gewonnen. 'Hij vond haar erg leuk en wil opnieuw afspreken... als Shelina ook geïnteresseerd is.' Het was tegenwoordig vrij normaal om minstens twee keer af te spreken, ongeveer op dezelfde manier als de eerste keer, zoiets als de tweede bezichtiging van een koophuis. In grote delen van de Aziatische en islamitische gemeenschap was een ontmoeting, die ooit op het randje was, inmiddels doodgewoon geworden. En nu werd er opnieuw getornd aan die strenge regels van de cultuur door een tweede ontmoeting te willen. De moderne tijd eiste zijn tol.

Het was ooit heel gebruikelijk dat de familie van de jongen al na één ontmoeting een aanzoek deed aan de familie van het meisje. Sterker nog, ze konden ook een aanzoek doen zonder dat er een ontmoeting plaatsvond: de informatie over de familie was dan kennelijk voldoende. Tegenwoordig was het waarschijnlijker dat er een tweede ontmoeting volgde, soms zelfs een derde. Tegen die tijd moest je weten of hij de ware was en of zij jouw aanstaande echtgenote kon zijn. En als je écht je best had gedaan in die tijd en de nodige details over zijn of haar leven, familie, bedoelingen, reputatie en ambities wist, waarom zou je het dan niet weten?

Je had de persoon in kwestie ontmoet en wist dus of je je bij elkaar op je gemak voelde. Je had alles over achtergrond, reputatie, baan (inclusief salaris), vrijetijdsbesteding, sociale activiteiten, religieuze opvattingen en moskeebezoek en zelfs eindexamencijfers te horen gekregen en kon iemand desnoods laten checken door de CIA, FBI, KGB of NASA, als je dat wilde. Daarnaast kende je hun familie en familiegeschiedenis, waaronder de manier waarop ze pas aangetrouwde echtgenoten en echtgenotes behandelden en hoe vaak er getrouwd en gescheiden werd. De gesprekken waren openhartig geweest en gericht op de lange termijn. Je had zo langzamerhand een duidelijk beeld van de kandidaat en wist wat hij of zij verwachtte van het leven. Het was een inspannende en beproefde methode, en hij leek te werken. Of zoals de Tantes zeiden: dit was toch alle informatie die je nodig had om de juiste persoon te kiezen, met wie je een succesvolle relatie kon opbouwen?

Eventuele moeilijkheden die je kon verwachten als je na zo'n korte introductieperiode trouwde, werden opgevangen door de gemeenschap. De familie was in de buurt om het kersverse paar bij te staan en ouders en andere gezinsleden zouden het stel advies geven op het relationele vlak. Als helft van een pasgetrouwd stel was je erop voorbereid dat een relatie de nodige tijd moest krijgen, voordat het huwelijk de glans van een Bouquetreeksroman kreeg.

De Tantes vroegen zich hardop af waarom een kennismakingsperiode van drie jaar een beter huwelijk zou opleveren dan drie intensieve ontmoetingen. Het was moeilijk om het op dit punt niet met hen eens te zijn. In hun ogen draaide het in de wereld om een simpele, praktische keuze. Namelijk tussen liefde, opwindende, romantische liefde waar de vonken vanaf vliegen aan de ene kant, en een weloverwogen oordeel over de problemen van het leven aan de andere. De eerste soort hield in: gevaar, uitsluiting, risico's, de tradities in de wind slaan. De andere kant had zijn nut in het verleden bewezen. Dat betekende achtenswaardigheid, een plek in de maatschappij, status en waardering.

Jarenlang dacht ik dat dit een of-of keuze was, maar tegelijkertijd verlangde ik naar beide. Ik vond mezelf speciaal genoeg om allebei te hebben. Tijdens de zoektocht naar mijn geloof bleek dat mijn instinct klopte: liefde en praktische zaken hadden elkaar nodig.

'Shelina...' begon mijn moeder.

'Is hij geen *enige* jongen?' onderbrak de koppelaarster haar. '*Zo* goed gemanierd en *zo* knap. Ali zei dat hij Shelina erg leuk en vriendelijk vond.'

'Shelina...' probeerde mijn moeder nog eens, en ze brak de zin toen abrupt af. 'Ja, hij was erg aardig en zijn familie leek ook heel aardig.' Toen mijn moeder haar mond opende voor de volgende zin, was de koers van mijn leven bepaald.

'Shelina voelt er niet voor om met hem verder te gaan.'

De koppelaarster trok haar wenkbrauwen bijna hoorbaar op en haar mond viel duidelijk wijd open. 'O,' bracht ze op hoge toon uit, en ze probeerde haar schok te verbergen. 'Waarom niet?'

'Nou...' begon mijn moeder. Wat kon ze zeggen dat zowel geloofwaardig als positief was? Ze was het ook niet honderd procent eens met mijn beslissing. Mijn familie had me aangemoedigd om hem een tweede keer te ontmoeten.

Ik was negentien en hij was de eerste man die ooit aan me was voorgesteld, de eerste kandidaat die ik ooit had overwogen om de rest van mijn leven mee door te brengen. Maar de kennismaking was niet spontaan en de signalen, emoties en vibraties hadden bij mij niet voor vlinders gezorgd.

Ik had niet door dat de geforceerde ontmoeting thuis alle intuïtieve aantrekkingskracht had weggevaagd. Dus begreep ik niet dat dit de reden was waarom 'dat gevoel' ontbrak. De test die ik voor mezelf had bedacht om een partner te vinden was niet in orde. Het gemak waarmee ik een huwelijkskandidaat van zijn klasse afwees, was naïef. Het enige waarnaar ik op zoek was, was 'dat gevoel'. Op mijn negentiende had ik hoge verwachtingen: ik moest en zou de ware vinden. Als ik terugkijk, denk ik dat Ali waarschijnlijk een prima echtgenoot zou zijn geweest. Sterker nog, hij trouwde niet veel later en zijn vrouw zag er altijd gelukkig en stralend uit. Ik vraag me wel eens af hoe het zou zijn gelopen als ik wel met hem was getrouwd.

Mijn familie neemt haar islamitische plichten serieus. Ik moest mijn toekomstige partner blij en vrijwillig accepteren. De familie bood me een gearrangeerd huwelijk – maar dat is totaal iets anders dan een gedwongen huwelijk!

Bij een gearrangeerd huwelijk moet de familie zorgen voor potentiële huwelijkskandidaten. Mijn familie moest mij adviseren en steunen bij het maken van een keuze. Als ik de persoon die ze aan mij voorstelden niet leuk vond, dan waren we klaar. Mijn keuze gaf de doorslag. Juist vanwege hun islamitische geloof was het voor mijn ouders overduidelijk dat ze me niet mochten dwingen als het om mijn keuze voor een man ging. En trouwens, ze zouden me nooit iets laten doen wat ik niet wilde: ze respecteerden mij als een mens met een eigen mening. Bovendien: een gedwongen huwelijk is niet eens geldig. Maar er was niets mis mee dat ze het lot een handje hielpen om mannen subtiel mijn kant op te sturen. Wie zou hulp weigeren bij de jacht op de grote liefde van je leven? Bovendien zouden ze mij met raad en daad bijstaan tijdens de onderhandelingen. Dat je steun hebt aan iemand als je relatie serieuzer wordt, is minstens zo belangrijk als hulp bij het vinden van die ene speciale persoon.

Mijn ouders leerden ook van deze ervaring. Ik was de eerste van hun dochters die ging trouwen en de regels voor meisjes leken totaal anders dan voor jongens. Als ze hadden geweten hoe complex het zou worden voor mij, hadden ze misschien meer aangedrongen op een tweede ontmoeting met Ali. Maar ik denk dat ook zij dachten dat de perfecte prins bestond. Hoe zouden ze, voor hun eigen prinses, genoegen kunnen nemen met minder?

'Shelina zou hem nog eens moeten ontmoeten. Het is altijd moeilijk om meteen te beslissen, arm kind. Hij was vast ook nerveus, zij was nerveus. Ze waren zichzelf niet,' kakelde de koppelaarster.

Mijn moeder wilde wat moeders altijd voor hun dochters willen: geluk en liefde. Welke positieve ervaringen ze zelf ook uit het leven hebben gehaald, voor hun dochters willen moeders altijd iets nóg beters. En dus viel mijn moeder terug op die fijne moderne kreet: 'Ze zegt dat ze geen "klik" voelde.'

Ik keek mijn moeder met bewondering en respect aan. Ze geloofde in de 'klik'. Dat hoefde trouwens niet zo'n verrassing te zijn. Een van haar favoriete verhalen uit de Koran is dat over Zippora en Mozes. Mozes, een sterke en knappe jongeman komt in een dorp aan en laat zijn schapen, naast die van de plaatselijke herders, drinken bij de bron. Zippora wacht samen met haar zus op de kans om haar kudde te laten drinken, maar de andere herders maken het haar moeilijk omdat ze vrouwen zijn. De galante vreemdeling komt tussenbeide en helpt hen met hun schapen. Na Zippora's ontmoeting met Mozes gaat ze naar huis en vertelt ze haar vader over de vreemdeling die haar te hulp schoot. Haar vader heeft een eigen bedrijf en ze adviseert hem om Mozes in dienst te nemen, omdat hij zo sterk is en een goed karakter heeft. Na dit gesprek zegt haar vader haar Mozes uit te nodigen voor het eten.

Ik vraag me dikwijls af of ze haar vader over deze onbekende jongen vertelde, omdat ze hem meteen zo aardig vond. Het lijkt erop dat ze heel openhartig tegenover haar familie was. En dan is het niet vreemd dat een dochter bij haar vader aangeeft dat ze belangstelling heeft voor een bepaalde man. Misschien wist Zippora haar vader te overtuigen van de 'klik' die ze voelde. Mozes werd in elk geval bij haar thuis uitgenodigd zodat de familie hem op waarde kon schatten. Daarna ging het razendsnel: Zippora en Mozes trouwden.

Zowel mijn moeder als mijn vader had dit verhaal ter harte genomen. Hoewel de 'klik' helemaal niet voorkwam in de culturele normen rond het huwelijk, stonden ze er wel voor open. Het sloot aan bij wat hun geloof beschreef. Ze waren altijd bereid te leren uit de verhalen in de Koran en van de profeten in de islamitische geschiedenis. Dat de familie erbij werd betrokken, was overigens helemaal geen gek idee. Het was geen bemoeizucht. Ze wilden hun kinderen gelukkig zien en gaven daarom advies en warme steun, en die was meer dan welkom. Liefde en relaties gingen iedereen aan; iedereen had ermee te maken. En trouwens, ouders hadden meer ervaring en levenswijsheid en dat was erg nuttig als je grote levenskeuzes moest maken.

Toen ik besloot om Ali af te wijzen, was ik begonnen aan een veel grotere reis: de zoektocht naar de liefde van mijn leven. De toon was gezet. Ik moest de ware vinden en tijdens deze missie, zou ik ook mezelf, mijn geloof en de Liefde van God vinden.

Ik verklaarde de Zoektocht officieel voor geopend.

TWEE

☆☆☆

Multiculti

Onschuld

Op mijn dertiende wist ik zeker dat ik voorbestemd was om met John Travolta te trouwen. Op een dag zou hij bij mij in Noord-Londen op de stoep staan, hopeloos verliefd op me worden en me op zijn knieën ten huwelijk vragen. Daarna zou hij zich laten bekeren tot de islam en een toegewijde moslim worden.

Mijn schoolvriendinnen hadden ongeveer dezelfde dagdromen, maar dan zonder het stukje over bekeren tot de islam. Ik was een puber met gewone puberfantasieën. Behalve als het om religie ging. Wie ook mijn prins op het witte paard zou zijn, hij moest eerst moslim worden voordat het iets kon worden tussen ons. Dan zou de romance linea recta naar een huwelijk leiden, en de weg er naartoe was kort. Voor de bruiloft geen gerotzooi. In mijn jeugdige fantasie was ik zo'n verleidelijk meisje dat bekering tot de islam een voor de hand liggende en gemakkelijke keuze was voor de geluksvogel die op mij verliefd werd.

De Weelderige Tantes hielden me voor dat ik een onaantrekkelijke tiener was, om te beginnen te mager. Bovendien was ik 'donker', een soort vloek die Aziaten als erger dan de dood beschouwen. Inderdaad, Aziaten zijn extreem kleurbewust: als je lichtgekleurd bent, ben je mooi, als je donker bent, ben je lelijk. Een blanke huid is een statussymbool en een lichtgekleurde aanstaande schoondochter is een begeerlijke aanwinst.

Meestal is het de moeder van de held die een selectie maakt van meisjes die aan haar zoon voorgesteld mogen worden met het oog op een huwelijk. Schoonmoeders pronken liever met schoondochters die een blank huidje hebben. Ik groeide dus op met het idee dat ik onvolmaakt en onaantrekkelijk was. Als ze toch een compliment wilden maken, riepen de Tantes dingen als 'Wat is ze toch *charmant*' of 'Heeft ze geen *bijzondere* gelaatstrekken?' Maar als ze een meisje met een lichte huid zagen, kirden ze: 'Mijn hemel, wat is ze licht en *mooi*!'

Als kind was ik lichtgekleurd en schattig. Ik had dik glanzend haar en bolle roze wangen. 'Daar kunnen we goed in knijpen,' riepen de volwassenen uit. Ik was een enorm levendig, tevreden kind en kon mezelf urenlang in mijn eentje vermaken.

Mijn beste eigenschap was dat ik een heel ijverige leerling was, van jongs af aan. Ik ging graag naar school en maakte mijn huiswerk met plezier. Elke avond vroeg mijn vader me of ik mijn huiswerk af had en vaak had ik dan meer gedaan dan strikt nodig was. In mijn jeugdherinneringen zijn mijn moeder en vader bijna altijd bij me. Ze brachten zoveel mogelijk tijd met me door. Ik koesterde me in hun liefde en groeide eigenlijk op als een zondagskind.

Ik mocht 's avonds tot acht uur opblijven om tv te kijken. Zelden zag ik mensen met mijn huidskleur en achtergrond in het kleine zwarte raam dat in de hoek van onze woonkamer stond. Ik groeide op in de donkere tijden vóór de komst van de afstandsbediening. Als kind was ik in ons gezin dan ook degene die, elke keer als de volwassenen dat wilden, op en neer rende tussen de bank en de tv om een andere zender op te zetten. Er waren in die tijd maar vier kanalen, een heel primitieve situatie.

In tv-programma's als *Mind Your Language*, *In Sickness and In Health* en *It Ain't Half Hot Mum* traden slechts een paar zogenaamd niet-Europese personages op. Ze hadden bruin gemaakte gezichten en maakten zichzelf voortdurend belachelijk. Dat was hoe Groot-Brittannië toen aankeek tegen de Aziatische en zwarte immigranten uit de vroegere koloniën, die nu langzamerhand integreerden in de Britse cultuur. Ook wij stonden versteld van die rare en onnozele typetjes, maar we waren blij dat we überhaupt op tv kwamen. De karakters die ons in deze series moesten voorstellen kwamen in elk geval menselijk en komisch over en niet barbaars, onderdrukt of opstandig. 'Jij Pakistaanse *poppadom*!' riepen we gniffelend tegen elkaar. 'Jij Indiase *chappati*!' zeiden we grinnikend. '*Duizendmaal* excuses,' en we schudden ons hoofd zonder ironisch te zijn.

Programma's over moslims waren nog zeldzamer. Na eindeloos geblader in het tv-gedeelte van de krant belden vrienden en familieleden elkaar over en weer op. Dan kwam er die avond een bepaald programma om voor thuis te blijven. Na afloop werd het programma uitvoerig besproken. We gingen met z'n allen voor de buis zitten en bekeken de beelden nauwlettend. Zodra we een videorecorder hadden, namen we elke uitzending op voor het nageslacht. De meeste van die programma's waren slordig, eenzijdig of klopten domweg niet als het over de islam ging. Er was geen degelijk onderzoek gedaan en de programma's waren oppervlakkig. De serie *The Sword of Islam* herinner ik me bijvoorbeeld nog heel goed. Die ging over een groep strijders die met getrokken zwaarden door Arabië en Azië raasde. De mannen werden afgeschilderd als een horde barbaren, die woest tekeergingen. Nog één stap verder en ze zouden het bloed van baby'tjes drinken, zo leek het. Mijn ouders waren diep geschokt dat de islam op zo'n bizarre, stereotiepe manier werd neergezet. We waren helemaal niet bekeerd door het zwaard, bedacht ik.

Onze familie bestond uit kooplieden die de islam waren tegengekomen op hun reizen. Zelfs ik wist dat de serie met de zwaarden een mythe was, en ik was nog maar een kind. Ik kwam tot de conclusie dat de mensen op tv niet wisten waar ze het over hadden.

Toen ik in het begin op de basisschool zat, vond ik dit de moeilijkste vraag: 'Waar kom je vandaan?' Deze vraag had niets te maken met de herkomst van baby's, want dat was wel duidelijk: die waren er ineens. Ze kwamen uit navels en je hoefde maar naar hun gezicht te kijken om te bepalen of het een jongen of een meisje was. Ik was geschokt toen ik een gesprek opving tussen mijn moeder en haar zus, die net was bevallen van haar eerste kind. 'Waarom neem je niet nog een kind? Probeer een tweede te maken,' zei mijn moeder tegen mijn tante. Ik stond perplex. Hoe kon mijn tante een kind maken? Je kon niet zomaar een baby 'nemen'. Het was overduidelijk: kinderen kwamen er alleen omdat God ze stuurde, op een moment dat God dat wilde.

Waar ik vandaan kwam lag heel wat ingewikkelder. Ik was een Brits Oost-Afrikaans Aziatisch moslimmeisje, terechtgekomen in de bruisende smeltkroes van Noord-Londen. Het waren de jaren tachtig: Engeland wilde zijn eigen cultuur behouden en wij pasten ons dus aan. Dat alles maakte het nogal moeilijk om mijn afkomst kort en bondig te omschrijven.

Als je zes bent en iemand vraagt: 'Waar kom je vandaan?' is het antwoord duidelijk: je beschrijft eenvoudig het huis waarin je woont. Dat antwoord zou iedereen die er niet anders uitziet geven. Maar je weet dat ze meer willen. Ze willen weten waarom je geen blank perzikhuidje hebt als je toch uit Noord-Londen komt. Ze willen weten waarom je die felgekleurde, vreemde kleren draagt. Waarom jouw eten anders ruikt en waarom je met je vingers eet in plaats van met mes en vork, zoals het hoort. Waarom je soms vreemde bruine tatoeages op je handen draagt. Die vragen werden me nooit rechtstreeks gesteld. Maar Alf Garnett, de komische vreemdelingenhater in de populaire Britse serie, nam geen blad voor de mond. En ik zag hoe de mensen die ik tegenkwam soms nijdig en kleinerend naar me keken. Dus was het altijd gemakkelijker om dingen te verbergen, te ontkennen, gescheiden te houden. Zolang de twee werelden elkaar niet tegenkwamen ging het goed, maar de angst voor een botsing was altijd aanwezig.

Ik heb nooit verteld dat we thuis curry's aten. Ik heb nooit zitten bidden waar mijn vriendinnen bij waren. Ik heb ze nooit verteld dat ik naar de moskee ging. Hoe moest ik dat allemaal uitleggen aan de leerlingen op mijn keurig nette privéschool? Die kwamen allemaal uit oude, welgestelde families met een vader die werkte en een moeder die thuisbleef. Die ouders hadden elkaar op de universiteit ontmoet, waren getrouwd, hadden een huis in de groene wijk Winchmore Hill gekocht en direct kinderen gekregen. Die konden dan weer precies hetzelfde doen als hun ouders. Pas later werd de wereld kleiner en stonden mensen meer open voor andere culturen op de wereld. Ook mijn vertrouwen in mijn eigen geloof en cultuur groeide. En pas toen gaf ik vlotte antwoorden over oosterse invloeden in de mode, smakelijke, kruidige gerechten en modieuze hennakunst en over mijn geloof en de vaste overtuiging dat dat belangrijk was.

Mijn overgrootouders waren in de negentiende eeuw vanuit Gujarat in India naar Oost-Afrika getrokken om zich daar te vestigen. Ze waren een paar van de grote horde Indiase emigranten die uit de Britse kolonie in Azië naar het ruige Oost-Afrika trok. De Britten moedigden volwassen mannen aan om te emigreren, omdat ze mankracht nodig hadden voor de bouw van de Oost-Afrikaanse spoorwegen en de ontwikkeling van de regio. Niet veel later volgden de vrouwen. Sommigen gingen omdat er grote hongersnood heerste in delen van India, zoals in Gujurat en Punjab. Anderen zochten een beter leven. De Aziatische immigranten spreidden zich uit tot in de punt van Zuid-Afrika en zelfs tot ver in het westen, in het 'Donkere hart', midden in het gigantische, onbekende continent. De Britten waren even vergeten dat daar al eeuwenlang mensen woonden met hun eigen geschiedenis en gewoonten. De Aziaten voelden zich snel thuis in Afrika. Ze veranderden bijvoorbeeld het huidige Nairobi, nu de hoofdstad van Kenia, van een onderontwikkeld gebied eerst in een immens tentenkamp en daarna, in een razend tempo, in een stad.

De Aziaten gingen op in de smeltkroes van allerlei volken. Oost-Afrika was gekoloniseerd door de Britten en de Duitsers. De Fransen en de Portugezen hadden hun gebieden in het aangrenzende Kongo en Mozambique. De kustgebieden werden lange tijd geregeerd door Oman, een grote zeevaardernatie op het Arabische schiereiland die rijk was geworden van de handel in wierookhars. De wonderlijke gombomen groeiden alleen langs de zuidkust van Oman. Hun fantastisch geurige, bijna hypnotiserende sap werd verwerkt in parfums die over de hele wereld veel geld opbrachten. De Omanieten gebruikten hun rijkdom en zeemacht om hun rijk uit te breiden, vooral naar het zuiden langs de oostelijke kustlijn van Afrika. Ze noemden de hoofdstad van het huidige Tanzania, waar mijn ouders de eerste jaren van hun huwelijk woonden, 'Dar es Salaam'. Dat betekent land van vrede en veiligheid, een naam die nog steeds bestaat. De Omanieten noemden de kust ook wel 'Sawaahil', naar het Arabische woord. De taal die daar ontstond uit een mengeling van Arabisch met plaatselijke dialecten werd bekend als 'Swahili', de taal van de kust. Vandaag de dag is Swahili de officiële taal in verschillende landen, zoals Tanzania, het vaderland van mijn ouders en grootouders.

Halverwege de negentiende eeuw, voordat mijn overgrootouders de oversteek maakten van Gujarat naar wat toen Tanganyika heette, had hun kleine hindoegemeenschap zich laten bekeren tot de islam. Er zijn allerlei familieverhalen over onze voorvaderen die de islam enthousiast omarmden en een leven probeerden op te bouwen op basis van hun nieuwe geloof. Uit de verhalen blijkt dat ze een onschuldig verlangen koesterden naar spiritualiteit en zochten naar waarheid. Er was natuurlijk nog geen internet en geen digitale snelweg. Je kon nog niet de hele wereld over vliegen om kennis door te geven of te leren. In plaats daarvan kwamen er onderwijzers uit de moslimlanden in het Midden-Oosten naar die nieuwe gemeenschappen. Dat waren geleerden uit traditionele godsdienstopleidingen. Eenmaal aangekomen leerden ze snel de plaatselijke taal.

Allerlei boeken, waaronder de Koran zelf, werden langzaam maar zeker vertaald uit het Arabisch, Perzisch en zelfs Urdu naar het Gujurati. De Koran is het hart van het islamitische geloof. Het zijn 114 hoofdstukken die de profeet Mohammed op latere leeftijd in kleine stukjes door God werden ingegeven, zo geloven de moslims. Hierin worden de grondbeginselen van de islam uitgelegd. Ook vertelt de Koran je hoe je een goede moslim kunt zijn. De teksten zijn vrij snel na het overlijden van Mohammed op papier gezet en zijn sinds dat moment niet meer veranderd. Omdat men gelooft dat de woorden goddelijk zijn en elk woord een speciale, diepere betekenis heeft, is de originele Arabische tekst voor moslims de belangrijkste. Er zijn inmiddels vertalingen in allerlei talen, maar die worden puur gezien als nuttig hulpmiddel om de Arabische tekst te begrijpen.

In die tijd leerden maar weinig mensen Arabisch lezen. Hoewel mijn overgrootmoeder heel oud werd had ze het nooit geleerd. Ze rekende op de hulp van anderen, zoals haar dochter, om haar de Arabische teksten hardop voor te lezen. Langzamerhand veranderde dit. Lezen in het Arabisch werd standaard in de islamitische gemeenschap en veel mannen leerden Arabisch en Perzisch spreken. Perzisch was tot ver in de twintigste eeuw ook de taal van de autoriteiten in India.

Mijn familie en mijn gemeenschap kwamen, met pas anderhalve eeuw islamitische geschiedenis achter ons, nog maar net kijken binnen het geloof. Zelfs nu nog is onze jonge islam fris en gretig. Hij gaat slechts een handjevol generaties terug en je vindt er stukjes India, Afrika en nu ook Groot-Brittannië in terug.

Mijn ouders groeiden op in Tanzania, net als hun ouders. Hun gemeenschappen waren voornamelijk Indiaas, maar de bewoners hadden allerlei religies: de islam, het christendom, het hindoeïsme en het sikhisme. Ze leefden vrolijk naast elkaar, hadden dezelfde normen en waarden en hielpen elkaar bij de uitoefening van hun geloof. In mijn moeders familie was de opleiding van jonge vrouwen heel belangrijk. Om te zorgen dat ze gemakkelijk naar school kon, kocht haar vader een fiets voor haar en zij was de eerste vrouw in haar woonplaats die naar school fietste. Het was ongehoord en heel schokkend. Maar mijn grootvader stond erop dat ze naar school ging en dat ze veilig kon reizen. Onderwijs hoorde bij het geloof. Een van de grote islamitische uitspraken van Mohammed was: 'Zoek wijsheid, al moet je ervoor naar China!' In die tijd was China een ver en geheimzinnig keizerrijk aan de andere kant van de wereld. Mijn grootvader vond het geloof dus belangrijker dan wat de dorpelingen ervan vonden en dat heeft diepe indruk op mijn moeders geloof gemaakt. Zij ziet de dingen hetzelfde als haar vader: geloof gaat vóór traditie.

Vrij snel nadat mijn ouders trouwden, werd Tanzania onafhankelijk en de Britten waren er niet meer welkom. Mijn vaders familie bestond al tijden uit Britse overzeese onderdanen. Hij moest kiezen tussen Tanzania en Groot-Brittannië. Eind jaren zestig veranderde de wereld extreem snel. Papa moest kiezen tussen de opwinding van het pas onafhankelijk geworden Tanzania waar hij was opgegroeid en een eenmalige kans om met zijn jonge gezin naar Groot-Brittannië te verhuizen, een groot avontuur. Als Brits onderdaan zat Engeland al zijn leven lang in zijn bloed. Dus jong, energiek en optimistisch als hij was waagde hij de gok. Ze kwamen in Engeland aan met twee koffers en 75 Engelse pond op zak.

Mijn ouders herinneren zich die tijd als eentje van vergeten problemen en spannende gebeurtenissen. 'We verdroegen de ontberingen,' vertellen ze, 'omdat we jong waren en dolgraag de wijde wereld in wilden.' Ze hadden hun leven in een ruim, modern appartement in het centrum van Dar es Salaam verruild voor dat in een koude flat met één slaapkamer in de buitenwijken van het grijze, winterse Londen. Het toilet was buiten en de badkamer en keuken moesten ze delen. Mijn vader kreeg moeilijk een baan omdat hij van Aziatische komaf was. De bankmanager wilde per se een aanbetaling van vijftig procent toen ze hun eerste huis kochten, puur omdat papa Aziatisch was. De buren voerden actie om te voorkomen dat ze het huis zouden kopen. Mijn ouders verdroegen al die discriminatie en waren vastbesloten om samen een stabiel leven op te bouwen. Ze hadden meegemaakt hoe hun eigen families als minderheden in Oost-Afrika leefden en wisten nog goed hoeveel moeite het had gekost om daar enige welvaart en status op te bouwen. Nu ze in het Verenigd Koninkrijk waren beland, begonnen ze in hun nieuwe thuisland weer van voren af aan.

De sleutels tot succes waren, volgens mijn vader, een goede opleiding en hard werken. En door hard te werken, gaf hij zijn kinderen een eersteklas opleiding. 'Geef een man een vis,' zo hield hij ons regelmatig voor, 'en hij heeft een dag te eten. Leer hem hoe hij moet vissen en hij heeft altijd te eten.' Op succes en materiële welvaart moet je niet vertrouwen, waarschuwde hij. 'Heb je gehoord wat er is gebeurd met de Aziaten in Oeganda?' vroeg hij, zonder antwoord te verwachten. 'Dat waren goede mensen die daar een prima leven hadden. Maar op een dag moesten ze alles achterlaten en waren ze ineens dakloze vluchtelingen. Zo zie je maar, voorspoed en weelde kun je krijgen, maar je kunt het ook zomaar verliezen.' De opkomst van de dictator Idi Amin was een waarschuwing voor alle Aziaten die daar begin jaren zeventig met geweld uit hun huizen in Oeganda werden verjaagd.

Het is modern om te denken dat je bepaalde dingen móét hebben: comfort, stijl, status en romantiek. Maar dat zijn geen broodnodige zaken. Sterker nog, de vluchtelingen ervoeren zelf dat het leven ook een wanhopige strijd om te overleven kan zijn.

'Zekerheid bestaat niet, in geen enkel land.' Dan zweeg mijn vader even en herinnerde hij ons op waarschuwende maar liefdevolle toon: 'Het belangrijkste voor jullie is wat wij jullie leren en dat jullie hopelijk altijd vasthouden. Het gaat erom trouw aan jezelf te blijven en een goed mens te zijn, en ervoor zorgen dat je je geloof niet kwijtraakt en God altijd bij je draagt.'

Mijn ouders zijn dol op reizen. Misschien heeft het ermee te maken dat ze migranten zijn. Elke schoolvakantie gingen we naar het buitenland, naar spannende en exotische plekken, hoewel we helemaal niet rijk waren. Elk jaar gingen we ergens anders heen en ontdekten we nieuwe verborgen schatten. En zo verzamelde ik mensen, bijzondere plaatsen en ervaringen in mijn geheugen. Deze vakanties prikkelden mijn levendige fantasie en ik kon dromen over een saamhorige, kleurrijke wereld. Maar hoe optimistisch ik ook was, die wereld was nog lang geen werkelijkheid.

Mijn vroegste vakantieherinneringen zijn van een reis naar Tanzania toen ik vier was en wij onze uitgebreide familie daar bezochten. We hebben nog steeds oude filmbeelden van die reis. Het is zo'n film die je om een spoel draait en die een gek klikgeluid maakt aan het einde, waarna het scherm helemaal wit wordt. Het tafereel dat me jaren daarna het meest verbaasde, waren beelden van mij op het schitterende strand van Dar es Salaam. Ik was me niet bewust van de camera en ging mijn eigen gang. Ik droeg mijn favoriete rode korte broek en mijn rode *Jungle Book* T-shirt. Pas jaren later gaf ik toe dat het T-shirt eigenlijk veel te klein voor me was. Ik ben druk in de weer met mijn emmertje en mijn schep en wordt omringd door jongetjes. Ze hangen aan mijn lippen en doen alles wat ik hen opdraag, omdat ze het me allemaal naar de zin willen maken.

Toen ik drie was, ging ik naar de peuterklas. Mijn ouders hadden er bewust voor gekozen alleen Kuchi met mij te praten, het dialect uit Gujarati dat we thuis spraken, en dus sprak ik geen woord Engels toen ik daar voor het eerst kwam. Binnen enkele weken sprak ik de taal echter vloeiend. Tegen de tijd dat ik vier was, kon ik Engelse kinderboeken prima lezen. Tegelijkertijd leerden mijn ouders mij het Arabisch. Ze wilden graag dat ik als moslim de Koran in haar oorspronkelijke taal leerde lezen. Elke avond zat ik bij mijn vader op schoot en probeerde ik een bladzijde te lezen in het handboek voor kinderen, bedoeld om de Koran te leren lezen. Ik vond die intieme momenten met mijn vader geweldig en racete door de bladzijden heen.

Het Arabische schrift was een mysterie dat ik met veel plezier ontrafelde. Het was geen vreemd verschijnsel in ons huis; het hoorde bij wie we waren. Het was net zoiets als dat het bed in de slaapkamer van mijn ouders naar één kant was geschoven, zodat er ruimte overbleef voor twee bidmatjes, eentje voor mijn moeder en eentje voor mijn vader. Die waren voor de gebeden 's ochtends vroeg, 's middags en 's avonds. De gebeden bestonden uit vaste bewegingen en woorden uit de Koran en alle moslims over de hele wereld baden op exact dezelfde manier, altijd in de richting van Mekka. Ik haastte me altijd om de matjes op tijd klaar te leggen voor het bidden en ging dan naast mijn moeder staan, die me uitlegde wat ik moest doen. Aan het eind van het gebed las ik het laatste hoofdstuk uit de Koran dat ik had geleerd hardop voor.

Toen ik vijf was, had ik het kinderhandboek uit en begon ik aan de volledige Arabische tekst van de Koran zelf. Die had ik op mijn zesde helemaal gelezen. Ik vond het gemakkelijk, omdat de Arabische zinnen een mooi ritme hadden en de versregels vaak rijmden, bijna als poëzie. Toen ik zesenhalf was, deed ik mee aan een wedstrijd in de moskee. Je moest een spreekbeurt houden over de profeet Mohammed en wat we van zijn leven konden leren. IJverig en met de simpele onschuld van een kind had ik een spreekbeurt gemaakt over het goede gedrag en de goedheid van de profeet. Ik moet eerlijk toegeven dat ik niet vies was van plagiaat: ik kopieerde de tekst vrijwel helemaal uit een boek over de profeet. Ik veranderde alleen een paar moeilijke woorden die ik niet begreep en niet kon uitspreken in kindertaal.

Aan het eind van mijn spreekbeurt zou ik een van mijn favoriete verhalen over de profeet vertellen. Elke dag moest hij door een bepaalde straat heen waar een oude vrouw hem bekogelde met afval, omdat ze het niet eens was met het geloof in God dat de profeet verspreidde. Elke dag kwam hij stinkend naar vuilnis thuis. Op een dag wandelde hij door dezelfde straat en werd hij niet belaagd. In plaats van blij te zijn dat de vrouw er niet stond, zoals de meeste mensen zouden zijn, ging hij uitzoeken waarom ze haar dagelijkse ritueel niet uitvoerde. Zo ontdekte hij dat ze ziek was. Hij ging bij haar op bezoek om te kijken of hij kon helpen. De vrouw was geschokt dat hij zo vriendelijk was, ondanks haar jarenlange getreiter. Mohammed leerde haar dat je ook moest zorgen voor hen die het je moeilijk maken: dat maakt iemand pas tot een goede moslim. Ik wist zeker dat ik door dit verhaal aan het eind van mijn spreekbeurt de wedstrijd zou winnen.

De moskee was een klein, verbouwd wijkcentrum. Sommige moskeeën werden speciaal gebouwd, sommige waren in kleine, verbouwde woonhuizen en andere in voormalige kerken die waren gesloten of in verval geraakt. Daarna werden ze gerenoveerd en opnieuw voor religieuze diensten gebruikt, nu als moskee. Op de vloer lagen allemaal grote kleden en, net als in andere moskeeën, moest je je schoenen in de garderobe uittrekken voordat je naar binnen mocht. De moskee was het hart van de islamitische geloofsgemeenschap. Hier werd gebeden, hier leerden kinderen de Koran lezen, hier kregen volwassenen les en werden religieuze lezingen en bijeenkomsten gehouden. De moskee ie dus het middelpunt van het moslimbestaan, niet alleen als centrum voor kennis en spiritualiteit maar ook als plek voor sociale activiteiten, om familie en vrienden te ontmoeten.

Als we bij de moskee kwamen, ging ik normaal gesproken met mijn moeder mee naar het vrouwengedeelte, want vrouwen en mannen zaten apart van elkaar in de moskee. Maar omdat ik nu meedeed aan de voordrachtwedstrijd, moest ik naar het mannengedeelte. Omdat ik nog maar zes was, mocht dat. Het voelde een beetje vreemd om het enige meisje te zijn in een ruimte vol mannen die me allemaal afwachtend aanstaarden en zich afvroegen wat zo'n jong kind te vertellen kon hebben. De spots waren op mij gericht, de camera's liepen. Daar stond ik, nog geen meter lang, en vol zelfvertrouwen ratelde ik mijn spreekbeurt af, zonder één keer te haperen en met de juiste intonatie, nu en dan even pauzerend voor een maximaal effect. Ik had de hele spreekbeurt uit mijn hoofd geleerd en sprak vijf minuten non-stop.

Ik werd slechts tweede, achter een tienjarige jongen die werd geprezen om zijn diepgaande inzicht. Ik was een beetje boos en bedacht dat zijn spreekbeurt natuurlijk diepgaander was en meer inzicht gaf dan de mijne: hij was tien en ik pas zes.

Een paar weken later werd ik gevraagd om een korte spreekbeurt te houden op de laatste dag van het schooltrimester, waarin ik zou laten zien hoe leerlingen zich met het thema 'geloof' bezighielden. In tegenstelling tot de wedstrijd in de moskee, waar ik me enthousiast op had gestort, aarzelde ik lang. Er zat nog een andere moslim in mijn klas, een meisje met Turkse ouders. Maar ze vroegen mij om te vertellen hoe het was om moslim te zijn.

'Waarom kan zíj niet iets over de islam vertellen?' jengelde ik, tegen mijn gewoonte in. Ik wilde niet voor de hele school de details van mijn moslimbestaan vertellen. Dat hoorde alleen bij mijn leven buiten school.

'Misschien denken de onderwijzers dat jij, omdat je zo goed bent in spreekbeurten, goed kunt verwoorden wat de islam inhoudt,' suggereerde mijn moeder. Ik benijdde haar om haar vertrouwen in haar geloof en de natuurlijke manier waarop dat in haar hele leven terugkwam. Ze probeerde nooit tegen haar niet-islamitische vriendinnen preken. Toch sijpelden haar wijsheid en adviezen die voortkwamen uit haar geloof, als vanzelf door in haar woorden en daden. Ze wijdde nooit uit over de islam, alleen over hoe je een goed leven kon leiden. Maar ik zelf hield de verschillende werelden die ik bewoonde keurig maar krampachtig gescheiden. Zij niet. Haar werelden verbond ze met een tevreden, respectvolle glimlach.

Ik was dol op de zondagsschool. Het heette *madrassa*, het Arabische woord dat gewoon 'school' betekent. De moskee was niet groot genoeg om de honderden leerlingen die elke zondag kwamen op een degelijke manier les te geven en dus werd er voor een ochtend een plaatselijke school gehuurd. We werden op leeftijd in groepen verdeeld en hadden meestal vier lessen. Die werden elk door een andere docent gegeven, meestal een ouder die zich als vrijwilliger had opgegeven om les te geven. Elke week kregen we huiswerk mee en aan het eind van het trimester kregen we een rapport, met daarna een feestelijke afsluiting, net als op de basisschool.

Omdat ik nog in de onderbouw zat, werden de lessen gebruikt om ons de basis van het geloof bij te brengen. Als eerste de geloofsverklaring van Mohammed: 'Er is geen god behalve Eén God en Mohammed is zijn boodschapper.' Het was superbelangrijk voor een moslim om die twee zinnen echt te begrijpen en te menen. Als iemand moslim wil worden, moeten zij dit hardop zeggen. Het eerste deel houdt in dat je alle andere goden afwijst. Mijn onderwijzer zei wel eens voor de grap: 'Iemand die zegt dat er géén god is, is al een halve moslim!' Eén God betekent dat God geen plek, geen tijd en geen lichaam heeft. Mohammed was de laatste boodschapper, maar vóór hem waren er vele profeten geweest, zoals Mozes, Abraham, Isaäk, Ismaël, Noach, Jozef enzovoort. De profeet Mohammed kwam om precies dezelfde boodschap te verkondigen als alle andere profeten: geloof in God en wees een goed mens. Ik was gek op verhalen over de profeten en al die verschillende mensen met wie ze omgingen. Dat was altijd mijn favoriete onderdeel van madrassa.

We leerden ook dat Allah, het Arabische woord voor God, goed, meelevend en liefhebbend was. God had het heelal geschapen en de mensen waren het beste in zijn schepping. Dat sprak me altijd enorm aan. Ik was tenslotte een kind van Aziatische ouders: alleen het beste, in welke situatie dan ook, was goed genoeg. Ten slotte leerden we dat de wereld waarin wij leefden niet het Einde was. Er was meer en dat heette *jannah*, 'paradijs'. Ik stelde me het paradijs voor als Willy Wonka's Chocoladefabriek.

We kregen ook te horen welke verplichtingen we als moslims allemaal hadden. Als eerste was dat *salat*, het gebed. Ik kende de bewegingen en de woorden van de rituele gebeden die we elke dag moesten opzeggen al, omdat mijn ouders me die hadden geleerd. De volgende plicht was vasten. Elk jaar, tijdens de maand van ramadan, aten en dronken moslims tussen zonsopgang en zonsondergang niet en schonken zij speciale aandacht aan hun godsdienst. Ik hoefde niet te vasten, omdat ik nog te jong was. Verder was er de *hadj*, de beroemde reis die alle moslims eens in hun leven proberen te maken: de pelgrimstocht naar Mekka en het Huis van God, de *Ka'aba*. Vasten, bidden en de hadj zijn persoonlijke verplichtingen waardoor je dichter bij God komt. Ook liefdadigheid is belangrijk, niet alleen door geld maar ook door tijd te geven.

Ik was de beste leerling van de madrassa, en dus mocht ik optreden in een video voor kinderen, waarin werd uitgelegd hoe je moest bidden. Mijn moeder trok me mijn favoriete groene *shalwar kameez* aan, maakte twee dikke vlechten in mijn haar en drapeerde een witte katoenen sjaal over mijn hoofd. Mijn vader zette me in de auto en we reden naar de andere kant van Londen, naar het huis waar de video opgenomen zou worden. Ik zou de ster van de film zijn. Roem klopte al vroeg bij me aan.

Mijn beroemdheid zou zich snel en wijd verspreiden en de huwelijksaanzoeken zouden binnenstromen. Niet op zesjarige leeftijd natuurlijk. Maar mijn persoontje was overduidelijk onder de aandacht gebracht van de mensen in onze vrienden- en kennissenkring en binnen onze gemeenschap. Mijn ouders hadden de basis voor geloof, liefde en gemeenschapszin stevig in mijn hart verankerd.

Zelf dacht ik dat mijn leven zou verlopen volgens de regels van een Disney-tekenfilm. Ik wist dat de geheimen rond prinsen en trouwen duidelijk zouden worden naarmate ik ouder werd.

Voorlopig had ik genoeg aan mijn favoriete sprookje – Belle en het Beest. Elke keer als ik dat verhaal las, dartelden de vlinders in mijn buik. Het was het perfecte liefdesverhaal: romantiek was echt voor eeuwig. De held van het verhaal was als prins onwaarschijnlijk knap. Als beest was hij waardig en geduldig. En monster of man, hij was altijd trouw en toegewijd in zijn liefde. De heldin was bevallig, beeldschoon en herkende de innerlijke schoonheid van het beest. Het verhaal draaide om een witte rozenstruik. Elke nacht plukte het beest een van de fraaie rozen en gaf die aan Belle als teken van zijn liefde, totdat ze uiteindelijk voor hem viel. In onze achtertuin hadden wij ook een fantastische witte rozenstruik staan die net zulke mooie sneeuwwitte bloemblaadjes had als die in de plaatjes bij het sprookje. De rozen dwarrelden, zoet geurend, door de sprookjesachtige zomers van mijn jeugd.

De Aziatische cultuur

Eén ding staat vast: alle Aziatische ouders zien hun kinderen het liefst trouwen en een gezinsleven opbouwen. Het is de laatste en belangrijkste plicht van een ouder tegenover zijn kind. In de islam heb je als ouder ook de taak om een geschikte partner voor je kind te vinden. Pas wanneer hun kroost is gekoppeld, kunnen vader en moeder opgelucht ademhalen. Deze plicht is enorm gewichtig en belangrijk en de partnerkeuze heeft een gigantische impact. Dus maken de ouders zich, vanaf het moment dat hun kind is geboren, druk over de zoektocht naar die toekomstige echtgenoot of echtgenote. Het is de taak van de ouders, de schoonmoeders en de Tantes om fanatiek te netwerken en kandidaten te ronselen. Het meisje of de jongen zelf is daar niet per definitie bij betrokken. Ze hoeven alleen maar op de afgesproken dag te komen als dat van hen wordt gevraagd, voor een ontmoeting, zoals Ali en ik ook hadden gedaan.

De culturele normen en waarden bepalen hoe de ontmoeting tussen de jongen en het meisje eruitziet. Vaak zijn er familieleden van beide partijen aanwezig, wordt er thee gedronken en over koetjes en kalfjes gepraat, terwijl de twee partijen elkaar intussen zorgvuldig onder de loep nemen. Soms zijn de jongen en het meisje er zelf niet eens bij. Maar één ding is zeker: de ontmoeting kan de levens van de twee jonge mensen die hierbij het onderwerp van gesprek zijn ingrijpend veranderen.

De Weelderige Tantes, die mollige moederlijke vrouwen in hun nylon shalwar kameez en met hun chiffon dupatta's elegant over hun hoofd gedrapeerd, hebben daarom grote invloed als koppelaars in de levens van jonge mannen en vrouwen en hun ouders die op zoek zijn naar een partner voor hun kind. Achter gesloten deuren, onder het genot van een kopje thee en knapperige, versgebakken pakora's, overleggen de doorgewinterde schoonmoeders en de in nylon gehulde *naanis,* grootmoeders – die net als de Tantes allemaal als koppelaarster fungeren – met onmetelijke autoriteit. Die komt voort uit hun wijsheid en hun jarenlange ervaring met vrouwen die zelf schoonmoeder willen worden en dus op zoek zijn naar een vrouw voor hun zoon.

Schoonmoeder in spe: Ik word te oud om in mijn eentje voor Ahmed te zorgen.

Nylon naani: Het is tijd dat je een vrouw voor hem zoekt.

Schoonmoeder in spe: Ik weet het, maar waar vind ik een geschikte vrouw? Iemand die kan koken, het huishouden perfect runt, zoals wij altijd deden. Eentje die me kleinkinderen kan geven en niet steeds op stap gaat en haar verantwoordelijkheden uit de weg gaat. De meisjes van nu hebben het zo druk met zichzelf. Ze hebben niet het geduld en de verdraagzaamheid die wij hadden. U bent al een naani, een grootmoeder, en u hebt uw schoondochters zo goed begeleid. Dat is zo moeilijk met die meiden van tegenwoordig.

Nylon naani: U hebt gelijk, het is heel moeilijk. Er zijn zoveel stellen die trouwen en dan, goedschiks of kwaadschiks, ineens weer scheiden. En jouw Ahmed is zo'n goede jongen. Heb je al met hem gepraat en voorgesteld om in ons vaderland een meisje te gaan zoeken? Dat zijn de beste, weet je, goed opgeleid en gehoorzaam. Zij weten pas echt hoe ze voor een schoonmoeder moeten zorgen.

Schoonmoeder in spe: Met Ahmed gepraat om in het thuisland een vrouw te zoeken? Pff! Hij *wil* niet eens praten over trouwen. Hij snapt niet dat ik iemand nodig heb die me in en om huis kan helpen. En trouwens (haar toon wordt nu milder), hij heeft iemand voor zichzelf nodig en ik word al oud. Wie zal er voor hem zorgen als ik er niet meer ben?

Nylon naani: Daar vergist u zich. Jongens zijn *nooit* klaar om te trouwen, je moet ze verrassen. Je moet ze voorstellen aan een paar meisjes en zelfs de jongen die het hardst nee, nee, nee roept, zal voor een van hen vallen. Jongens kunnen geen weerstand bieden aan een knap meisje. Je moet ze wel eens wat aanmoedigen en soms overhalen of ze misschien zelfs een zetje in de rug geven. Maar uiteindelijk zal hij je dankbaar zijn.

Nylon naani zwijgt even, en kijkt dan steels om zich heen, een beetje zoals The Godfather. Ze leunt samenzweerderig voorover, ook al is er niemand binnen gehoorsafstand.

Nylon naani: Ik zal je alles vertellen wat je moet weten om een schoondochter te vinden. Het zijn maar vier dingen en dan zul je lachen, lachen, helemaal tevreden. Ten eerste, betrek je zoon er niet bij. Hij weet niet wat hij wil en dat maakt de zaken alleen maar ingewikkeld. Ten tweede, vermijd de meisjes die 'o, wat ben ik toch onafhankelijk' uitstralen. Dat is geen goede eigenschap voor een schoondochter. Ze zijn niet toegewijd.

Schoonmoeder in spe: Hmm, ja, hmm. Heel wijs, zo wijs, ja, u hebt gelijk. Die heerlijke wijsheid.

Nylon naani: Drie. Zorg ervoor dat ze knap is en dat ze kan koken. En… hoe jonger, hoe beter. Tot slot: zoek een meisje uit dezelfde cultuur, zodat ze goed bij jullie past.

Als ik ouder ben en veel zoons heb, en me druk maak over een geschikte echtgenote voor hen, ga ik een vervolg op mijn boek schrijven. Ik noem het: *Liefde in een nylon dupatta.*

De regels van de Weelderige Tantes

De natuurlijke omgeving van een Tante bestaat uit trouwerijen, bijeenkomsten, diners en andere plekken waar jonge, ongetrouwde vrouwen samenkomen. Je kunt ze doorgaans herkennen aan hun enorme borsten en ronde buiken en vaak ook aan de paan waar ze op kauwen. Ze zijn langer getrouwd dan de Rolling Stones bestaan en hun talrijke kinderen zijn allemaal getrouwd en hebben op hun beurt een kleine volksstam aan kleinkinderen voortgebracht, wat hen tot experts op het gebied van het huwelijk maakt. Of het zijn eenzame, vrijgezelle dames die hun leven wijden aan het koppelen van de jongere generatie.

Als jong meisje was ik heel achterdochtig en cynisch wat de Tantes aanging. Ik zag ze als een soort volgegeten plaaggeesten, die maar één doel hadden: mij me klein en nutteloos te laten voelen. Ik was ervan overtuigd dat ze enkel en alleen bestonden om mij het leven zuur te maken en wat ik wilde bereiken te bagatelliseren. Ik op mijn beurt, moest beleefd en charmant tegen hen zijn, omdat ze misschien de toegangspoort waren naar mijn ware jakob, mijn droomprins, mijn levensgeluk. En natuurlijk moest ik het spel spelen volgens de onuitgesproken regels van de zoektocht:

1. Een derde partij, bij voorkeur iemand die als 'oudere' werd beschouwd – waarbij de eerste keus op de Tantes viel – moest helpen onderhandelen tijdens de zoektocht. Je kunt het sociaal gezien niet maken om een andere partij domweg op te bellen en te zeggen: 'Hé, zullen we onze kinderen eens aan elkaar voorstellen?'

2. Beide partijen moeten op een tactvolle manier informatie inwinnen in de eigen kennissenkring over de familie van de kan-

didaat en de persoon in kwestie zelf. Pas wanneer er voldoende informatie en aanbevelingen zijn, kunnen de partijen een volgende stap zetten. Dan regelen ze een ontmoeting.

3. De familie van de jongen moet als eerste belangstelling tonen. Dat is niet aan de familie van het meisje, want dan komt de familie als 'wanhopig' over. Als de familie van het meisje een gesprek wil met een mogelijke kandidaat, moeten ze dat altijd via een derde partij laten weten. Die partij moet dan zorgen dat het lijkt alsof het idee oorspronkelijk van de jongen en zijn familie kwam.

4. Het meisje moet jonger zijn dan de jongen, op z'n minst een dag. Dit is niet om te voorkomen dat hij een rimpelige vrouw trouwt, maar om hem meer autoriteit te geven. Het meisje zou dan ook meer 'kneedbaar' zijn, een begrip dat echt typisch is voor de Aziatische huwelijksmarkt. 'Kneedbaar' betekent dat ze zich zal aanpassen aan de familie van de jongen en hun gewoonten. Een jongere vrouw heeft minder vastgeroeste gewoonten.

5. Het meisje moet korter dan de jongen zijn, zelfs als ze hoge hakken draagt. Op die manier vormt het paar een oogstrelend plaatje als ze naast elkaar staan. De jongen kan zijn haar desnoods met gel omhoog doen, zodat hij wat langer lijkt.

6. Het meisje moet minder hoogopgeleid zijn dan de jongen. De echtgenoot moet op vragen altijd kunnen reageren met: 'Ik heb gelijk, want ik ben jouw man en ik heb langer gestudeerd dan jij.' Of hij zegt: 'Trek mijn beslissing niet in twijfel!' op een beetje knorrige, maar waardige manier.

7. De familie van de jongen moet rijker zijn, zodat hij goed voor het meisje kan zorgen. De jongen moet een goede baan hebben, bij voorkeur eentje met een titel als arts, tandarts of accountant.

8. Het meisje moet een lichte huid hebben.

9. Het is belangrijk dat ze 'eenvoudig en huiselijk' is. Een huiselijk meisje is goed in schoonmaken, koken, wassen en andere soorten huishoudelijk werk. 'Eenvoudig' geeft hierbij aan dat je van nature gek op dat soort activiteiten bent.

10. 'Goedgemanierd, gelovig en afkomstig uit een goede familie, daar moet je naar uitkijken,' zo werd me herhaaldelijk ingeprent. In de Aziatische traditie betekent trouwen dat je deel gaat uitmaken van een nieuwe familie, dus een 'goede' familie uitkiezen is erg belangrijk. Het betekent dat de leden van die familie allemaal een goede reputatie hebben, qua vroomheid en voorbeeldig religieus gedrag, vriendelijkheid en vrijgevigheid, zoals een toegewijde bijdrage leveren aan de gemeenschap en aan liefdadigheid. Schandalen kunnen de reputatie van een familie voor jaren beschadigen en zijn direct van invloed op de huwelijkskansen van de kinderen. Ze worden zo snel mogelijk weer weggepoetst. Een ander kenmerk van een 'goede' familie is dat ze uit hetzelfde vaderland komen, uit hetzelfde deel van hetzelfde land, uit dezelfde stad of uit hetzelfde dorp. In sommige gemeenschappen worden huwelijksaanzoeken alleen in overweging genomen als ze afkomstig zijn van iemand uit dezelfde kaste. En dat terwijl de islam leert dat alle mensen gelijkwaardig zijn en dus het idee van een kastensysteem compleet afwijst.

Deze stille maar machtige culturele regels zeggen het tegenovergestelde als de profeet Mohammed, die de criteria voor een toekomstige partner in alle wijsheid en eenvoud opsomt: 'Ga niet op zoek naar rijkdom of schoonheid, want die zijn van korte duur zijn en uiteindelijk sta je dan met lege handen. Ga op zoek naar vroomheid en geloof en je krijgt alles wat je hartje begeert, ook schoonheid en weelde.'

Afgezien van alle ongeschreven culturele regels is het voor beide partijen belangrijk dat ze niet te veeleisend overkomen bij het kiezen van een bruid of bruidegom. Koppelaars nemen families die potentiële huwelijkskandidaten om muggenzifterige redenen afwijzen op den duur niet meer serieus. Plus, de familie mag niet te gretig lijken. Niemand houdt van de stank van wanhoop, maar de Aziaten zijn wel heel erg streng. Een meisje moet zich schamen als ze zelf laat merken dat ze wil trouwen, hoe graag ze dat ook wil. Vrouwen mogen geen interesse hebben voor wereldse zaken, zoals mannen dat hebben. Misschien was een brede belangstelling in een traditionele gemeenschap, waar een vrouw niets te zeggen had over de partnerkeuze, inderdaad vergeefs. Als een Tante of potentiële schoonmoeder vroeg: 'Wil je graag trouwen?' moest je als meisje verlegen blozen, bedeesd kijken en iets algemeens fluisteren, bijvoorbeeld: 'Nou, als Allah het wil. Natuurlijk willen alle meisjes graag trouwen.'

Er was iets mis met dit proces, wat jonge vrouwen deed huiveren en jonge mannen op de vlucht slaan. Het was gewoon zo gênant. We zuchtten onder de kwelling van het ritueel, zowel de jongens als de meisjes. Maar de ouders, schoonmoeders en de Tantes hielden het toneelspel in stand. Zij waren de cast en het koor, terwijl de jongen en het meisje slechts een gastrol hadden. Misschien was niet alles even perfect, gaven ze toe, maar de Zoektocht volgens de Traditie werkte al generaties lang. *Wat wil je? De wereld veranderen of domweg een geweldige partner vinden en nog lang en gelukkig leven?* Tja, wie durft daar iets tegenin te brengen?

Toen ik een jong meisje was, gingen we op zondagmiddag altijd een stukje rijden. Tijdens die autorit luisterden we naar Sunrise Radio, het eerste grote Aziatische radiostation in Londen. 's Middags was er altijd een programma op waarin mensen die een huwelijkspartner zochten, konden bellen. Het programma richtte zich op de Aziaten, onder wie moslims, hindoes, sikhs en zelfs christenen. De bellers waren doorgaans schoonmoeders in spe die op zoek waren naar een vrouw voor hun zoon of 'vers aangekomen' mannen uit India of Pakistan die een vrouw zochten. Plus, als extraatje, een Brits paspoort. Zelfs als kind vond ik het waanzinnig grappig. Ik was onbezorgd en me totaal niet bewust van de invloed die de verkondigde meningen later op mijn leven zouden hebben. Misschien namen alle anderen het programma daarom zo serieus.

'Ik ben op zoek naar een echtgenote voor mijn zoon,' zei een oudere Pakistaanse mevrouw met een zwaar accent, doorspekt met Urdu-woorden.

'Vertel eens, wat voor meisje hebt u in gedachten,' reageerde de presentatrice dan op vriendelijke, maar serieuze toon. Ik heb me vaak afgevraagd of ze haar gegiechel moest onderdrukken. Tijdens de uitzending klonk ze in elk geval altijd heel betrokken en ernstig, deze Aziatische versie van een kruising tussen radiopresentatrice Sue Lawley en de bekende adviescolumniste Claire Rayner.

'Ik zoek een meisje van ongeveer achttien jaar, mooi, eenvoudig, huishoudelijk, en uit een goede familie. Ze moet slim en lichtgekleurd zijn en in elk geval haar vwo-diploma hebben. Liever niet te lang. En mooi, eenvoudig en huishoudelijk.'

'Oké,' vervolgde de Aziatische Sue Lawley, 'vertel eens wat meer over uw zoon.'

'Hij is dertig jaar, één meter zestig, goedgebouwd en studeert voor accountant.' Ik lachte spottend. Ik wachtte tot de zachtaardige presentatrice zou steigeren en de moeder zou wijzen op het contrast tussen het aanbod en datgene wat ze wilde. Maar het leek niemand – behalve mij – te storen dat er met twee maten werd gemeten.

'En wat is zijn huidskleur?'

'Hij is donker en hij is de laatste tijd een beetje aangekomen, maar dat komt omdat hij goed eet bij zijn moeder,' verkondigde ze overduidelijk trots.

'En moet het meisje werken?'

'Het is prima als ze werkt tot aan haar huwelijk. Wij zijn héél modern. Zodra mijn zoon zijn studie heeft afgerond, kan ze thuisblijven en voor ons allebei zorgen.'

Gezien de nadruk die de schoonmoeder op moderniteit legde, was ik ervan overtuigd dat ze hun prachtige Aziatische namen verwrongen zouden hebben tot een Engelser variant.

'Dank u. Dat was Auntie Sugar uit Hounslow die op zoek is naar een echtgenote voor haar zoon Harry, die dertig jaar is, één meter zestig lang, donker en rond, nog studeert, bij zijn moeder thuis woont en die uitkijkt naar een mooie, eenvoudige en huishoudelijk goed onderlegde vrouw uit een goede familie die thuis wil blijven om voor zijn moeder te zorgen. Alle lieftallige dames die zich aangesproken voelen kunnen nu bellen voor kandidaat drie-drie-zeven-acht.'

Het was een ongelijk speelveld, maar de regels waren duidelijk.

In de war

'Liefde komt *na* het huwelijk' was een bekende lijfspreuk van de imam van onze plaatselijke moskee. Hij was een onverzettelijke figuur in onze gemeenschap, en heel geliefd en gerespecteerd. Dit was een van zijn favoriete uitspraken over het huwelijk. 'Wat bedoelen mensen eigenlijk als ze zoeken naar een "klik"?' vroeg hij zich hardop af. 'Als je elkaar voor het eerst ontmoet, kamt hij zijn haar keurig en doet hij zijn lekkerste aftershave op. En zij draagt make-up en ruikt hemels. En jullie gedragen je allebei keurig netjes, zorgt voor een ontspannen sfeer en laat alleen je goede kanten zien. En je denkt allebei: *Ah! Ik ben verliefd*, *Wat is hij geweldig!* en *Zij is de ware*. Pas wanneer je 's morgens vroeg wakker wordt en zijn adem ruikt of haar met een warrig kapsel ziet, pas dan weet je echt wat liefde is.'

Dat neigde allesbehalve naar het sprookje van Belle en het Beest – of naar John Travolta. De imam was niet tegen romantiek, maar wel tegen blinde romantiek. Hij zette vraagtekens bij de gangbare verhalen die ik om me heen hoorde over het Vinden van De Ware, Verliefd Worden, Trouwen, en Ze Leefden Nog Lang en Gelukkig. Hij zei het niet letterlijk, maar hij bedoelde dat films abrupt stoppen wanneer Sally en Harry elkaar gevonden hebben. Als iedereen in Seattle weer lekker slaapt. Kortom, als de jongen het meisje voor zich heeft gewonnen. Op het hoogtepunt van de twijfelachtige vreugde, is het verhaal ineens afgelopen. Wat gebeurt er echt na 'En ze leefden nog lang en gelukkig'? Zijn er alleen nog eindeloze zwoele zomeravonden en dromerige, blozende blikken? Of zijn het discussies over wie de afwas moet doen, waarom sommige klussen nog steeds niet af zijn of bepaalde rekeningen niet betaald?

Liefde was inderdaad een hartstochtelijke menselijke ervaring, daar twijfelde de imam niet aan. Liefde kon dingen veranderen, maar het was een macht die je in goede banen moest leiden. De rechtmatige plek van de liefde was in het huwelijk, waar al die mooie kanten ervan zonder problemen konden stralen. Alleen de verplichting van het huwelijk, die het stel formele zekerheid bood, en door het jawoord van zowel de man als de vrouw zou de relatie serieus beginnen en kon de liefde opbloeien. Het huwelijk was een daad van verering. En liefde was het geschenk dat je ervoor terugkreeg.

De imam was heel duidelijk over het belang van twee dingen: instemming van de beide betrokkenen zelf en een formeel contract om de relatie te onderbouwen. Dus, trouwen is het verschil tussen een gewone afspraak en een contract op papier. Altijd als het om belangrijke zaken gaat, vereist de wet een geschreven contract om de rechten van beide partijen te kunnen waarborgen en om de aard van de relatie te omschrijven. Ook als het om persoonlijke relaties gaat, zouden die regels moeten gelden. Het huwelijk is dan gewoon een contract tussen twee partijen over de relatie die ze beide willen aangaan.

Praten over de liefde, het huwelijk en de zoektocht naar een partner was een gewoon en natuurlijk onderdeel van mijn jeugd. Al op jonge leeftijd kreeg ik alles te horen over de Liefde. Niet alleen over de bloemen en bonbons, maar ook over de problemen van de liefde: over opoffering, de goddelijke betekenis, de voor- en tegenspoed. De beloning die houden van iemand je kon geven, moest je verdienen. Daar was tijd voor nodig en veel geduld. Steeds weer kreeg ik dit advies, deze bijna dichterlijke voorbereiding op de liefde, te horen.

'Trouwen en liefde zijn geen grote onbegrijpelijke emoties die buiten de dagelijkse werkelijkheid staan,' legde de imam uit. 'Ze zitten juist verpakt in de dagelijkse sleur.' Deze waarheid als een koe negeerden de meeste mensen liever, vooral dromerige tieners als ik. 'En toch is alles wat je als moslim doet,' vervolgde de imam, 'een daad van verering.'

'Volgens de profeet Mohammed is het heel eenvoudig om een mens te zijn, het is een kwestie van "God kennen en de mensheid dienen." Zelfs als het saaie dingen zijn of taken waaraan je een hekel hebt, zoals de was doen of dweilen. Als je jouw aandeel in de wereld doet, kom je vanzelf verder op het pad naar de verlichting.'

Deze preken van de imam waren bedoeld om verliefdheid van echte liefde te leren onderscheiden. Hij wilde mensen graag verliefd zien, maar herinnerde hen er wel constant aan dat het niet altijd rozengeur en maneschijn zou zijn. Afwassen en stofzuigen getuigden net zo goed van toewijding aan God als bidden of mediteren.

We gingen vaak naar bruiloften, ongeveer eens in de drie of vier weken. Er waren altijd allerlei activiteiten in onze gemeenschap en iedereen werd overal voor uitgenodigd, ongeacht hoe vaag ze familie of kennissen waren. Als ze niet werden uitgenodigd, zou dat *een slechte indruk maken*. Er kwamen honderden mensen om de verbintenis tussen de bruid en de bruidegom en hun twee families te vieren. Het bijwonen van een trouwerij was een sociale verplichting binnen de gemeenschap. Als je uitgenodigd was en zonder geldige reden wegbleef, beledigde je beide families. Je kwam op een zwarte lijst.

Puur vanwege het grote aantal gasten vonden bruiloften vaak plaats in de moskee of in een groot wijkcentrum. De bruiloften die ik bezocht waren meestal gescheiden gebeurtenissen. De mannen groepten met de bruidegom en zijn familie aan de ene kant en de ongesluierde vrouwen in hun mooiste kleren zaten aan de andere kant. Ik was dol op de kleren die we droegen. Ze hadden altijd prachtige felle kleuren, zoals karmozijnrood, roze, turkoois, smaragdgroen en paars, en waren geborduurd met glinsterende lovertjes, kristallen en kralen. De jurken zagen er extra mooi uit doordat ze waren gemaakt van luxe, vrouwelijke stoffen, zoals zijde, chiffon en crêpe georgette. Ik droeg bijvoorbeeld een shalwar kameez of, toen ik nog een jong meisje was, een blouse met een rokje. De oudere meisjes en de vrouwen droegen betoverende *lengha's*, met zwaar geborduurde zijden lijfjes en lange, prinsesachtige rokken. Ik wilde ook van die schitterende sprookjesjurken aan. En nog liever wilde ik een *sari* aan, die de vrouwen zo elegant droegen en die hun rondingen zo fraai deden uitkomen, maar jonge meisjes droegen geen sari's. Ik moest wachten tot ik volwassen was.

De bruid kwam, vergezeld van haar – getrouwde – bruidsmeisje, de zaal binnen waarbij haar sluier tot ver over haar gezicht hing, zodat ze amper zichtbaar was. Haar handen en voeten waren fraai versierd met henna. Sommige bruiden droegen een rode bruidsjurk; in onze traditie dragen we witte. De bruid kon kiezen voor een traditionele sari of, als ze 'moderner' was, zou ze een lengha dragen. Als kind racete ik met de andere jonge meisjes altijd naar het pad waarlangs de bruid zou lopen om geen seconde te missen van haar trouwjapon en haar met open mond te bewonderen. Daarna rende ik terug naar mijn moeder en verzuchtte: 'Ze is zo mooi! Mag ik ook zo'n jurk?' en dan zei mijn moeder: 'Maar natuurlijk! Die van jou wordt nog veel mooier.'

De huwelijksplechtigheid begon met een *khutba*, een korte preek van de imam of een koranleraar, waarin gewoonlijk de deugden van het huwelijk worden opgesomd. Ze herinneren ons eraan dat trouwen volgens de Profeet betekent dat je 'de helft van je geloof hebt vervuld', en voegt daar zijn woorden 'Wie het huwelijk verwerpt, is niet één van mij' aan toe.

Daarna werd het huwelijk voltrokken. Zowel de bruid als de bruidegom vroeg meestal iemand die namens hen wilde deelnemen in de *nikah*, de islamitische huwelijksceremonie. De kant van de bruid zette de eerste stap in de ceremonie door de bruidegom te vragen of hij met de bruid wilde trouwen. Dit om er zeker van te zijn dat de bruid met alle plezier zou trouwen. De kant van de bruidegom reageerde door haar te accepteren. Meestal werden hiervoor Arabische woorden gebruikt. De bruid zei: '*Ankahtu*', ik geef mezelf, waarop de bruidegom zei: '*Qabiltu*', ik accepteer. Als onderdeel van het huwelijk gaf de bruidegom de bruid daarna een cadeau, de *mahr*. Dit was meestal een geldbedrag, als blijk van de bruidegoms genegenheid, voor het moment waarop de twee aan hun nieuwe leven zouden beginnen. De bruid liet de bruidegom weten wat ze graag als cadeau wilde, en dat kon van alles zijn, van een cursus tot een vakantie, een auto, wat ze maar wilde. Tot slot declameerde de imam een gebed om het pasgetrouwde stel te zegenen. De hele huwelijksplechtigheid duurde maar even.

Volgens de Koran zal God het echtpaar zegenen met geluk en liefde voor elkaar. De Koran spreekt eerbiedig over deze liefde en schrijft er een zuiverheid en spiritualiteit aan toe die mooier en fijner is dan gewone romantische liefde. Deze liefde, *muwadda*, is alleen voor mensen die een vaste relatie aangaan en een speciaal geschenk voor degenen die die belofte afleggen.

Dat is de reden waarom ik wilde trouwen: in ruil voor plicht, geloof en toewijding kreeg ik de garantie dat de liefde na de bruiloft vanzelf zou volgen. En het zou een heerlijke, warme en sprankelende liefde zijn. Liefde en het huwelijk waren als, tja, als een paard en wagen. Of was het nou: als een wagen en een paard?

Vóór de echte bruiloft waren er talloze feestelijke bijeenkomsten die de vrouwen van beide families organiseerden. Als klein meisje zat ik, in mijn herinnering, tijdens die feestjes altijd geboeid te luisteren naar de gesprekken over hoe je het huwelijk tot een succes kon maken. De discussies over de liefde en het huwelijk gingen iedereen aan, zelfs jonkies als ik. Het verlangen om een succes te maken van je huwelijk en je gezin werd ons van jongs af aan ingeprent. Bovendien kregen we ook de hulp en het gereedschap aangereikt om de klus te klaren. Zelfs op de madrassa, de Koranschool, kregen we les over hoe we een toekomstige echtgenoot moesten uitkiezen. Op welke eigenschappen moesten we letten? Hoe moesten we een liefdevolle relatie onderhouden? Hoe konden we zorgen dat hij lang zou duren? We waren misschien nog erg jong, maar de lessen moesten langzaam maar zeker diep in ons hart verankerd raken.

Er was wel iets wat me dwarszat. Alle adviezen en voorbereidingen leken enkel en alleen gericht op jonge vrouwen. Was het niet oneerlijk en dom dat jongemannen niet op dezelfde manier werden voorbereid? Moesten zij ook niet klaargestoomd worden om een relatie aan te gaan?

In de Koran las ik dat man en vrouw een paar vormen, gemaakt om elkaar aan te vullen, als gelijken en in balans. Maar de Tantes, die de gebruiken van onze cultuur vertegenwoordigen, vonden overduidelijk dat het succes van elk huwelijk in handen van de vrouw ligt. Ik voelde me niet prettig bij deze last op mijn schouders. Ik vond het oneerlijk en het paste niet bij mijn uitleg van de islam.

Aan de andere kant liet onze eigen imam geen kans voorbijgaan om zijn verdriet en frustratie te uiten over de hoge verwachtingen van 'jonge mensen'. Hij vond dat we moesten leren eerder tevreden te zijn en oog moesten hebben voor het grotere geheel. Volgens hem was het onmogelijk om je leven voortdurend te laten leiden door romantische passie. Hij had het gevoel dat mensen het veel te snel opgaven. 'Stellen die op het punt staan te scheiden, komen naar me toen en zeggen: "*Mulla*, ik geef niet meer om hem."' En dan zuchtte hij de zucht van een man die de hele wereld heeft gezien. 'Je kunt niet opgeven, omdat je niet om hem geeft. Je bent met hem *getrouwd*. Het is geen knop die je aan- en uitzet,' zei hij dan. Hij was meestal heel relaxed, maar je kon zien dat dit soort jeugdige luchthartigheid hem duidelijk boos maakte.

Als tiener kreeg ik een boek met de titel *Huwelijk en moraal in de islam* voor de broodnodige achtergrondinformatie bij mijn voorbereiding op het huwelijk. Publicaties over het huwelijk verkochten goed en net als allerlei andere, soortgelijke islamitische boeken, beschreef het boek hoe je een partner kon vinden en hoe je een bruiloft moest voorbereiden. Plus hoe je (ahum, ahum) een intieme relatie moest onderhouden en ook hoe je gelukkig getrouwd kon blijven. Het doel van dit soort boeken was om jonge mensen een idee te geven wat een relatie inhield en hoe ze een sterke en langdurige relatie konden opbouwen. Alle adviezen waren gebaseerd op verzen uit de Koran en op islamitische tradities. Terwijl mijn vriendinnen meidenbladen lazen waarin stond hoe je met een beugel toch lekker kon zoenen, las ik hoe ik me mooi moest kleden en lekker moest ruiken voor als ik 's avonds met mijn man op de bank zou zitten. En hoe hij me dan altijd complimentjes zou maken over hoe mooi en lief ik was. We groeiden naast elkaar op tot vrouw, maar in totaal verschillende werelden. Zij leerden nee te zeggen als ze zich niet op hun gemak voelden, ik leerde opgewekt ja te zeggen onder de juiste omstandigheden.

Ik las en herlas een aantal van deze boeken, maar ook de glossy tienerbladen, totdat de twee samensmolten.

'WAAROM HET HUWELIJK DE NIEUWE MODE IS'

Het is niet meer dan natuurlijk dat je een echtgenoot/echtgenote (Doorhalen wat niet van toepassing is.) hebt. Mensen zijn niet gemaakt voor eenzaamheid of het celibaat.

Het huwelijk is een band voor de langere termijn, en de liefde groeit met de tijd.

'Mannen en vrouwen zijn kledingstukken voor elkaar,' zegt de Koran. Het huwelijk is goed voor de vrouw én de man.

S-E-K-S is prima, niets om je voor te schamen of verlegen van te worden. Het is een zegen en houdt een huwelijk sterk. Maar het moet wel binnen het huwelijk.

En zodra de boeken dit glashelder hadden gemaakt, gingen ze door met:

'HOE JE WEET DAT HIJ DE WARE IS'

Persoonlijkheid, een goed karakter en geloof in God zijn essentieel. Op die manier weet je dat hij je altijd goed zal behandelen.

De keuze is aan jou. Niemand kan je dwingen met iemand te trouwen en ook als er geen geldige reden is om te weigeren, kan niemand je dwingen.

Rijkdom, ras, kaste, huidskleur, familiereputatie horen – volgens het geloof – niet tot de selectiecriteria.

Het uiterlijk is belangrijk, maar mag niet doorslaggevend zijn.

Ga op zoek naar een goede ouder voor je toekomstige kinderen.

Het huwelijksproces wierp een aantal verwarrende vragen op over geloof en cultuur, die ik niet kon beantwoorden. De regels van onze cultuur leken te botsen met die van ons geloof, maar ze van elkaar scheiden was zo goed als onmogelijk. Als jong meisje had ik niet door hoe verschillend, en soms zelfs tegenstrijdig, ze waren.

Binnen de islamitische wetten was een ideale relatie haalbaar. Het leek zo simpel en duidelijk: vind een goede, betrouwbare man, trouw met hem en God zal jullie helpen door jullie relatie te zegenen met liefde en geluk. Je moest van mensen houden en hen respecteren om wie ze waren en niet om hun geld of uiterlijk, dat was een van de belangrijkste principes. Het draaide om geloof, spiritualiteit en of je een goed mens was. Ras, rijkdom, cultuur en klasse waren onbelangrijk. Door deze regels was prinses Jasmine, de dochter van de sultan, in staat om te trouwen met Aladdin, een ruwe diamant zonder geld.

Maar onze cultuur liet ons dagelijks iets anders zien: de genadeloze wereld van het strikken van een partner dat had blijkbaar niets met ons geloof te maken. Het was een geolied proces waarin twee machtige groepen de dienst uitmaakten: de Tantes, met de koppelaarsters als subgroep, en de schoonmoeders, ofwel de moeders van de aanstaande bruidegoms. De voorgeschiedenis van het koppelingsproces was compleet duister. Niemand kon het uitleggen. Het proces was zoals het was, en dat was nu eenmaal zo. Je kon niet ontkennen dat het nuchter was: zorg dat de geïnteresseerde partijen bij elkaar komen, maak een inschatting, neem een besluit. Iedereen die erbij betrokken was, wilde een positief resultaat: een goed, solide huwelijk, twee gelukkige families. En niet te vergeten: een gelukkig getrouwd stel.

De mediacultuur om me heen had zo zijn eigen sterke opvattingen over liefde en romantiek. Met wijd opengesperde ogen keek ik keer op keer naar films als *Grease* en *Assepoester*, smachtend naar de man die mij zou aanvullen. Welke jonge vrouw zou niet wegdromen bij het romantische avontuur van Sandy en Danny, van Assepoester en haar prins? Ik zou de prinses zijn voor John Travolta, mijn eigen sprookjesprins. We zouden elkaar herkennen en echte liefde in elkaars ogen zien stralen. Onze liefde zou tot uitdrukking komen in een huwelijk. En het huwelijk zou ervoor zorgen dat we nog lang en gelukkig leefden. Dit was het romantische sprookje op zijn sterkst. Films en tijdschriften beweerden dat het klopte. Maar wat er precies werd bedoeld met 'liefde' werd nooit duidelijk, de verhalen waren altijd afgelopen voordat het werd uitgelegd. Waarom was het belangrijk? Wat betekende het voor je dagelijks leven?

Een liefdesverhaal eindigde altijd in een climax met een grandioze bruiloft. Zo hoorde het leven voor iedereen te zijn en als je dat niet bereikte, was je een loser. Liefde 'overkwam' je gewoon, als je maar lang genoeg wachtte én mooi genoeg was.

Voor vrouwen betekende de liefde dat ze hopeloos lang moesten wachten, zoals Doornroosje, die eindeloos en passief ligt te slapen tot haar redder, de prins, eindelijk langskomt. Je grote liefde vinden, was een tegenstrijdige opdracht: het was verplicht, maar je kon het alleen passief bereiken.

Een liefdesgeschiedenis binnen de islam begon aan het andere uiteinde. Twee mensen gingen trouwen. Dat wilde hun geloof. Ze zouden gezegend worden met liefde, terwijl ze voortdurend beseften dat ze ook zelf aan die liefdesrelatie moesten werken. En de liefde zou hen geluk, romantiek, langdurige tevredenheid en verrijking van de eigen persoon brengen. Door een partner te hebben, zou je een beter mens, een betere moslim kunnen worden en dichter bij God komen.

In de liefde moest je vooruitdenken. Jij, jouw familie, de man in kwestie, zijn familie, sterker nog, de hele gemeenschap, zou het stimuleren. En de juiste persoon vinden was nog maar de eerste stap: de sleutel lag erin hoe je het na de bruiloft zou aanpakken. De bruiloft was niet meer dan de toegangspoort, de echte betovering kwam pas als je hard werkte aan je huwelijk. Maar hard werken is nooit zo betoverend als romantiek.

De lessen op de zondagsschool, de werkgroepen in de moskee, de preken op bruiloften, en zelfs de adviezen van familieleden en religieuze leiders gingen over waar het huwelijk voor stond. Waarom moest je in het huwelijksbootje stappen? En wat zou er daarna gebeuren? Je kreeg evenveel advies over het vinden van een partner als over het vasthouden van die partner.

'Het huwelijk gaat niet altijd van een leien dak,' zeiden de oude oompjes tegen ons, terwijl ze met hun wijsvinger zwaaiden.

'Het wordt minstens twee jaar zwoegen,' waarschuwden de Tantes. 'Doe alles wat hij van je vraagt in die periode, dan zal hij de rest van jullie leven naar jouw pijpen dansen.' Alles was erop gericht om het tot het einde toe vol te houden om zo de vruchten van het huwelijk te kunnen plukken. Het was een investeringsplan voor gemak en geluk in de toekomst.

Ik wilde de ware vinden door middel van de beproefde traditionele manier, zodat ik romantiek zou vinden, verliefd zou worden en mijn geloof zou vervullen. En aangezien wij allebei hetzelfde geloof zouden hebben, konden we samen de rust en voldoening vinden die God ons als getrouwd stel had beloofd. En daarna zouden we nog lang en gelukkig leven, amen.

Ik wilde heel veel. Ik wilde een sprookjesprins, romantische liefde en een lang en gelukkig leven. Ik wilde de culturele tradities naleven in mijn zoektocht naar een echtgenoot. Ik wilde de islamitische idealen voor het huwelijk volgen. Ik wilde ook spirituele liefde en harmonie ontdekken. Ik wilde het Goddelijke benaderen.

Maar wat ik écht wilde, was heel simpel: ik wilde de reusachtige tegenstrijdigheden en problemen waar ik als jonge moslima tegenaan liep begrijpen en overwinnen.

DRIE

☆☆☆

Prinses van het proces

Biodata

Op mijn eerste kennismakingsgesprek volgde een lange stoet van huwelijkskandidaten. Ze stroomden onze voordeur in en weer uit, vergezeld door ouders, vrienden, imams en verre familieleden. Nu en dan kwam er eentje alleen, die deed alsof hij voldoende zelfvertrouwen had om zijn potentiële schoonfamilie in zijn uppie tegemoet te treden. We bakten elk weekend samosa's.

Ondanks de overvloedige aanvoer van potentiële echtgenoten, was het heel belangrijk om ons op die ene taak te focussen: het vinden van een geschikte partner. Er was geen tijd te verliezen. Mijn huwelijk, net als het huwelijk van elk kind binnen ons gezin, ging ons allemaal aan en ik stond in het middelpunt van de belangstelling. Het sprak vanzelf dat iedereen zich ermee bemoeide. Mijn uiteindelijke echtgenoot zou gekozen worden uit een groep mannen die mijn familie, vrienden en de koppelaarsters bij elkaar hadden gebracht. Hoe groter ons sociale netwerk, hoe meer mogelijke kandidaten. Statistisch gezien kreeg ik hierdoor een bredere keuze en was de kans dat ik de ware zou vinden groter.

Om een gastrol te spelen in de zoektocht, moest elke kandidaat een beschrijving van zichzelf geven, die vervolgens rondging onder de geïnteresseerde families en koppelaarsters. Dit gebeurde meestal mondeling, maar nu en dan werd het op papier gezet, als een soort cv. Er kon zelfs een foto van de persoon bij zitten. Met de komst van e-mail en internet, werden deze gegevens ook wel elektronisch uitgewisseld om het kennismakingsproces wat te versnellen. De informatie over huwelijkskandidaten suisde wereldwijd over de digitale snelweg, de ene naar liefde hunkerende kilobyte na de andere. Deze wel heel persoonlijke gegevens werden dan samen met een beschrijving van het karakter van de betreffende persoon en de eigenschappen die ze in een partner zocht, gebundeld. Het etiket van dit pakketje informatie leek op de titel van een film waarin geheime diensten wereldwijd jacht maken op gevaarlijke dissidenten: *Biodata*.

Ik was gefascineerd door het grimmige woord 'biodata'. Maar als romanticus op zoek naar liefde, kreeg ik er de rillingen van. Deze technische checklist zoog alle emotie en menselijkheid uit de zoektocht. John Travolta zou de vuurproef zeker *niet* doorstaan. Ik moest ook een rijtje maken van mijn eigen biografische data. Dat stelde ik zo lang mogelijk uit. Ik wilde niet alleen maar een rijtje kenmerken zijn. Maar helaas, als ik er geen had, kon ik veel minder huwbare jongens ontmoeten en dus begon ik er met tegenzin toch maar aan.

Het werd een heel nuttig lijstje voor Tantes en familie die voor mij op zoek waren. Het hielp hen om, zonder dat ik erbij was, geschikte kandidaten op te sporen, alsof ze headhunters waren. Ik leerde hoe belangrijk het was dat mijn eisen helder waren, zodat ze niet met ongeschikte types aankwamen. Aan de andere kant mochten mijn wensen ook niet te gedetailleerd zijn, want openstaan voor eventuele eigenaardigheden of onvolmaaktheden moest kunnen. Bovendien werd je anders al snel beschuldigd dat je te kieskeurig was, te kortzichtig om kansen te zien, te verwaand en koppig.

Ik pakte een pen en een leeg vel papier en begon aan de beschrijving van mezelf: een heel leven, een heel mens, een hele wereld zaten in mijn persoontje verstopt: en dat alles moest ik met enkele woorden duidelijk maken.

> Begin twintig, ongetrouwd, academisch opgeleid, 'religieus', draagt een hijaab. Eén meter zestig, slank, leuke familie.

Dit handjevol woorden en de persoonlijke aanbevelingen van de koppelaarster of anderen die voor mij op zoek waren, plus mijn reputatie en die van mijn familie binnen de gemeenschap, moesten mij aan de man brengen. Het waren de basis van mij als huwelijkskandidaat.

Hierna probeerde ik woorden te vinden om mijn ideale echtgenoot te omschrijven.

> Aantrekkelijk
> Lengte: 1.73 – 1.78 m
> Geweldig gevoel voor mode
> De knapste man ter wereld; een knappere man bestaat er gewoon niet
> Ruikt lekker
> Knap (had ik knap al genoemd?)

Was ik soms dertien? Ik keek vol afschuw naar mijn lijst. Die had zichzelf geschreven, een verzameling woorden die atomatisch uit Bouquetreeksen, *Cosmo Girl* tijdschriften en *Bridget Jones* op het papier voor me waren verschenen. Het leek wel een pyjamakletspraatje tussen twee tieners, het uittreksel van een datingencyclopedie voor pubers. Het was allemaal superoppervlakkig – iedereen zoekt een knappe vriend met stijl, maar dat zegt niets over zijn karakter. Hadden mijn geloof en mijn cultuur me niet geleerd dat persoonlijkheid en karakter het allerbelangrijkste waren?

De beschrijvingen die potentiële kandidaten meestal aanleverden, zeiden trouwens ook niets over hun karakter, net als mijn eigen lijstje over mezelf. Ze trokken hun mooiste kleren aan, kamden hun haar en baard eens goed voor de gelegenheid, waarna ze op en top charmant voor jou kwamen opdagen. Maar als het eenmaal zover was, kwam je door de stress en de onhandige situatie meteen een heleboel over zijn karakter te weten. Er staat namelijk veel op het spel en de spanning loopt hoog op. De ware aard van de huwelijkskandidaat laat niet lang op zich wachten.

De zoektocht naar liefde is echt geen excuus voor slecht gedrag, zoals sommigen schijnen te denken. Sterker nog: wat je zoekt, hoe je zoekt en, belangrijker nog, hoe je omgaat met de mensen die je tegenkomt tijdens die zoektocht, toont hoe jouw karakter in elkaar zit. Door te schetsen wat ik zocht, moest ik mijn karakter laten zien.

Ik stelde een betere omschrijving op en was zo praktisch om twee rijtjes te maken. Eén met onmisbare eigenschappen en één met voorkeuren.

NOODZAKELIJK

Man
Vrijgezel
Het was belangrijk om voor de hand liggende eigenschappen te noemen.

Praktiserend moslim

Dit was superbelangrijk voor mij. Ik kon me niet voorstellen dat ik met iemand zou trouwen die geen moslim was. Ik wilde mijn geloof en mijn levensdoelen met mijn partner kunnen delen. Niet dat hij op mij moest lijken, maar hij moest wel ongeveer dezelfde principes hebben. Met iemand die moslim was, lag dat binnen handbereik en kon mijn wens vervuld worden. Ik wilde een 'praktiserend' moslim, iemand die echt actief bezig was met zijn geloof. Maar hij moest niet blindelings de tradities en cultuur accepteren alsof die bij ons geloof hoorden. Ik wilde niet iemand die alles om zich heen wel best vond en dacht dat al die gewoontes echt bij de islam hoorden.

In de twintig of begin dertig

Ik vond het niet erg als hij twee of drie jaar jonger was dan ik. Ik vond iemand die maximaal zeven jaar ouder was ook prima. De koppelaarsters trokken de grens meestal bij acht tot tien jaar ouder.

Betrokken bij activiteiten in de gemeenschap

Ik zocht iemand die actief wilde meedoen in de maatschappij, die de wereld probeerde te verbeteren. Ik had een sterke gemeenschapszin en deed volop mee aan allerlei activiteiten binnen onze gemeenschap. Mijn partner moest ook zo iemand zijn. Ik wilde geen voetbalweduwe worden. Ik wilde een man die ik kon steunen. Ik wilde trots zijn op het werk dat we samen hadden verzet als we later oud en gerimpeld op de bank voor de open haard zaten, ik met een breiwerkje en hij met zijn krant.

Geen bezwaar tegen mijn hijaab

Ik vond het nogal triest dat ik speciaal moest melden dat ik een moslim zocht die geen bezwaar had tegen mijn hoofddoek en bescheiden kleding. Dat was immers een van de islamitische voorschriften. Het leek erop dat een heleboel mannen er niet blij mee waren dat hun vrouw een hijaab droeg. Hij hoefde er geen voorstander van te zijn, maar moest mijn beslissing om er een te dragen in elk geval steunen. Ik wilde niet dat hij met mij zou pronken vanwege mijn uiterlijk. Ik wilde dat hij mijn keuzes zou steunen, en niet alleen bang zijn voor de eventuele reacties van andere mensen op een vrouw die een hijaab droeg. Ik wilde een man die trots op mij kon zijn en die mij respecteerde. En die mij in de privésfeer totaal onweerstaanbaar vond.

Intelligent
Ik wilde iemand die scherp en snel van begrip was, iemand die me kon uitdagen, een stimulerende gesprekspartner. Een intelligente man zou toch zeker ook op zoek zijn naar een intelligente vrouw als ik?

Ik kauwde even op het uiteinde van mijn pen en voegde er daarna aan toe: 'iemand met wie ik kan praten'. Het belangrijkste van alles was dat er contact was, communicatie.

Moslimman Travolta begon vorm te krijgen in mijn gedachten en hoe echter hij werd, hoe leuker ik hem vond. Terwijl ik mijn verlanglijstje voor de perfecte man opstelde, kwam mijn vader met zijn befaamde huwelijksadvies. Het waren wijze woorden, die ik vol jeugdige arrogantie en optimisme meteen in de wind sloeg. 'Als je zes eigenschappen die je in een man zoekt op je lijst hebt staan, mag je blij zijn als je er vier vindt. Je zult nooit iemand vinden die aan al je wensen voldoet.' Maar hoe moest ik weten welke vier voldoende waren? Waarom zou ik niet voor alle zes gaan? Waarom kon iedereen dat niet doen? 'Vier van de zes,' herhaalde hij op ernstige toon. Maar zijn oprechte, goedbedoelde advies legde het af tegen de romances uit de Bouquetreeks, Hollywood, Bollywood en ontelbare 'En ze leefden nog lang en gelukkig' sprookjes.

Ik concentreerde me dus op mijn lijst van zes. Eigenlijk stonden er op mijn verlanglijstje acht dingen, maar de eerste twee telden niet echt mee. En dus moest ik verder met de lijst van zes noodzakelijke eigenschappen als gids bij de reis die voor me lag: praktiserend moslim, uit de juiste leeftijdsgroep, betrokken bij de gemeenschap, geen bezwaar tegen mijn hijaab, intelligent en iemand met wie ik kon praten.

Maar ik wilde meer, hunkerde naar meer, verlangde meer, had meer nodig, verdiende meer. Ik verdiende het hele pakket! Ja! Ja!

Uit praktisch oogpunt, zo hield ik mezelf voor, was het gemakkelijker om de ware jakob te vinden als ik mijn lijst korter maakte. Bovendien zouden de eigenschappen die ik écht belangrijk vond zo boven komen drijven. Ik schoof de extra's op mijn wensenlijst naar de zijlijn. Ik vond ze zogenaamd 'niet-absoluut-noodzakelijk'. Hoewel…

WENSELIJK

Aantrekkelijk

O ja, die sloop terug op mijn lijst. Zelfs de islam zei immers dat je je man aantrekkelijk moest vinden!

Academisch opgeleid

Dit was vast een goede graadmeter: dat we dezelfde ervaringen hadden, op hetzelfde niveau zaten en dus ook op één lijn konden communiceren. Het was geen absolute eis, maar ik wist zeker dat het een goede basis zou vormen.

Geboren of wonend in Groot-Brittannië, Canada of de Verenigde Staten, ten minste vanaf zijn achttiende

Ik zag biodata van jongens uit de hele wereld, vooral ook uit het 'oude land,' wat voor mij neerkwam op Oost-Azië, maar waar ook India en Pakistan eigenlijk bij hoorden. Ik stond echt wel open voor mannen uit de hele wereld, maar het leek me nogal logisch dat ik eerder een klik zou hebben met iemand met wie ik veel gemeen had. Omdat ik was opgegroeid in Groot-Brittannië, keek ik volgens mij anders aan tegen het huwelijk en de islam en had ik andere verwachtingen. Ik wilde iemand die daar geen problemen mee had, ik wilde niet de eerste jaren van mijn huwelijk worstelen om me aan te passen. Met deze eis zou ik ook, niet onbelangrijk, jongens vermijden die domweg op jacht waren naar een Brits paspoort. Ik wilde een echtgenote zijn, geen extraatje bij een Europees paspoort.

Heeft een eigen vriendenkring; doet meer dan werken en voetballen

Tot mijn schrik ontdekte ik geleidelijk hoeveel mannen er afvielen, simpelweg door deze eis in mijn lijst.

Ik zat inmiddels te dagdromen en liet mijn fantasie, mijn hoop en mijn hart de vrije loop.

Geïnteresseerd in lezen, reizen en in het algemeen een charmant, interessant type. Wil de wereld verbeteren. Heeft visie en ook iets sprankelends. Cool en hip. Tuurlijk, droom lekker verder!

Ik zuchtte. Daar was hij dan. Mijn ideale echtgenoot. Ik wilde hem door pure wilskracht laten ontstaan. Mijn hart zei dat die man *uiteraard* ergens rondliep, wachtend op mij. Mijn verstand vroeg zich af hoe ik hem in 's hemelsnaam moest vinden. Ik besloot de lijst niet langer te maken. De stemmen van de Tantes in mijn achterhoofd zeiden dat ik mijn verlangens in toom moest houden. Een meisje hoort niet zo veeleisend te zijn. Het was een schande!

Ik had veel geluk. Mijn familie begreep mijn wensen en was erop gebrand om hun eigen ervaringen met mannen ernaast te leggen. Het voelde echt alsof we in teamverband aan mijn toekomstige geluk werkten. Ik kon me niet voorstellen dat ik naar die ene speciale persoon moest zoeken zonder hun hulp en aanmoediging. En zij wilden al hun bronnen aanboren om de persoon te vinden met wie ik een gelukkig en bevredigend leven zou leiden.

Hun wijsheid en ervaringen temperden mijn optimisme met een flinke dosis realiteit. Ze hadden mijn lijst gelezen en gedaan alsof ze serieus nadachten over waar ze deze fantastische superheld konden vinden.

'Denk je dat die man rechtstreeks uit de hemel op je schoot zal vallen?' hadden mijn ouders gevraagd. 'Of zou hij in de uitverkoop zijn bij warenhuis Woolworths?' plaagden ze me.

Ik trok een vies gezicht. 'Mag hij iets meer klasse hebben?' vroeg ik met een dramatische zucht. 'Wat dachten jullie van iemand die op maat gemaakt is bij Harrods of Harvey Nichols?'

'We hebben jou anders ook bij Woolworths gehaald, hoor,' hielpen ze me herinneren, terwijl ze liefdevol naar me lachten. Zo hadden ze me, toen ik klein was, uitgelegd waar de baby's vandaan komen, en dat grapje was blijven hangen. 'Woolworths zou jou een prima partner leveren.'

Maar partners worden niet op maat geleverd. Zoals mijn ouders terecht beweerden waren er van mijn sprookjesprins waarschijnlijk diverse exemplaren, zoals bij een confectiepak. Maar confectiekleding kon nooit voldoen aan alle eisen op mijn lijst, en dat gold ook voor mijn prins. Maar welke eigenschappen wilde ik schrappen? Toen mijn vader zei: 'Kies vier eigenschappen uit,' wist ik niet welke twee minder belangrijk waren. Ik weigerde om de lat lager te leggen en dus was ik doof voor zijn wijze, vaderlijke advies. Na verloop van tijd adviseerde hij me zelfs om slechts drie van de zes eisen te handhaven. En uiteindelijk, toen we in een duistere periode belandden, werd hij een beetje wanhopig en werden het voor hem slechts twee eisen van de zes. 'Je kunt niet te pietluttig zijn,' zei hij tegen me. Behulpzaam en realistisch als hij was, wist hij mijn verwachtingen te matigen. 'Zelfs twee van de zes is een zegen, beti,' praatte hij op me in. 'We willen alleen maar dat je gelukkig bent.'

De zoektocht bracht me een tandarts uit Birmingham, een arts uit Zuid-Londen, een docent uit Bristol, verschillende IT-adviseurs, zakenmannen, apothekers en andere, minder flitsende professionals. Ze werden beoordeeld op hun baan. Hoe hoger de koppelaarsters hun beroepsgroep inschatten op de sociale ladder – wat niet altijd helemaal klopte – hoe meer ze 'oh' en 'ah' riepen ter ere van het potentiële paar.

De gemeenschap vond het heerlijk om goed opgeleide jonge mensen aan elkaar te koppelen. Het was bijna een soort bingo, als er verlovingen werden aangekondigd. 'Twee artsen… ach, wat heerlijk, wat een goede combi.' 'Twee tandartsen, wat leuk, kunnen ze samen een praktijk opzetten.' 'Ze zijn allebei zo licht van teint en zo knap, wat zullen ze mooie, blanke kinderen krijgen.'

Over het algemeen was ik degene die nee zei. De familie ging ervan uit dat de jongen mij direct aardig zou vinden. 'Wie zou dat niet doen?' vroeg mijn moeder. 'Je bent mooi, intelligent, aardig, religieus.' En dan bloosde ik. 'Jij bent mijn moeder, logisch dat je er zo over denkt,' reageerde ik lachend. Eens in de zoveel tijd werd ik afgewezen en dan fronsten we onze wenkbrauwen van verbazing. *Waarom zou iemand mij afwijzen?* In de jacht op een geschikte partner was de concurrentie groot en bescheidenheid totaal nutteloos.

Valentijn met stip

Het geloof en de diensten in de moskee hoorden rotsvast bij mijn leven. Ik was vanaf mijn geboorte opgevoed als moslim in een islamitisch gezin. Ik bad. Ik vastte tijdens de ramadan. Ik gaf geld aan liefdadigheid. Ik las de Koran, de heilige geschriften van de islam. Ik droeg een hijaab. Ik probeerde goed te zijn voor mijn ouders, een bijdrage te leveren aan mijn gemeenschap en fatsoenlijk te leven. Ik hoopte dat ik op een dag de hadj kon maken, de bedevaart naar Mekka die iedere moslim eens in zijn leven wilde volbrengen. Kortom, je kunt me omschrijven als een praktiserend moslim, eentje die daar blij mee is bovendien. Mijn leven draaide om mijn geloof en mijn pogingen een goed mens te zijn volgens de regels van de islam.

Als kind waren de keuzes die voor mij werden gemaakt gebaseerd op de islam, zoals mijn ouders die beleefden. Het geloof was hun leidraad om een goed leven proberen te leiden. Zo wilden ze zichzelf, hun kinderen en de gemeenschap helpen om – zowel materieel als spiritueel – te slagen in het hier en nu. Ze hadden steun aan hun geloof in een Schepper en een leven na de dood.

Zelfs als jong kind leerde ik al keuzes te maken vervolgens die principes. Sommige waren kenmerkend voor de islam. Instinctief wist ik bijvoorbeeld dat ik geen varkensvlees of bacon mocht eten, omdat de islam dat niet toestaat, en tegen de tijd dat ik vier was begreep ik dat ik op school geen worstjes kon eten. Ze waren gemaakt van varkensvlees. Ik weigerde ook om gerechten met gehakt te eten, omdat het vlees niet *halal* was. Rijstebrij hoefde ik ook niet, omdat die ronduit smerig was.

Andere principes kwamen niet alleen voort uit het islamitische geloof maar ook uit onszelf, zoals zorgen voor anderen, goede doelen steunen en respect hebben voor ouderen. Hoe meer ik las, hoe meer ik luisterde en leerde, hoe meer ik de islam zag als een wereldbeeld waar ik echt iets mee kon. De islam maakte zich druk over mijn leven en liet me zien hoe ik gelukkig kon worden. Dus hoewel ik als moslim was geboren, koos ik ook bewust om *moslim te zijn*, gewoon omdat het me verstandig leek. Het geloof gaf me rust en richting in een wereld die chaotisch en verwarrend op me overkwam. De islam inspireerde me om uit te blinken, te onderzoeken, te ontdekken en mezelf beter te leren kennen. De islam spoorde me aan om succesvol te zijn, of dat nu rijkdom of alleen voldoening betekende.

De islam kent een behoorlijk aantal voorschriften. Elk mens heeft zo zijn eigen regels. Maar als ze in je leven passen, vallen ze je niet eens meer op. Regels hebben altijd een diepere betekenis. Ik vroeg me af of ik sommige regels wel goed begreep, omdat ze immers in een andere tijd en op een andere plek waren ontstaan. Lag het aan mij, lag het aan ons, lag het aan onze tijd waardoor ik moeite had alles te begrijpen? Ik dacht aan de vaste overtuiging van middeleeuwse Europeanen dat de wereld plat was. En aan hoe Einstein een nieuwe theorie had ontwikkeld. En dat het idee dat er niets meer te ontdekken valt nooit waar blijkt te zijn: er valt altijd weer iets nieuws te ontdekken. Ik dacht na over de moderne wetenschap. Die had ons mogelijkheden gegeven waar niemand ooit van had kunnen dromen. Zou dat niet telkens opnieuw gebeuren? En opnieuw?

Ik bedoel niet dat de regels ouderwets waren. De basis was in orde: goed zijn, opkomen voor gelijkheid en rechtvaardigheid, vriendelijk en meelevend zijn. Maar ik had wel vragen. Wat was de echte islam? En wat hoorde alleen bij de vastgeroeste cultuur of machtspolitiek? En welke regels waren er simpelweg verkeerd begrepen? Mensen verdraaien soms zaken om er zelf beter van te worden. Ze veranderen telkens om er eigen voordeel uit te halen en zeggen dan met een stalen gezicht: dit is De Waarheid. Elke nieuwe generatie moest met een frisse blik naar oude regels en gebruiken kijken. Wat was nog geldig en wat niet?

Ik was blij dat elk deel van mijn leven belangrijk genoeg was voor God. De prachtige teksten van de Koran gaven mij een hint dat er ook in mij een complete microkosmos schuilging, die erop wachtte ontdekt te worden. De islam leerde mij de plattegrond van mijn geest, mijn innerlijke wereld kennen. De veelzijdige ziel van elk mens werd beschreven in gelijkenissen, gezegden en leerstellingen. Ik had een partner nodig die me op deze ontdekkingsreis kon vergezellen. En als ik die reis al samen met iemand anders ging maken, moest hij dezelfde plattegrond hebben als ik. Hoe konden we anders samen reizen?

Mijn eerste valentijnskaart kreeg ik van een man die geen moslim was.

Hij zat op de deur van mijn kamer op de universiteitscampus geplakt, 's morgens vroeg op Valentijnsdag. Ik scheurde de envelop ongeduldig open en verslond de inhoud. In de kaart stond een in kalligrafisch handschrift geschreven gedicht. Ik las het langzaam en glimlachte. Het gedicht had humor, ritme en rijmde perfect.

Hoewel er geen naam onder stond, wist ik meteen van wie de kaart afkomstig was. Ik voelde me vereerd. Hij was een intelligente, charmante jongen die door vrijwel iedereen aardig werd gevonden. Wat heerlijk dat iemand mij zo leuk vond dat hij me een valentijnskaart stuurde en er zelfs een eigen gedicht in schreef!

Een bepaalde formulering, een veelzeggend gebaar of een reeks mooie woorden kunnen sterke emoties oproepen. Poëzie is een uitstekende verleidingstactiek en ik was gevoelig voor de betoverende uitwerking ervan, net zoals generaties vrouwen vóór mij. Ik dacht vaak dat dit de reden was waarom de Koran puur bestond uit poëzie en poëtisch proza. Poëzie is bedoeld als inspiratie voor de liefde en de islam draait om liefde voor de Schepper van de wereld. Het Arabisch is simpel en ritmisch en heeft verschillende betekenislagen die hoe vaker je de teksten leest, langzamerhand duidelijk worden. De Arabieren waren destijds zo in de ban van de sierlijke en mysterieuze woorden dat ze de profeet Mohammed een tovenaar noemden. Ze herkenden de kracht van nieuwe ideeën en welsprekendheid; die konden de mensen verleiden en een revolutie teweegbrengen.

Ik kwam de afzender van mijn valentijnskaart later die dag tegen. Hij zat bij een grote groep gezamenlijke kennissen in de tuin, onder wie mijn beste vriendinnen. Het was een prachtige lenteavond en de hemel was helder en bezaaid met fonkelende sterren. Ik liep over het grindpad en bewonderde de sneeuwklokjes en krokussen die dapper hun kopjes boven de grond uitstaken. Ik had de hele middag in mezelf lopen glimlachen en vroeg me smachtend af wat er zou gebeuren. De romantische tiener in mij was tot leven gewekt en worstelde met dezelfde vragen die ik mezelf op dertienjarige leeftijd had gesteld over John Travolta. Was hij geïnteresseerd? Zou hij moslim willen worden? Als altijd was dat een voorwaarde. Maar de afzender was aardig, vond ik, en ik zou deze grote levensvragen over het geloof en de ziel met hem moeten bespreken en kijken waar we uitkwamen. Ook al moest ik bescheiden zijn, we konden in elk geval met elkaar praten. We konden kijken waar het leven ons naartoe zou leiden.

Ik wandelde naar de groep studenten. Ik had het gevoel dat ik zijn daad uit beleefdheid moest erkennen. Het was ook moedig van hem geweest om zijn gevoelens te uiten. En natuurlijk was er een klein stemmetje dat fluisterde over mijn romantische lot, stel dat... stel dat... stel dat... hij moslim wordt?

'Hallo,' zei ik tegen hem.

'Hallo', zei hij.

Ik glimlachte.

'Heb je je essay af?' vroeg hij in alle ernst.

'Dank je,' antwoordde ik onlogisch.

'Dank je? Waarvoor?' Zijn mondhoeken krulden brutaal op.

'De kaart.'

Hij grijnsde. 'Wil je een kopje thee met me drinken dan?'

Hij wist dat ik anders was, en ik denk dat hij het waardeerde. Hij wist dat ik geen alcohol dronk, dat hij me niet mee kon nemen naar de pub voor een drankje. Hij respecteerde mijn bescheidenheid en kon mij, ondanks mijn hijaab, zien voor wie ik werkelijk was. Later zou ik nog veel islamitische mannen tegenkomen die afknapten op mijn hoofddoek. Misschien snapten ze het gewoon niet. Ze zagen mij niet echt of wilden me niet zoals ik was. Het enige wat ze zagen was een wandelend boek vol religieuze regels, een hopeloos hoogdravende karikatuur. Maar hier was een jongeman, geen moslim, die zich tot *mij* voelde aangetrokken. Tot *mij*.

'Ik zit hier nu toch, of niet?'

We lachten nerveus naar elkaar en genoten zwijgend van de mooie avond, omringd door onze vrienden, die geen moment stil waren.

Ik keek ademloos naar de hemel, zo mooi waren de sterren.

Het was prachtig en onbeschrijfelijk. Maar dat waren puur fysieke dingen. Hoe zou de Schepper eruitzien? Onvoorstelbaar, onbegrijpelijk majestueus en ultiem, omdat hij dit fantastische mooie heelal had gemaakt. Ik vergat dat ik in gezelschap was en droomde weg.

Moest ik mijn zoektocht buiten onder de blote hemel voortzetten, waar ik misschien antwoorden zou vinden op wie ik was en wat alles betekende? Mensen waren al eeuwenlang in de ban van de sterren en de hemellichamen, geloofden soms zelfs dat het goden waren. Voor mij waren het creaties, prachtige adembenemende creaties die bewezen dat er een Schepper was. Daarom praatte de profeet Abraham tegen de sterren. Of ze goden waren, had hij gevraagd. Terwijl ze geleidelijk in de nacht verdwenen, besefte hij dat er iets groters bestond. Was het met de wetenschap van nu ook zo? Verborg het fonkelende licht van wetenschappelijke ontdekkingen de Schepper voor ons? Of toonde de wetenschap juist de wonderen van Gods schepping en daarmee ook God zelf? Dat zou mijn zoektocht, mijn reis bepalen. Ik wilde de Schepper leren kennen en liefhebben. En misschien kon ik me onderweg af en toe verliezen in de sterren en hun schitterende schemerlicht.

'Hoe wist je dat ik het was?' vroeg hij verlegen.

'Ik wist het gewoon, misschien heb ik een goede intuïtie.'

'Dat is cool. Ik vind jou cool.'

Ik bloosde en probeerde van onderwerp te veranderen. Ik was hier niet erg goed in.

'Mooi hè, de sterren,' zei ik. 'Er staan daar duizenden in de verte te fonkelen, en toch lijken ze heel dichtbij. Wie weet hoe het heelal er daar uitziet! Wat een ongelooflijke schepping! Ik kan amper ademhalen als ik ernaar kijk. Ik wed dat je ergens daarboven erachter kunt komen waar het leven echt om draait, waardoor je het leven op deze wereld meer zin kunt geven.'

Ik was vol ontzag. Er viel een lange stilte en ik vergat dat hij er was.

Een paar minuten later begon ik weer te praten. 'Ze geven me het gevoel dat er iets veel groters is dan ik. Ik geloof dat er allerlei geheimen achter zitten, dat er nog zoveel te verkennen en te vinden is. Ik voel een soort goddelijkheid, of dat nu met een kleine "g" of hoofdletter "G" is.'

Ik keek naar hem en vroeg me af of hij begreep wat ik vroeg, wat ik onthulde over mijn zoektocht naar het verhevene. Zou hij de proviand hebben voor die reis?

Ik keek naar hem tegen de achtergrond van de magische kristallen hemel. Het was een heldere avond. De maan scheen stralend. Hij zweeg en ik glimlachte afwachtend. Ik wachtte op zijn meeslepende beschrijving van de lagen en sluiers van het universum. Van de onkenbare, maar bijna tastbare schoonheid van de sterren en de planeten die zo mysterieus boven ons stonden te stralen. Ik wilde meer weten over zijn verkenning van zijn eigen ziel, over zijn fascinatie voor het leven, de enorme omvang, de eenvoud van alles. Ik wilde het weten.

Uiteindelijk vroeg ik: 'Wat denk jij als je naar de sterren kijkt?'

Hij keek naar de mysterieuze hemel boven ons en zei: 'Ik stel me voor dat ik lijntjes trek tussen de stipjes.'

Eindeloos kennismaken

Bij *Chez Shelina* bereikte het ritueel van het kennismakingsbezoek geleidelijk het toppunt van perfectie. Door de weken en maanden heen werkten we langzaam en systematisch een hele rits potentiële prinsen af. Ik wist mijn geduld te bewaren en gaf elke man de tijd en de aandacht waar hij recht op had. We hadden het proces nu helemaal onder de knie: onze familie, zijn familie, ik en hij; wat koppen thee, wat lekkers erbij en een goed gesprek. De ochtend daarna werd er standaard gebeld, door de koppelaarster uiteraard. Soms volgde er een tweede ontmoeting. Maar vaker was het een kwestie van verstandig zijn en verder gaan met de volgende. Ergens moest hij rondlopen. Dat kon niet anders. Ik prentte mezelf in dat hij echt de ware moest zijn. Ik moest de juiste man vinden.

Week in, week uit werkte een nieuwe huwelijkskandidaat zich door de hete brij heen om mijn persoonlijke prins te worden.

Hij had een aardig figuur en zag er goed uit. De zoon van een vriend van een vriend. Hij heette Samir. Ik maakte me onmiddellijk zorgen toen ik hoorde dat hij zijn universitaire studie niet had afgemaakt, maar stond niettemin voor hem open. De vonk kon op de gekste momenten en tussen de meest onwaarschijnlijke mensen overspringen. Een verschil in opleidingsniveau hoefde eigenlijk helemaal geen punt te zijn. Twee mensen proberen te koppelen aan de hand van hun personalia op papier had zo zijn voordelen, en werkte ook vaak, maar volgens mij was het de magie van het onverwachte die de interessantste relaties voortbracht.

Samir was gestopt met zijn opleiding om een eigen bedrijf op te zetten en was als ondernemer heel succesvol. Hij kwam met grote passen binnen en nam plaats in de luie stoel van mijn vader. Mijn vader had me zijn gebruikelijke advies gegeven voordat Samir kwam: als je een partner zoekt met zes speciale eigenschappen en je vindt er vier, dan heb je mazzel.

Samir blaakte van zelfvertrouwen. Hij deed geen moeite het gesprek op gang te houden en reageerde kortaf op dingen die we hem vroegen. De rest van de tijd staarde hij ongeïnteresseerd uit het raam, naar de fraai onderhouden tuin van mijn vader. Mijn vader praatte over koetjes en kalfjes met Samirs oom en probeerde ook, zoals gebruikelijk was, de banden tussen onze families te achterhalen. Na een minuut of tien ontdekten ze dat een achterneef van de ene kant getrouwd was met een oudtante van de andere kant.

Enigszins nerveus, zoals altijd, liep ik de kamer in, terwijl ik glimlachte en knikte en salam zei tegen iedereen die daar aanwezig was. Ik ging in een leunstoel tegenover Samir zitten, een beetje onrustig ademhalend en met mijn handen gevouwen. Dit keer stond er een bos geurige, vuurrode rozen in de vaas. Hij draaide zich even om en staarde hooghartig naar mij, waarna hij zijn hoofd weer afwendde en hooghartig naar de muur ging zitten staren.

Na een kort beleefd gesprek stond ik op om thee te gaan zetten. Ik was opgelucht dat ik iets te doen had. Ik keerde terug met het juiste aantal kopjes thee en koffie, en de nodige zelfgebakken lekkernijen. Weer nam ik tegenover de jongen plaats. Mijn vader en de begeleidende oom sloegen de tuindeuren open en maakten zich uit de voeten, de tuin in, waardoor Samir en ik ineens alleen met elkaar opgescheept zaten. We staarden allebei naar buiten, als *budho budhi*, oude man, oude vrouw, die in de herfst van hun huwelijksleven naar hun tuin zaten te staren.

Hij keek me onverschillig aan en verlegde zijn blik toen naar de hoge boekenkast in de hoek van de kamer. De boekenkast stond propvol met boeken in allerlei kleuren en maten, zo vol dat er op elke plank stapels lagen en de boeken soms twee rijen dik stonden. Zijn ogen dwaalden over de rijen literatuur. Hij was gebiologeerd.

'Van wie zijn al die boeken?' vroeg hij, op een toon waarin ik bewondering en ontzag dacht te horen.

Ik lachte verwaand. 'Die zijn allemaal van mij,' schepte ik op.

Hij draaide zich om, keek me vernietigend aan en zei: 'Ik haat boeken, ik haat alle boeken. Ik lees nooit en ik heb een hekel aan mensen die van boeken houden.'

Mijn vriendinnen Sara en Noreen waren ook op zoek naar hun ware jakob. Ze waren samen met mij opgegroeid en zaten in hetzelfde stadium van het huwelijksproces. Zij hadden ook aan de universiteit gestudeerd en hadden nu hun eerste baan. Net als ik waren ze intensief betrokken bij de gemeenschap. Hun verhalen leken op die van mij. Sara, die ook een hijaab droeg, vertelde over Fayyaz die, samen met de imam die hem had aanbevolen, bij haar op bezoek kwam. Zijn biodata waren veelbelovend: goed opgeleid, gelovig, afkomstig uit een goede familie, op zoek naar een vrouw die een hijaab droeg, een goede baan had en van reizen hield. Hij woonde al op zichzelf en dus was hij onafhankelijk en in staat zijn eigen huishouden te runnen. Ook zijn referenties waren onberispelijk.

Ze vertelde ons dat de imam erg veel praatte, wat overigens normaal is voor iemand in zijn functie. We giechelden toen ze de ontmoeting beschreef: 'Fayyaz zat te wiebelen op zijn stoel. Eerst was hij nog geduldig, maar na een tijdje begon hij me wanhopige blikken toe te werpen. Twee uur later vroeg de imposante imam hem opeens waarom hij nog geen woord tegen mij had gezegd.'

'Fayyaz en ik gingen naar een andere kamer. Ik begreep meteen waarom de imam zoveel had gepraat.' Ze legde uit dat Fayyaz net zo stil was als zijn begeleider praatziek. 'Vijftien vreselijke minuten van stilte later werden we terug naar de woonkamer gehaald. Waar de imam meteen riep: "Jullie hebben vast lekker zitten kletsen," waarbij hij naar me knipoogde. En toen zei hij: "Ach die gesprekjes, ho-ho-ho! Ik heb een vriend die ook imam is. Hij ging uit naam van een vriend van hem op bezoek bij een meisje. Maar hij vond haar zo leuk, dat hij zelf met haar is getrouwd! Ho-ho-ho!"' Sara, Noreen en ik gierden het uit van afgrijzen.

Noreen had haar eigen verhaal: 'Jameel was lang en knap. Hij was arts en al een tijdje op zoek naar een vrouw. Hij was intelligent, grappig en erg charmant. Iedereen in mijn familie, van mijn oma tot mijn kleine neefje, vond hem erg aardig. Zijn verhalen waren om te brullen. En hij zei dat hij een echtgenote zocht die hem zowel *deen* kon geven, een spiritueel leven, als *dunya*, de wereld waarin we leven. Ik dacht dat hij perfect was, totdat zijn moeder tegen me begon te praten.'

Noreen zette haar kwelende schoonmoederstemmetje op: '"Het is zo'n lieve jongen, hij denkt altijd eerst aan anderen, vooral aan zijn arme, oude moeder."'

'Ik kon mijn oren niet geloven toen mijn eigen moeder ook zo overdreven ging doen: "Hij lijkt heel erg leuk, het verbaast me dat hij nog niet is ingepikt!"'

Noreen imiteerde de kwelende schoonmoeder opnieuw: '"Nou ja, hij heeft wel een paar vriendinnen gehad, maar weet je, ik vond geen van hen echt geschikt. Hij zegt altijd tegen me: Mama, jij weet het zoveel beter, beslis jij maar. Al duurt het nog jaren, we zoeken gewoon net zo lang tot we een meisje hebben gevonden dat jou aanstaat."'

Jameel is nog steeds niet getrouwd.

Soms kwam alleen de schoonmoeder op bezoek. En ook dan serveerde ik samosa's en probeerde ik haar voor mij te winnen. Sommigen kwamen uit het buitenland, ter voorbereiding van de huwelijkstournee van hun zoon. Zodra alle geschikte meisjes waren gekeurd en er een selectie was gemaakt, kwam de prins naar Londen om ons een voor een te spreken. Zijn moeder was de poortwachter die we moesten paaien. We moesten een knieval voor haar maken om op de shortlist voor de volgende ronde te komen. Ik maakte dan de hapjes en het gebak allemaal zelf en zag hun ogen glimmen van genot over de potentiële schoondochter die hemelse aardbeientaart kon bakken.

Het ergste vond ik de ontmoetingen met een schoonmoeder in de moskee. Nadat de preek of de bijeenkomst was afgelopen, moesten mijn moeder en ik op zoek naar de schoonmoeder, die me vervolgens meetroonde naar een rustig hoekje en allerlei vragen ging stellen. Aangezien er alleen vrouwen waren in ons deel van de moskee, droeg ik geen hoofddoek. Mijn moeder zorgde ervoor dat mijn haar en mijn lippenstift perfect zaten, zodat ik er tiptop uitzag. We waren allebei onrustig. Het proces op zich was al moeilijk en vervelend, maar de omgeving was ook niet direct geruststellend. En ik moest de vrouw, met wie ik niet eens zou trouwen, in een paar zinnen voor me zien te winnen.

Andere vrouwen liepen vlak langs ons, stonden in groepjes om ons heen of in elk geval in de buurt te kletsen en te lachen. We moesten discreet zijn, anders gingen de eerste roddels over een eventuele bruiloft de volgende dag al rond, nog voor we de familie van de jongen op de thee hadden gehad. Ze zouden vragen stellen: 'Met wie stonden jullie daarnet te praten?' 'Ik hoorde dat ze drie knappe zoons heeft. Ze stond net te praten met de dochter van die vrouw daar.' 'Ze zoekt al jaren een geschikte partner voor haar oudste. Wedden dat ze binnenkort ja zeggen tegen de eerste de beste?'

Habib begon te huilen tijdens zijn gesprek met Sara. Hoewel zijn ouders al meer dan vijf jaar geleden waren gescheiden, had hij er nog steeds veel last van. Hij wilde trouwen, maar zou een zenuwinzinking krijgen als hij een scheiding moest doormaken. Hij werd boos toen zij zei dat ze het zorgelijk vond dat hij dit al tijdens hun eerste gesprek tot hoofdonderwerp maakte. Sara beschreef hoe hij haar had toegebeten: 'Realiteit, geen romantiek! Realiteit!'

Noreen ontmoette Akil, die midden in het gesprek zei: 'Ik moet weg, want ik ga met vrienden voetbal kijken.'

Ik werd voorgesteld aan Bilal: 'Mijn moeder wordt oud en ze zegt steeds dat ik moet trouwen. Eerlijk gezegd denk ik dat zij zit te springen om gezelschap. Persoonlijk boeit het me niet zo.'

Sara kreeg bezoek van Javed: 'Jij bent veel te slim. Dat is niks voor mij.'

En Mizan zei tegen Noreen: 'Ik heb niks met dat huwelijksgedoe, maar mijn ouders begrijpen me niet. Ik wil single blijven.'

En dan Wadud die mij bekende: 'Ik wilde liever niet afspreken, maar het was dit of uit huis geschopt worden.'

Ahmed was geen aantrekkelijke man. Hij was ook geen intelligente man. Ik probeerde niet op zijn uiterlijk te letten en hem echt als persoon te leren kennen. Toen hij bij ons thuis kwam voor een ontmoeting met de familie, zat hij in de enige leunstoel in de kamer. Hij was afstandelijk. Zijn stilzwijgen bracht me van mijn stuk. Dit keer werden we niet naar de eetkamer gestuurd. Mijn ouders hadden er onderhand een sport van gemaakt om tactisch met de gasten in de tuin te verdwijnen, zodat wij alleen achterbleven maar ze ons wel konden zien en horen.

Ahmed zei weinig en reageerde nog minder, maar als hij wel praatte had hij een scherpe tong. Ik probeerde alle technieken die ik had geleerd om een gesprek te beginnen. Hij staarde me aan met zijn donkerbruine ogen. Ik probeerde het ijs te breken met een grapje, toen we het over vrienden hadden die in de financiële sector werkten. 'Het zijn allemaal boekhouders, en nog overbetaald ook,' riep ik meesmuilend en op overdreven toon uit om enige humor in het gesprek te brengen. Ik wist dat ik een simplistische, stereotiepe opmerking maakte, maar in de Aziatische gemeenschap zijn boekhouders veelvuldig een mikpunt van spot en dus haakte ik daarop in. Ik probeerde een opening te creëren door een herkenbare karikatuur op te roepen. Hij wierp me een vernietigende blik toe en ik voelde dat de nekharen onder mijn hoofddoek rechtovereind gingen staan.

Op neerbuigende toon las hij me de les: 'Boekhouders zijn er in alle soorten en maten en lijken in niets op bankiers of verzekeringsexperts, ook al werken ze allemaal in de financiële sector. Dat is gewoon een feit. Iedereen met een beetje hersens weet dat.'

Hij dacht dat ik dom was, oliedom. Zoiets had ik nog nooit eerder meegemaakt. Andere jongens met wie ik een afspraak had, beweerden juist dat ik te slim was. Dan waren ze ineens niet meer geïnteresseerd of bang voor mij.

Het kon me niet schelen dat Ahmed de saaiste en moeilijkste persoon was die ik ooit was tegengekomen. Het stoorde me veel meer dat hij dacht dat ik een dom mokkeltje was.

Een *dom* mokkeltje?

De volgende dag belde de koppelaarster. 'Wat vond Shelina van hem?' vroeg ze aan mijn moeder. Ik had mijn moeder erover ingeseind dat deze jongen geen sociale vaardigheden bezat, geen gesprek op gang kon houden en totaal onaantrekkelijk was. Nou ja, toegegeven: dat had ze zelf ook wel geconstateerd. Ze was zich ervan bewust dat Ahmed zich buitengewoon lastig had gedragen. Dat hij geen moeite had gedaan of belangstelling had getoond om de moeizame situatie enigszins te verzachten door een gesprek te voeren, ook al ging het nergens over. Zelfs als twee mensen al snel weten dat het niet klikt, moeten ze beiden de ontmoeting zo prettig mogelijk laten verlopen en het gezellig en beleefd houden. Ahmed had die les in de cursus 'Hoe vind ik een echtgenote?' duidelijk overgeslagen.

Mijn moeder hield het kort en was bepaald niet complimenteus. De koppelaarster was verrast. Ik hoorde haar luidruchtige 'O!' door de telefoon, terwijl ik aan de andere kant van de kamer stond. 'Maar Ahmed vond Shelina zo leuk.'

Deze openbaring ontlokte vervolgens een 'O!' aan mijn moeder. Ik had bij haar stoom afgeblazen over Ahmed, dus dat hij onze ontmoeting wel prettig vond kwam als een enorme verrassing.

'Eh,' begon mijn moeder. Ze vermande zich en zei: 'Maar Shelina zei dat hij niet wilde praten, dat hij heel ongelukkig leek en dat zij steeds het woord moest nemen.'

'Ahmed heeft dat allemaal aan mij uitgelegd,' reageerde de koppelaarster. 'Hij zei dat het een test was.'

Een test? Liefde en het huwelijk waren toch zo al ingewikkeld genoeg. Ik zat niet te wachten op een man die onbeleefd was, die niet duidelijk en niet eerlijk kon zijn. Ik had geen zin om mijn tijd te verdoen met een man die me op de proef stelde nog voor hij me kende. En toch kwam de koppelaarster voor de man op.

'Hij zei dat het een test was om te kijken hoe een meisje reageert en Shelina deed het heel goed. Hij vond haar aardig.'

Huh?

'Wil Shelina hem nog eens ontmoeten?'

Ik begon wanhopig te worden. Wat waren die mannen voor wezens? Was er iets aan ze wat ik over het hoofd zag?

Ze leken allemaal zo normaal, maar onderhuids hadden ze stuk voor stuk vreemde trekjes. Sara en Noreen bevestigden mijn vermoedens als ik hen over mijn lachwekkende belevenissen vertelde.

'Zijn mannen altijd al zo geweest?' vroeg ik mijn moeder en haar vriendinnen, om te kijken of hun ervaringen enig licht op de situatie konden werpen.

'Het is een eigenaardige soort,' beaamden ze. 'Je moet veel geduld hebben en ze hun ding laten doen. Het is net of je er een extra kind bij hebt.'

Ze klaagden niet over hun mannen en bekritiseerden ze ook niet. Ze glimlachten, terwijl ze me dit vertelden. Het was bijna alsof ze eraan toe wilden voegen 'en daarom houden we zo van hen'. Misschien waren ze opgegroeid in een begripvollere tijd, accepteerden ze mannen gewoon zoals ze waren. Misschien begrepen ze dat mannen juist door die vreemde trekjes zo leuk konden zijn.

Wij waren optimistisch. Wij hadden alle regels gebroken: we waren goed opgeleid, hadden gestudeerd en een goede baan gekregen. We waren aantrekkelijk, boeiend, welbespraakt, gelovig en gericht op het gezinsleven. Het kon niet anders: het was puur een kwestie van tijd en moeite.

Ik had geleerd om rustig te blijven onder deze ontmoetingen. Ik moest wel. Het was belangrijk voor mijn stemming dat ik de moed erin hield, in de hoop dat een van die ongetrouwde figuren met een Y-chromosoom iets zou hebben. Iets wat mij zou overhalen om met hem te willen trouwen. Mensen zitten vol verrassingen, toch?

Dit onstuitbare optimisme in combinatie met een ouderwetse dosis Britse onverstoorbaarheid betekende dat ik mijn zoektocht vastberaden voortzette.

Het was een kwestie van statistieken. De grote vraag was, welke statistieken: 'Die ene Ware vinden?' of 'Vier van de Zes accepteren?'

VIER

☆☆☆

Contact maken, meer niet

Wachten

Het was vier uur 's ochtends. Ergens op de grens tussen de nacht en de lichtgrijze dageraad. Mijn wekker rinkelde keihard en mijn vaders stem weergalmde door de gang. 'Beti, je moet opstaan.' Het was tijd voor het ochtendgebed.

Hoe kreeg hij het voor elkaar altijd zo energiek en vrolijk te klinken op de vroege ochtend? Mijn ouders waren al een uur wakker, verzonken in hun middernachtelijke gebeden.

'Allah houdt het meest van de vroege ochtend, als Zijn schepselen hun dierbare slaap opgeven om dicht bij Hem te zijn,' hielden ze me voor. Hun ogen straalden van opwinding. Er was iets in hun uitstraling, in hun heldere en tevreden blik, wat hun woorden onderstreepte.

'Wat voor wensen je ook hebt, dit is het moment om te vragen of ze vervuld worden.' Het was zo stil, zo ongestoord, alleen jouw hart en God. De antwoorden lijken ineens duidelijk, nog voor je de vraag hebt gesteld.

Maar ik voelde me niet bepaald verheven die ochtend. 'Nog vijf minuten,' kreunde ik. Ik zwaaide mijn benen moeizaam over de rand van mijn bed, legde mijn hoofd op mijn knieën en kwam overeind. Ik kon mijn ogen amper openhouden en voelde me een beetje misselijk, omdat ik nog maar zo kort had geslapen. Met de gedachte dat ik over minder dan drie uur opnieuw moest opstaan voor mijn werk, probeerde ik voldoende wakker te worden om te bidden, maar niet zo wakker dat ik niet weer kon inslapen. Alleen door pure wilskracht kon ik opstaan.

Elders in de stilte van ons huis hoorde ik mijn ouders zachtjes rondscharrelen terwijl ze zich opmaakten voor hun gebeden. Dit was de magische tijd van de *fadjr*, het moment waarop de meeste mensen slapen. Met de seizoenen verandert ook het tijdstip van de fadjr, in de zomer is het wel eens om twee uur 's nachts en in de winter kan het om zeven uur 's ochtends zijn. Het is de eerste van de vijf rituele gebeden die de dag onderbreken en voor ritme zorgen. Fadjr om de dag goed te beginnen; *dohr* en *asr* in de middag, om je te concentreren tijdens de drukke werkdag, je te herinneren waar de dag voor dient en je vermoeidheid te overwinnen; *maghreb* en *isha* in de avond, om rust en vrede te vinden, om te bedanken voor de dag en om aan de Schepper te denken voor je gaat slapen.

Als je de exacte begin- en eindtijden van de gebeden wilde weten, kon je een geprint tijdschema bij de plaatselijke moskee halen of er eentje van internet downloaden. Door een simpel rekenschema kon je de tijden zelf berekenen: fadjr begint om 3.56 uur en eindigt om 5.53 in de ochtend. Je kon je salat bidden op elk moment binnen die twee tijden, maar het was altijd beter om zo vroeg mogelijk te bidden. Daarmee liet je zien dat je graag wilde, toegewijd was.

'Het is als een afspraakje met je geliefde,' zei de imam altijd. 'Je doet alles wat je moet doen zo snel mogelijk en je doet je uiterste best om stipt op tijd te zijn.'

De gebedstijden hebben met de positie van de zon te maken en dus variëren de tijden naarmate de lengte van de dag verandert. Dohr wordt gebeden wanneer de zon recht boven de aarde staat, als de schaduwen het kortst zijn. Maghreb wordt gebeden tegen het invallen van de schemering, op de grens van dag en nacht. Zeker als je in de stad woont, heb je de gebeden hard nodig om een beetje contact te houden met het ritme van de natuur. 'De dag is bedoeld om te werken,' stelt de Koran, 'en de nacht is bedoeld om uit te rusten.'

Vóór elk ritueel gebed moet je bepaalde lichaamsdelen wassen, niet alleen uit hygiënisch maar ook uit symbolisch oogpunt. Je bent dan 'spiritueel gezuiverd'. Bij elke stap hoort een specifiek gebed. Die ochtend waste ik mijn mond: *leg alstublieft vriendelijke woorden in mijn mond.* Ik waste mijn gezicht: *laat mijn gezicht stralen.* De woorden maakten dat ik me beter kon concentreren, dat ik me dicht bij God voelde. Ik waste mijn armen, van mijn ellebogen tot mijn vingertoppen: *laat mijn handen goed doen, laat ze slechte daden en onrechtvaardigheid voorkomen.* Ik haalde mijn vingers voorzichtig door mijn haar: *laat mij kalm blijven, ook als de druk groot wordt.* Tot slot waste ik mijn voeten: *laat mij lopen naar plekken waar ik goede daden kan doen.*

Ik ging terug naar mijn kamer en vouwde mijn bidmat open. Hij was gemaakt van donkerrood fluweel en ongeveer een meter bij vijftig centimeter. Aan de bovenkant was een kleine boog gedrukt die symbolisch de richting van het gebed aangaf. Ik legde de mat naar het zuidoosten, in de richting van de *qibla.* In het hart daarvan bevindt zich de Ka'aba in Mekka. Miljoenen, of misschien wel miljarden, mensen over de hele wereld richten zich tijdens het bidden op datzelfde punt. Ik bedekte mijn haar met een lange doek die over mijn schouders en net over mijn middel viel. Daaronder droeg ik mijn favoriete blauwe zijden pyjama. Ik haalde een keer diep adem en probeerde me te concentreren.

Als eerste ging ik rechtop staan, in *qiyam*, de staande positie, en zei ik verzen op uit de Koran.

Bismi'llah ir-Rahman ir-Rahiem. In naam van Allah, de Barmhartige, de Genadevolle.

Alhamdoe lillahi Rabbil 'alamien. Geprezen zij Allah, de Heer der werelden.

Ik ging door tot ik alle woorden had gezegd. Toen boog ik, met mijn handen op mijn knieën, mijn rug gekromd en mijn blik op de vloer. Ik vervolgde mijn gebed:

Glorie aan Allah, glorie aan Allah, glorie aan Allah.

Tot slot ging ik door mijn knieën en legde mijn voorhoofd op de vloer in *sajda*, met mijn handen aan weerszijden van mijn lichaam, bijna opgekruld tot de foetushouding. Deze nederige positie, met je voorhoofd op de vloer, was bedoeld om alle trots te breken en ook duidelijk te maken dat je voor een ander mens nooit zo nederig hoefde te knielen. Dat soort totale toewijding was voorbehouden aan de Schepper.

Ik herhaalde deze bewegingen en maakte het gebed af. Ik zat wat verloren op mijn bidmat. Ik dacht na over het feit dat ik nog steeds single was en aan mijn pijnlijke, hartverscheurende zoektocht naar een partner, die ik maar niet kon vinden. Ik voelde me zo eenzaam. Ik wilde niet alleen oud worden.

Was het mijn trots die me ervan had weerhouden om iemand te accepteren die niet honderd procent voldeed aan mijn eisen van de Perfecte Sprookjesprins? Maar ik kon niet één van de afgewezen mannen bedenken die als echtgenoot geschikt voor mij was. Ik boog mijn hoofd, mijn haren vielen voor mijn ogen. Ik had toch zo goed mijn best gedaan?

'Verdient mijn inspanning geen beloning?' vroeg ik aan God. 'U zou pats-boem een perfecte echtgenoot voor me kunnen maken, als U dat zou willen. U hebt macht over alles. In de Koran staat dat U zegt: "Wees" en het Zal zijn,"' hielp ik hem kregelig herinneren. Ik hoefde God toch zeker niet te wijzen op wat Hij had gezegd?

Mijn ogen vulden zich en de tranen rolden langzaam over mijn wangen. Ik stak mijn beide handen in de lucht, geopend naar boven. God was niet daarboven, hij was op geen enkele speciale plek. Maar mijn handen bewogen zich instinctief, smekend. 'Ik wil echt heel graag trouwen, een man hebben, een gezin vormen. Hebt u niet gezegd dat ons geloof pas compleet is als we trouwen? Ik wil Uw richtlijnen volgen en ik doe mijn best, heel erg mijn best, om iemand te vinden. Waarom stuurt u mij niemand?' vroeg ik op klagende toon.

De tranen biggelden nu onophoudelijk over mijn gezicht. Ik huilde, snoot mijn neus en huilde opnieuw. Ik was in zoveel opzichten gezegend in dit leven: ik had een geweldige familie, een prachtig huis, een goede baan, de kans om te reizen, dierbare vriendinnen. Dit was het enige wat nog ontbrak. 'Ik vraag alleen om iets goeds, iemand om bij te zijn en, die ook van mij houdt en me dichter bij U brengt. Het is afschuwelijk om dat hele proces week in, week uit door te maken met al die vreemde mensen. Ik wil gewoon verder met mijn leven.'

'Ben ik soms niet klaar om te trouwen? Moet ik eerst nog meer leren? Of is mijn Prins nog niet klaar voor mij? Wat moet ik nog leren, wat moet ik ervaren, voordat ik diegene kan vinden die mijn ziel kan aanvullen?'

Ik zou geduld moeten hebben. Leren wachten, waardig en geduldig als je niet – of nog niet – krijgt wat je wilt, is een van de moeilijkste dingen die bestaan. 'Allah is met de geduldigen,' staat er in de Koran. Alle goede dingen komen vanzelf als je maar geduldig bent, hielp ik mezelf herinneren. Ik vroeg me af hoe lang ik nog geduld moest hebben.

Mijn leven stond in de wacht. School, gedaan. Universiteit, gedaan. Baan, heb ik. Reizen, gedaan. Echtgenoot, groot zwart gapend gat. Ik zat muurvast, kwam geen stap vooruit. Maar was het God die me leerde om geduldig te zijn of blokkeerde ik mijn eigen leven? Als ik enthousiast zou zijn over het leven, over mijn persoonlijke groei, nieuwe ervaringen zou opdoen en zou werken aan een betere wereld, zou mijn grote liefde dan vanzelf komen? Was dat de les die ik moest leren?

De tijd staat niet stil, en regels veranderen. Terwijl ik opschoof van begin twintig naar halverwege de twintig, vond ik roddels niet meer zo boeiend. En de roddels hielden zich niet meer bezig met mij. Waar ik eerder alleen boosaardigheid bij de Tantes en de koppelaarsters zag, begon ik nu oprechte bezorgdheid te herkennen, al bleven ze verstopt onder dezelfde maniertjes als voorheen. Ze waren in een andere tijd en op een andere plaats geboren. Hun functie was ooit enorm belangrijk; zij hielden de tradities hoog en zorgden voor de broodnodige samenhang in de gemeenschap. Ze hadden hun positie verdiend en vervolgens de touwtjes in handen genomen. Het huwelijk hield de gemeenschap bij elkaar en als belangrijkste bemiddelaars werden zij met eerbied en beleefdheid behandeld.

'We moeten haar nu echt aan de man helpen,' fluisterden de Tantes, hun wenkbrauwen zorgelijk gefronst. 'Binnenkort komen er geen goede aanzoeken meer en dan moet ze zomaar iemand accepteren.' Ze wilden me steunen en moed inpraten, maar in plaats daarvan voelde ik donkere wolken van onheil boven mijn hoofd samenpakken. Ik weigerde me te laten intimideren.

Voor jonge vrouwen was het huwelijk niet langer de poort tot het echte leven, zoals vroeger misschien het geval was. Eigenwaarde kreeg je niet alleen door echtgenote en moeder te worden. Het idee dat je moest trouwen voor de sociale status en om erbij te horen, verloor langzamerhand aan kracht. Sommigen dachten zelfs dat jonge mensen geen zin meer hadden in het huwelijk, dat ze de cultuur en de mannen niet meer zonodig hoefden. Maar dat klopte absoluut niet.

We wilden nog steeds dolgraag trouwen, maar niet om de titel of de status. Het ging om gezelschap en liefde. We wilden ons niet laten dwingen door schuldgevoel of angst om over te blijven om te trouwen. Het was dus geen kwestie meer van sociale druk, maar dat we er zelf behoefte aan hadden om een partner te hebben en een partner te zijn. Dat was een grote verandering, en die drong maar langzaam tot iedereen door.

Ouder worden had zo zijn voordelen. De vermanende blikken en traditionele processen werden minder streng. De roddels draaiden om de jongere meisjes en ik kon gebruikmaken van nieuwe, minder formele manieren om huwelijkskandidaten te ontmoeten. Als de sfeer spontaner was, deed de jongen misschien eerder een aanzoek en had meer succes bij het meisje. En dus had ik voor het eerst een afspraakje buitenshuis. Hoewel Sara en Noreen die ervaring al hadden, plaagden ze me met mijn 'blind date'. 'Maar alle ontmoetingen die wij hebben, zijn blind dates,' onderstreepte ik.

Syed woonde in Leicester, ongeveer anderhalf uur rijden vanaf het centrum van Londen, waar we hadden afgesproken. Ik wilde ergens ver van huis afspreken, buiten bereik van nieuwsgierige blikken. Ik had hem voorgesteld om 's middags koffie te gaan drinken in een leuk cafeetje in een populaire wijk met voldoende parkeerruimte in de buurt. Koffiedrinken was perfect: als het gezellig was, konden we eventueel uit eten gaan. Als de date geen succes bleek, was alles snel genoeg achter de rug. We spraken om vijf uur af. Hij was accountant, vier jaar ouder dan ik en afgestudeerd in de natuurwetenschappen. We spraken elkaar via de telefoon, maar alleen over de praktische details van onze ontmoeting. Zijn stem klonk luchtig en opgewekt en ik voelde me onmiddellijk op mijn gemak. Hij leek me leuk en heel relaxed.

Ik kwam vijf minuten te laat. Ik hield me voor dat het trendy en vrouwelijk was om iets later te komen. Ik keek om me heen in het café. Nergens een man alleen te bekennen die ongemakkelijk of nerveus zat te draaien. Aan vrijwel alle tafeltjes zaten stellen, die elkaar diep in de ogen staarden. Ze hielden dunne, porseleinen theekopjes in hun handen en vormden met hun lachende, kersenrode monden een schattige, romantische achtergrond voor de locatie. Vol goede moed ademde ik diep in: zou hun liefde de lucht parfumeren en ons beiden ook bedwelmen?

Ik koos een tafeltje onder een dakraam uit, zodat we elkaar goed konden zien. Op die plek keek ik uit op de prachtige muurschildering achter in het café en kon de zon mooi op mijn speciaal uitgezochte, groene hoofddoek vallen. Ik kreeg altijd het advies om lichte tinten te dragen. Jongens houden kennelijk van fletse kleuren. En groen is blijkbaar aantrekkelijk. Ik deed mijn jas uit en ging zitten, zette mijn handtas op mijn schoot en begon erin te rommelen, op zoek naar mijn mobieltje. Ik viste het op uit de bodemloze diepte van mijn damestas en legde het vol verwachting op tafel.

17.15 uur: Om nekpijn en schaamte te voorkomen, doordat ik steeds omkijk naar de ingang, besluit ik van stoel te wisselen zodat ik recht tegenover de voordeur zit.

17.20 uur: Ik verplaats mijn jas van zijn stoel naar die van mij.

17.30 uur: De ober vraagt of ik koffie wil bestellen. Ik schud mijn hoofd, *ik wacht op iemand.* Hij trekt een wenkbrauw op. Syed is een halfuur te laat en hij komt van ver. Ik kijk naar mijn telefoon: hij heeft niet gebeld om te zeggen dat hij later komt.

17.35 uur: Moet ik hem bellen om erachter te komen waar hij is? Ik besluit dat je dat niet hoort te doen als je een blind date hebt.

17.40 uur: Zou alles goed zijn met hem? Misschien heeft hij een ongeluk gehad. Misschien ligt hij in een plas bloed, ergens langs de snelweg. Misschien ligt hij in een ambulance op weg naar het ziekenhuis. Nou ja, hoe dan ook, ik ben het meisje, dus ik kan hém niet bellen en hem opbellen zou sowieso niets helpen.

17.45 uur: Ik bestel een cappuccino. Of hij nu komt of niet, ik heb trek in koffie.

18.00 uur: Heeft hij het goede adres wel? Is hij vergeten mijn telefoonnummer mee te nemen? Hij is nu een uur te laat. Ik besluit hem te bellen. Dan weet ik het tenminste. Als hij niet komt, kan ik naar huis. Onze afspraak gaat ook anderen aan, die zo hun eigen interesse hebben in het resultaat. Ik moet kunnen aantonen dat ik mijn uiterste best heb gedaan om de date te laten slagen, zodat mij later niets verweten kan worden. Het is belangrijk dat ik laat zien dat ik het niet zomaar opgeef.

Ik toets zijn nummer in en wacht. Uiteindelijk neemt hij op en ik hoor de radio. Hij klinkt ontspannen. 'O ja, ik ben onderweg, het is nogal druk, weet je. De gebruikelijke verkeersdrukte. Maar ik ben in de buurt, maak je geen zorgen, ik ben er binnen een halfuur.'

Ik zucht, deels boos, deels opgelucht. Wat denkt hij wel, hij komt anderhalf uur te laat en neemt niet eens de moeite om mij even te bellen? Het zegt een heleboel over zijn manieren. Wil ik de rest van mijn leven doorbrengen met iemand die zo laat komt en daarbij zo gedachteloos en onattent is om dat niet eens te melden? Nog voor ik hem heb ontmoet, weet ik al heel wat over zijn karakter.

Aan de andere kant is mij ingeprent dat ik geen overhaaste conclusies moet trekken over mensen. Misschien had hij een goede reden? Misschien kon hij niet bellen tijdens het rijden? Misschien was het een gevaarlijke route en moest hij zich concentreren op de weg? Misschien, misschien, misschien... Het kon geen kwaad de mogelijkheden open te houden. Toch?

Ik voel me voornamelijk opgelucht en ik probeer weer enigszins enthousiast te worden. Hij heeft me niet laten zitten. En ik hoef niet tegen de koppelaarster te zeggen dat het een mislukte afspraak was. Ik wil haar medelijden niet, omdat ik niet in staat ben een man voor een kopje koffie te strikken. Laat of niet, mijn ontmoeting gaat door. En je weet het nooit, misschien is hij de ware.

18.30 uur: Ik heb trek. Ik bestel koekjes, witte chocoladekoekjes en hazelnootkoekjes. Ik glimlach als ze worden gebracht, misschien is het een teken: ze zijn hartvormig.

19.00 uur: Ik pak net mijn mobieltje om hem te bellen als hij binnenkomt. Twee uur te laat. Hij lacht breed. Hij is één meter achtenzeventig, slank, draagt een spijkerbroek en een fris wit overhemd en heeft kort donkerbruin haar. Hij heeft een lekker, bescheiden geurtje op.

Hij gaat zitten en strekt zich uit in zijn stoel. Hij roept de ober en bestelt koffie. 'Lange rit,' legt hij uit. Ik knik begrijpend. Hij is geen Indiana Jones, maar hij ziet er zeker niet onaardig uit en hij stelt me op mijn gemak. Misschien was het een wijze les voor me, het lange wachten.

'Ik heb iets zoets nodig voor bij de koffie,' zegt hij, bij wijze van excuus. Ik wijs op de koekjes, maar hij haalt zijn neus op.

'Ze hebben ook lekkere taart hier,' zeg ik samenzweerderig tegen hem.

Zijn wenkbrauwen schieten omhoog. 'Echt?' Hij lijkt dolenthousiast. Er verschijnen kuiltjes in zijn wangen. Ik heb een zwak voor kuiltjes. En voor groenbruine ogen, maar die heeft hij niet.

Zijn kuiltjes bewegen verleidelijk. 'Ook chocolade?'

Ik knik opnieuw, bemoedigend dit keer. Ik houd ook van chocolade. Hij kijkt me vrijpostig aan en schreeuwt dan naar de ober: 'Twee stukken chocoladetaart graag!' Hij draait zich grijnzend weer naar mij. Ik schaam me voor zijn geschreeuw, maar ik ben onder de indruk van het gemak en de charme waarmee hij het doet. De ober voldoet met plezier aan zijn verzoek, kennelijk. Hoe doet hij dat, vraag ik me af?

De taart wordt gebracht: donkergekleurd, plakkerig, zoet. Ik neem kleine hapjes, prik met mijn vork in de pure chocolade en probeer te voorkomen dat ik langs mijn lippenstift veeg. Ik eet langzaam van de cake en de frambozen tussen de laagjes chocolade. Ik kijk op en zijn taartpunt is al helemaal verdwenen. Hij zit te stralen met zijn koffiekopje in de hand. Hij is erg innemend. Maar vindt hij mij ook leuk? Ik moet wel een beetje gezellig doen.

We kletsen. Hij praat en ik giechel. De twee verloren uren tellen niet meer. We praten over reizen, we praten over de moskee. We praten over sport. Hij houdt van cricket. Hij houdt heel erg van cricket.

'Nog meer dan van chocoladetaart,' zegt hij, terwijl hij ondeugend naar me lacht. Ik ben zelf geen cricketfan, maar ik weet dat er een of andere oefenwedstrijd was de afgelopen middag.

'Het spijt me dat je de wedstrijd vanwege mij moest missen,' zeg ik verontschuldigend, gespeeld nederig. Ik zwijg even. 'Misschien was ik het waard?'

Hij lacht breeduit. 'Misschien.'

Ik lach hem ook breeduit toe.

We praten verder. Over zijn werk. Mijn werk. Zijn familie. Mijn familie. Het is onderhand etenstijd en ik begin honger te krijgen. Ik vraag of hij ook trek heeft. Hij zegt dat hij een hele zak chips heeft opgegeten voor hij van huis ging. 'Ik kan het einde van een cricketwedstrijd niet aanzien zonder een grote zak cheese & onion chips naar binnen te proppen,' vertelt hij. Ik houd niet van cheese & onion. Ik word altijd een beetje misselijk van de geur, die ik nooit goed van mijn vingers kan wassen.

Hij draait zich om, zoekt de ober. Al dat praten maakt hem dorstig. Er groeit een grote luchtbel in mijn hoofd, die alle zuurstof wegzuigt en me boos maakt. Ik weet nu precies waarom hij te laat was. 'Hoe laat was die cricketwedstrijd eigenlijk afgelopen?' 'O, even na halfzes,' antwoordt hij afwezig, nog steeds uitkijkend naar de ober. De puzzelstukjes beginnen op hun plaats te vallen.

'Heb je de hele wedstrijd thuis gezien?' vraag ik vol ongeloof. Om mijn trillende vingers onder controle te houden, speel ik met de onaangeraakte koekjes. Hij grijnst overdreven en slurpt dan zijn ijskoude mineraalwater naar binnen. Het koekjeshart in mijn handen breekt ineens doormidden. Ik bied hem de ene helft aan. Terwijl ik twee uur lang in mijn uppie in het café zat te wachten, zat hij gewoon thuis, in de volle wetenschap dat hij *twee uur* te laat zou komen. Ik ben diep geschokt. Maar hij is zich van geen kwaad bewust.

Ik blijf nog zolang als beleefd is om mijn koffie op te drinken. Ik hoef me niet zo onbeschoft te gedragen als hij heeft gedaan. Ik moet mijn eigen karakter en reputatie beschermen. Mijn voorgevoel over hem blijkt waar; ik had op mijn intuïtie moeten vertrouwen. De ontmoeting was een hele openbaring. Zonder dat hij het besefte, heeft hij door zijn gedrag zijn persoonlijkheid onthuld. Voor mij genoeg om te beseffen dat hij, ondanks zijn charme en opgewekte karakter, niet oké is, door zijn gebrek aan respect voor andere mensen. Cricket versus hoffelijkheid.

Het advies van mijn ouders en de Tantes, dat ik iemand moet uitkiezen die goed is opgevoed en goede manieren heeft, weergalmt in mijn oren. Ook het advies van de islam om iemand te kiezen die me goed behandelt, omdat hij begrijpt dat je respect moet hebben voor andere mensen staat me weer helder voor de geest.

Ik vond het verbazingwekkend. Zo'n date gaf je een kijkje in het meest instinctieve gedrag van de ander en liet je vervolgens voelen hoe jouw eigen primaire reactie daarop was. Dit was een pure menselijke ontmoeting en dus het ultieme leermoment over grote thema's.

We waren vreemden voor elkaar, maar het leek wel alsof we het lang en diepgaand over onze toekomst hadden gehad. Syed hoefde mij niet letterlijk uit te leggen hoe weinig waarde hij aan zijn vrouw zou hechten en hoe weinig respect hij voor anderen zou tonen. Dat las ik wel af aan zijn gedrag. Zijn woorden zouden me alleen vertellen wat hij over zichzelf wilde geloven en hoe hij dacht te zijn.

Ik begon mezelf dezelfde moeilijke vragen te stellen. Kwamen mijn ideeën over mezelf wel overeen met mijn daadwerkelijke gedrag? Of was het mij wel gelukt om mijn woorden en mijn verlangens op één lijn te krijgen? Na mijn ervaring met Syed wist ik één ding: dat je een afspraak hebt met je eventuele toekomstige partner, is geen excuus om je te misdragen.

Mijn date met Syed leerde me ook dat ik meer op mijn intuïtie moest vertrouwen. Na twee uur wachten en zonder enig excuus voor het feit dat hij zo laat was, had ik direct moeten inzien wie hij werkelijk was. Maar onze cultuur had me ingeprent om koste wat het kost het huwelijk na te streven en mijn eigen verstand en instinct weg te cijferen. Ik had juist moeten vertrouwen op mijn *fitra*, het innerlijke geweten dat de Schepper aan ons meegeeft. Fitra kan feilloos onderscheid maken tussen goed en kwaad, plus dat het je vertelt wat je echt verdient in het leven. Fitra is echt een fantastisch cadeau voor ieder mens: het natuurlijke instinct dat iedereen heeft om te weten wat goed is, om anderen goed te behandelen en om te verwachten dat je zelf ook goed wordt behandeld.

Het was *mijn* recht om beleefd te worden behandeld. Maar mijn cultuur had mijn zelfrespect gekleineerd. Aan de andere kant kreeg ik wel respect van mijn geloof. Dat zei me immers dat ik op mijn eigen gevoel moest vertrouwen. Op dat moment wist ik dat mijn geloof me echt iets te bieden had. Ik paste het meteen toe op mijn leven: ik was een mens en ik verdiende respect.

Meer van hetzelfde

Een goed verstand betekent niet per definitie een goed karakter. Zo was het met Khalil. Hij was een goed opgeleide tandarts. Hij was de beste van zijn jaar en zette vervolgens een bloeiende praktijk op. Hij was geboren en getogen in Londen en mijn moeder kende de zijne, al was het alleen maar van elkaar groeten. Ze vertelde me dat zijn ouders allebei heel intelligent waren, maar ook aantrekkelijk en gelovig; als hij een beetje op zijn ouders leek, was hij een heel geschikte kandidaat. De koppelaarster had mijn moeder gebeld om te vragen of we interesse hadden. Hij klonk veelbelovend, een aanbod zoals we in lange tijd niet hadden gehad. We reageerden positief en ze vroeg of ze Khalil mijn telefoonnummer mocht geven, zodat hij me zelf kon bellen. 'Dan kunnen ze even kletsen en als ze elkaar leuk vinden, kunnen ze zelf een afspraak maken,' legde ze uit. Deze manier van kennismaken sprak me aan en ik voelde me er goed bij.

Khalil belde me op zondagavond, een prachtige, stralende zomeravond. 'Hallo,' zei hij glimlachend door de telefoon. 'Hallo,' antwoordde ik met een glimlach. We konden het meteen goed vinden en kletsten over serieuze en luchtige zaken. Een kwartier en twee keer knipperen met onze ogen later, zei hij dat hij me weer zou bellen en ik zei dat ik ernaar uitkeek. Hij had zichzelf omschreven als een man van één meter drieënzeventig, slank en 'bijzonder aantrekkelijk, uiteraard'. Ik vertelde op mijn beurt hoe ik eruitzag. Het maakte het telefoongesprek, hoe kort ook, een stuk ongedwongener. Ik moest zo lachen om zijn gespeelde arrogantie over zijn uiterlijk, dat ik vroeg of hij dan helemaal geen gebreken had. Hij zette een aanstellerig stemmetje op en zei: 'Lieve schat, ik heb alleen een lichte vorm van slaapapneu, maar de dames verzekeren mij dat dat een van mijn charmes is.' Ik giechelde, op een of andere manier gecharmeerd door zijn bekentenis dat hij snurkte.

Hij belde me de volgende avond opnieuw en weer kletsten we een hele tijd. Hij vroeg of ik de vrijdag daarop met hem uit eten wilde, omdat het zo goed klikte tussen ons. Hij had de belangrijke vereiste 'iemand om mee te praten' duidelijk al afgevinkt. Zelf vond ik dat de moeilijkste eigenschap om te doorgronden. Hij belde de volgende avond nog een keer. Een positief teken, vond ik. Twee spontane telefoontjes. Ik glimlachte. Over drie dagen gingen we samen uit eten.

Hij belde niet op dinsdag en woensdag. Maar op donderdag wel. Hij klonk anders. 'Ik moet je iets bekennen. Ik hoop niet dat het iets verandert, maar ik wil eerlijk tegen je te zijn.' Mijn hart ging tekeer. O nee! Wat droeg hij voor geheim met zich mee? Was hij getrouwd? Had hij een levensbedreigende ziekte? Had hij in de gevangenis gezeten?

'Ik wilde even zeggen dat ik nooit met iemand zou kunnen trouwen die maar één meter zestig is,' zei hij bloedserieus. 'Ik weet dat we het goed kunnen vinden. En ik weet zeker dat je heel aantrekkelijk bent, als ik afga op wat andere mensen me hebben verteld. Maar je bent gewoon te klein voor mij. Dus verwacht niet te veel als we elkaar morgen ontmoeten.'

Er viel een lange stilte. Wat moest ik zeggen? Hij had het evenwicht verstoord.

'Maar jij bent één meter drieënzeventig, toch?' Ik fronste mijn wenkbrauwen. 'Dat is helemaal niet zo lang, vergeleken met mij. Sterker nog, het is eigenlijk perfect.' Ik wilde de situatie nog redden, hem overhalen om de blijde hoop en roze dromen die ik deze week had gekregen niet te vermorzelen. Ik kwam zelden iemand tegen met wie ik meteen een klik had.

'Dat gevoel heb ik nu eenmaal,' zei hij jongensachtig, alsof deze eigenaardigheid een van zijn charmes was. Ik dacht ineens aan zijn bekentenis dat hij snurkte.

'Hoe dan ook,' vervolgde hij opgewekt. 'Heb je al een restaurant uitgezocht?'

'Ik zie niet in waarom we zouden afspreken,' zei ik tegen hem.

'Je denkt zeker dat ik oppervlakkig ben, of niet?' vroeg hij klagelijk, duidelijk teleurgesteld in mij. 'Nou ja, dat is dan heel erg jammer.' Hij zweeg even om gewichtiger over te komen. 'Heb je soms een beeld van de ideale partner in je hoofd?'

'Ja,' zei ik met schorre stem, onzeker welke kant hij op wilde.

'Ik heb ook een plaatje in mijn hoofd. Ze is langer dan jij.'

'Iedereen heeft een ideaalbeeld,' reageerde ik scherp. 'Maar ik weet dat iemand in het echt soms wel en soms niet aan dat beeld voldoet. Misschien val ik uiteindelijk wel op iemand die, totaal onverwacht, helemaal niet klopt met mijn ideaalplaatje. Misschien is die persoon wel veel beter voor mij dan de man die ik me voorstelde. Maar hoe weet je dat zeker, als je van die vastgeroeste ideeën hebt? Zou je de ideale partner opgeven puur omdat ze te klein of te lang was?'

'Nou en of,' zei hij zacht, zonder een spoor van verontschuldiging in zijn stem. 'Maar toch zou ik je heel graag ontmoeten,' drong hij aan. 'Denk er alsjeblieft over na.'

Ik vertelde het hele bedroevende verhaal aan mijn vader, die veel wijzer en verstandiger was dan ik. Hij zei alleen dit: 'Zeg hem maar dat vrouwen niet per meter worden verkocht.'

Onlogisch genoeg, wimpelde ik zijn uitnodiging niet af en ontmoetten we elkaar toch voor een etentje. Nieuwsgierigheid? Aantrekkingskracht? Tomeloos optimisme? Fascinatie voor naderend onheil? Hij had me als ongeschikt bestempeld, maar hield de kans voor zichzelf open om iets met me te beginnen. Maar de keuze die ik had om hem af te wijzen had hij nu van me afgenomen. Hij hield de touwtjes strak in handen en ik, zwakkeling, liet hem begaan.

Tijdens het etentje stond hij erop dat we allebei voor onszelf betaalden. Hij herhaalde dat hij zijn bedoelingen al duidelijk had gemaakt. We waren alleen maar vrienden. 'Je bent trouwens heel knap. *Heel* aantrekkelijk,' benadrukte hij. 'Alleen te klein, erg jammer.' Dacht hij soms dat kleine mensen geen gevoelens hebben?

Ik kookte vanbinnen: hoe grof kun je zijn? Hij had echt slechte manieren, zowel volgens de Britse, Aziatische als islamitische etiquetteboekjes. Hij was gierig. Het zou toch hoffelijk zijn als hij zou betalen of in elk geval zou doen alsof hij dat wilde. Ik zou toch wel hebben bijgedragen.

We verlieten het restaurant. Hij stond erop dat we ergens anders nog een dessert gingen eten. Ik zat overvol na onze maaltijd, maar ik stemde toe een kopje thee te drinken, terwijl hij nog wat lekkers nam. Ik bestelde thee, hij bestelde thee, een dessert en chocolaatjes. We hadden geen van beiden kleingeld om te betalen en dus gaven we allebei een tientje. De ober keerde terug met het schoteltje waarop de rekening en het wisselgeld lagen. Hij pakte alle wisselgeld en stopte, zonder een spier te vertrekken, zowel zijn deel als het mijne in zijn zak.

Wat leer je mensen toch goed kennen als je echt op zoek bent naar ware liefde. Door de vlinders die Khalil in het begin bij me opriep, was ik even vergeten hoe belangrijk karakter was. De woorden van de Profeet waren me luid en duidelijk bijgebleven: 'Kies je partner niet vanwege uiterlijk of geld, want dat is niet blijvend.' Khalil had me afgewezen, omdat hij een idee-fixe had over hoe ik eruit moest zien. Een bespottelijk idee trouwens. Hij wilde geen partner, maar een pop, een speeltje dat precies volgens zijn eisen was gebouwd. En wat moest ik denken van zijn vreemde omgang met geld? Ik wilde samenleven met iemand die gul van aard was. Zo'n man zou me dichter bij de Schepper brengen. Ik wilde van mijn man leren hoe ik een beter mens kon worden. Ik kon geen man trouwen die vrekkig was en het niet eens doorhad.

Door Khalils onrealistische en onredelijke verwachtingen miste hij kansen, zoals de kans om zijn leven te delen met een goede partner. En ook al was hij beleefd en welbespraakt, hij had weinig respect voor anderen. Ik zou echt niet kunnen leven met iemand die altijd alles naar zijn hand wilde zetten, hoe geweldig hij aanvankelijk ook leek te zijn. Na een paar telefoontjes en een paar uur in zijn gezelschap hadden de regels van het kennismakingsproces Khalil gedwongen open kaart te spelen. Bij gewone dates had hij me nog maanden aan het lijntje kunnen houden zonder zijn vooroordelen te laten merken.

Ik dacht nog eens na en dwong mezelf om eerlijk te zijn: waren mijn verwachtingen ook zo star? Was ik net zo onredelijk en blind voor mijn eigen onrealistische eisen? De vragen zeurden rond in mijn hoofd en maakten me misselijk.

Niet lang daarna ontmoette ik Mobeen. Ik besloot meer open te staan. Weer sprak ik af in het centrum van Londen, uit de buurt van roddeltantes. Ik wachtte op hem voor de ijssalon die ik had uitgekozen voor ons rendez-vous, toen mijn mobieltje overging.

'Salam alaikum,' zei de stem.

Ik reageerde: 'Alaikum salam.'

'Eh, hoi, met Mobeen.' Hij had een mooie, heldere stem, hij klonk slim en ontwikkeld.

'Hallo, Mobeen,' antwoordde ik.

'Luister, het spijt me heel erg, maar ik kom wat later.'

Later. Alles in mijn leven leek later te komen.

'Dat geeft niet,' reageerde ik. Ik wilde niet star zijn, hem een kans geven, geen vooroordelen koesteren, mezelf niet bij voorbaat schuldig voelen. Misschien had hij echt een goede reden. Hij had me tenminste gebeld. Maar waarom waren veel mannen zo vaak te laat? Ik kromp nog steeds ineen als er cricket op tv was.

'Hoe lang denk je dat het nog duurt?'

'Een halfuurtje ongeveer.'

'Oké, tot zo dan,' zei ik. Ik klapte mijn mobieltje dicht, stopte hem in mijn handtas en wandelde naar de winkels om wat rond te kijken. Ik zou gemakkelijk op tijd terug zijn en hij kon me altijd nog bellen. Het had weinig zin om een beetje verloren voor de ijssalon te blijven drentelen. Ik ging helemaal op in de etalages, in een poging de tijd te doden. Ik wilde per se niet in de stress schieten vanwege een halfuurtje uitstel. Ik besloot de extra tijd optimaal te benutten.

Er kwam een Aziatische jongeman op me af. 'Neem me niet kwalijk, ik geloof dat ik jou ken.'

Mijn blind date is laat en nu gaat een wildvreemde met me staan flirten.

Hij keek me zo zelfverzekerd aan dat ik me afvroeg of hij gelijk had. Misschien kende ik hem toch? Als ik botweg zei dat ik hem niet kende en hij bleek toch een vriend van de familie, zou ik erg onbeleefd overkomen. Ik reageerde terughoudend voor het geval hij toch een bekende bleek.

'Waar kennen we elkaar ook alweer van?'

Hij keek me oprecht aan. 'Van de middelbare school.' Hij lachte me bemoedigend toe, nodigde me uit tot een gesprek. Ik bleef hem niet-begrijpend aanstaren. 'Je weet wel, toen we samen in vwo 6 zaten,' voegde hij eraan toe.

Nu had ik hem betrapt. 'Ik zat op een meisjesschool, er waren geen jongens in mijn klas,' sprak ik vinnig, draaide me om en liep weg. Hij rende achter me aan.

O nee, dacht ik, en versnelde mijn pas, *ik trek vreemde mannen aan die me in het openbaar achtervolgen*. Ik liep verwoed verder.

'Shelina! Shelina!' riep hij. Hoe wist hij mijn naam? Ik werd er bang van.

'Shelina! Shelina! Ik ben het, Mobeen!' Ik bleef staan en draaide me abrupt om.

'Mobeen? Maar, maar... je zou later komen!' flapte ik eruit. Mobeen was nog dertig minuten ver weg.

Ik keek naar de plek waar de vreemdeling me daarnet brutaalweg had benaderd en aangesproken.

'Maar jij, maar, daarnet, daarginds, maar...' Ik keek hem verward en gespannen aan. Hij reageerde door naar me te grijnzen. Hij nam me mee naar een cafeetje in de buurt en bestelde koffie voor ons allebei.

Hij lachte vrolijk, als een zonnestraal, maar ik voelde alleen een donderwolk vanbinnen. Ik bleef mijn mantra opzeggen dat ik niet te snel moest oordelen. Geen vooroordelen, Shelina. Misschien was hij gewoon een beetje nerveus, was dat het?

'Ik wilde kijken of je gevoel voor humor hebt,' begon hij. 'En dus besloot ik een geintje uit te halen.' Hij lachte, nog vrolijker nu. 'Je hebt een heel goed gevoel voor humor, je hebt je er prima doorheen geslagen!' Hij bleef maar grijnzen. 'Dat kan ik echt waarderen, de meeste meisjes hebben weinig humor.'

Fijn dat ik geslaagd was voor de humortest. En helemaal fijn dat ik mijn zelfrespect en waardigheid had weten te behouden.

Helaas gold dat niet voor Mobeen. Terwijl hij nadacht over wat hij eigenlijk zocht in een partner, was hij vergeten dat hij ook een bepaalde indruk op mij zou maken. En hij had niet door dat zijn 'geintje' mij meer over zijn karakter vertelde dan welke woorden ook.

Mijn oma had mij verteld hoe het selectieproces verliep toen zij jong was. Als een jongen zich aanbood aan een familie, en die familie besloot dat hij een goed karakter had en uit een goede familie kwam, brood op de plank kon brengen en geen ongewenste eigenschappen had, dan kon de familie niet anders dan hem accepteren. Er werd niet gekeken of de twee bij elkaar pasten en ook niet of ze elkaar leuk vonden. Je kon niet te kieskeurig zijn. Als een familie een dochter te lang thuishield, was dat beschamend. Welke reden hadden ze om het eerste aanzoek dat langskwam te weigeren? Stel dat dat het beste of het enige aanzoek zou zijn dat ze kregen?

Ik vroeg mijn oma eindeloos uit over haar jeugd en hoe ze als Aziatisch meisje in de eerste helft van de twintigste eeuw opgroeide in Tanzania. Ik geloof niet dat haar ervaringen typisch waren voor moslims, maar wel voor haar tijd en voor de Aziatische gemeenschap toen. Ik denk dat haar vele hindoestaanse, sikh en christelijk-Aziatische tijdgenoten, die in dezelfde stad woonden waar zij opgroeide, zo'n beetje hetzelfde meemaakten als zij.

Ze vertelde me dat ze op een dag, op haar vijftiende, door haar vader – die in alle opzichten een heel vriendelijke, ruimhartige en medelevende man was – mee werd getrokken naar het raam van hun huis. Hij schoof de gordijnen een beetje opzij en wees haar op een kleine man die hun huis zojuist had verlaten. Hij zei: 'Je bent verloofd met die man.' Niet lang daarna trouwde ze met hem.

Mijn oma vertelde het verhaal alsof het niets bijzonders was, alsof dit voorval typerend was voor haar tijd. Ik geloof dat het toen nu eenmaal zo werd gedaan en dat haar vader niettemin veel van haar hield. Mijn moeder heeft me wel eens verteld dat hij meer gesteld was op zijn dochters dan op zijn zonen. Als zijn vrouw een zoon kreeg, gaf hij de vroedvrouw en andere behulpzame vrouwen uit dank een geldbedrag. Als ze een dochter baarde, gaf hij hen het dubbele. Hij had zeven kinderen in totaal. Het was een tijd waarin zonen, zoals nu ook nog in veel culturen geldt, belangrijker waren dan dochters. Dus was dit een heel ongebruikelijke, vooruitstrevende – en vooral islamitische – daad. Daarom moet ik wel geloven dat hij met dezelfde waardigheid, vroomheid en liefde partners voor zijn dochters uitzocht. Hoe moest een jonge vrouw anders trouwen en haar eigen huishouden runnen?

Mijn oma wist waarschijnlijk, net als andere vrouwen toen, erg weinig over mannen. Ze kwam zelden met hen in aanraking en dus vertrouwde ze op het oordeel van haar vader en diens connecties om een geschikte echtgenoot te vinden. Als ze rond haar vijftiende niet kon trouwen, wat dan? Een jonge vrouw was rijp tegen die leeftijd en werd dan als volwassen beschouwd. Tegenwoordig zijn meiden rond de vijftien ook al fysiek en geestelijk volwassen, soms hebben ze zelfs al kinderen.

Als het meisje niet trouwde, zou ze 'de rij ophouden' voor haar jongere zusjes. Een jongere zus kon niet trouwen voordat haar oudere zus aan de man was, anders waren de kansen van de oudste voorgoed verkeken. Elke keuze die een jonge vrouw maakte, alles wat ze deed, was een zaak van de gemeenschap. Het ging eigenlijk niet om haar maar om het lot van alle mensen om haar heen. En net als nu leeft natuurlijk geen enkele vrouw op een onbewoond eiland: ze moet rekening houden met anderen, zoals haar familie en de maatschappij.

Een jonge vrouw moest wel trouwen. Als ze bij haar ouders thuis bleef wonen tot ze oud en grijs was, kon ze zich niet ontplooien in de maatschappij van toen. Het was ook gewoon onpraktisch. Vrouwen waren in die tijd niet financieel en sociaal onafhankelijk, net zomin als de vrouwen in het Westen dat waren, en het gezin was de hoeksteen van de samenleving. Wie moest er voor haar zorgen als haar ouders waren overleden? Wat voor rechten had ze dan? Trouwen was voor de vrouw het enige middel om status te krijgen en een beetje invloed op haar eigen toekomst. Men geloofde dat ze kon opbloeien tot een volwassen vrouw in haar eigen huis, waar zij alleen de scepter zwaaide en een nieuwe vorm van geluk zou voelen. De islam vond zowel mannen als vrouwen pas echt compleet als ze waren getrouwd. En trouwens, of het nu waar was of niet, iedereen dacht dat vrouwen dit het liefste wilden. Een eigen huishouden hebben en dan kinderen krijgen.

Aan de huwelijken uit die tijd zie je het algemeen goedgekeurde verschil tussen wat mannen en vrouwen moesten doen. De man bracht brood op de plank; de vrouw zorgde voor het huishouden en de kinderen. Maar toch verplichtte de islam de getrouwde vrouw niet om deze taken op zich te nemen. De man is wel verantwoordelijk voor het levensonderhoud en de bescherming van zijn vrouw en kinderen. Zij mag ook werken om geld in het laatje te brengen als ze dat wil, of als het nodig is, maar het hoeft niet. Als echtgenote is ze niet verplicht schoon te maken, te koken en zelfs niet voor haar kinderen te zorgen. Het is aan haar om een goede partner voor haar echtgenoot te zijn. Hoe dan ook, de plichten die de islamitische wet, de *sharia*, aan mensen oplegt, zijn minimaal. Als je die verplichtingen vervult, houd je je aan de letter van de wet. Maar je kunt meer doen. Als moslim word je aangemoedigd om meelevend en vriendelijk te zijn. Om verder te gaan dan de regels eisen en meer te geven dan je verwacht terug te krijgen. In het huwelijk betekende dat, zeker in mijn grootmoeders tijd, dat mannen hun vrouwen thuis moesten steunen en dat vrouwen op hun beurt zorgden voor hun echtgenoot en de rest van het gezin. Maar het gaat dus niet om regels: je helpt elkaar omdat je van elkaar houdt.

Mijn oma had tien kinderen. Ik herinner me haar als iemand die altijd liep te glimlachen, haar Koran in de ene hand, haar rozenkrans in de andere. Meer dan vijftig jaar lang stond ze elke nacht op om te bidden en bleef ze wakker tot in de vroege ochtenduren om verzen uit de Koran op te zeggen. De keren dat ze bij ons logeerde, was ze altijd al klaarwakker en stond ze glimlachend, altijd glimlachend, thee te zetten als ik 's morgens beneden kwam.

Ze straalde altijd van energie, meer dan wie ik ook ken, en dat vond ik geweldig. Ongeacht de problemen die ze voor haar kiezen kreeg, ze was altijd tevreden. Mijn moeder zei dat ze, voor zover zij wist, altijd al zo was geweest. Ik kon het maar aan twee dingen toeschrijven: haar kalme houding en haar voortdurende bewustzijn van God. Ze was altijd bij haar Schepper, dacht altijd aan haar Beschermer, stond altijd met Hem in contact. Haar liefde voor haar man, haar kinderen en de gemeenschap ging hand in hand met haar Liefde voor God. Ik werd altijd blij en rustig bij haar. Ik wilde graag haar geheim weten. Maar ze had echt geen toverstafje of zo. Ze was gewoon toegewijd aan de Schepper en zorgde ervoor dat ze iedereen vriendelijk behandelde. Ze was waar 'de islam' voor stond: een gewoon iemand, die de grote buitenwereld niet had veranderd. Maar ze had haar innerlijke wereld totaal veranderd, ze had de mensen in haar omgeving voor zich gewonnen en daarom was ze een heldin in haar eigen leven.

Ze vertelde me verhalen over haar huwelijksleven en bad dat ik een goede man zou vinden. 'Wees lief voor de mensen en zij zullen lief voor jou zijn,' was haar advies. 'Zorg voor de gemeenschap. Werk hard. Je zult hoogte- en dieptepunten kennen in je huwelijk. Daar is niets aan veranderd, sinds de tijd dat ik zelf trouwde.'

'Je moet voor je man zorgen. Ik weet dat mensen tegenwoordig andere ideeën hebben, maar als je goed voor hem zorgt, zal hij goed voor jou zorgen, vergeet dat niet. Zelfs op de moeilijke momenten, zelfs wanneer je niet krijgt wat je zou willen. Pas na je bruiloft, komt het moeilijkste stuk. Vergeet niet om sorry te zeggen, zelfs niet als het niet jouw schuld is. Mannen zijn anders dan vrouwen. Als wij overstuur zijn, houden we ons in. Mannen gooien het eruit en vergeten het daarna. Wie zal over vijftig jaar nog weten of het jouw fout was of de zijne? Wat hij zich wel zal herinneren, is dat hij een vrouw had die van hem hield en die na al die jaren nog steeds om hem geeft.'

En dan glimlachte ze, barstte ze in lachen uit. 'Moet je mij nu horen, een oude vrouw, die jou een beetje advies loopt te geven.'

'*Naanima*,' reageerde ik dan, terwijl mijn hart overstroomde van liefde voor deze stralende lichtbron in mijn leven, 'zul je voor me bidden dat ik een goede man vind?' En dan legde ze haar hand op mijn voorhoofd en zei met de stem van een moeder en het inzicht van een andere wereld: 'Ik bid dat al mijn kinderen gelukkig zullen zijn. God zal jullie leiden en zegenen. Het ligt in Zijn handen, bid maar gewoon tot Hem.'

Na die serieuze woorden volgde een brede glimlach en ik wist dat ze een plagende opmerking ging maken over mijn zoektocht naar de ware.

'Je bent wel een beetje aan de magere kant,' zei ze lachend. 'Vinden mannen dat aantrekkelijk tegenwoordig?'

Bliksem

Ik verlangde naar 'dat gevoel' dat volgens mij hoorde bij een romantische wandeling bij zonsondergang of het samen staren naar de volle maan. Maar ik wist ook dat het eigenlijk niet zo werkte. Zelfs de mooiste, poëtische en romantische prinses zou het moeilijk hebben als ze met haar prins onder het harde, tl-licht van de keuken de schimmelige inhoud van hun koelkast stond te bekijken. Perfectie is een momentopname als een foto. Ieder mens ontwikkelt zich voortdurend. Iemand kan vandaag misschien een romantische held lijken, terwijl er morgen iets aan het licht komt waardoor het plaatje totaal verandert.

Mijn dromerigheid was geen kwaal die alleen bij moslimvrouwen voorkwam: ontelbare andere vrouwen en mannen fantaseren over hetzelfde. Stel dat we allemaal gewoon eens de sprong waagden en trouwden... Dan konden we alle energie, aandacht en liefdesverdriet die bij de zoektocht naar liefde horen voor iets anders gebruiken. Hoeveel tijd, moeite en geld werd er in het hele land alsmaar uitgegeven aan de jacht op liefde, lust en relaties? Ik vroeg me af of de overheid misschien statistieken bijhield over wat er aan geld, vrije tijd en geluk verloren ging in de grootscheepse jacht op de liefde.

Op een donderdag kregen we een telefoontje over Karim. Hij had geen Oost-Afrikaanse achtergrond, maar was van Indiase komaf. Ze vroegen mijn moeder of dit een probleem was? Ze reageerde: 'Natuurlijk niet, als hij maar een goede moslim is.' Hij klonk veelbelovend. Hij werkte hard als fotojournalist. Hij was *geen* accountant. Hij had Beeldende Kunsten gestudeerd aan een prestigieuze academie, was een jaar ouder dan ik, geboren en getogen in het Verenigd Koninkrijk.

Mijn moeder sprak zijn moeder om een tijdstip voor de ontmoeting te regelen en vertelde dat ze vriendelijk had geklonken. Ze zouden de eerstvolgende zondag om drie uur 's middags langskomen. Er was geen reden om het op de lange termijn te schuiven. Als het met deze kandidaat niets werd, moesten we op zoek naar een volgende en dus kon de afspraak maar beter zo snel mogelijk plaatsvinden. *De tijd dringt*, kreeg ik voortdurend te horen. We hadden tegen Karims moeder gezegd dat we om zes uur weg moesten vanwege een trouwerij in de familie. We vonden drie uur lang genoeg voor een eerste ontmoeting en een kopje thee. Ze woonden dicht bij ons, dus als het goed ging, konden we gemakkelijk nog eens afspreken. Als het niet lekker liep, hadden we tenminste een geloofwaardige reden om er een punt achter te zetten.

Tegen vier uur waren ze er nog niet. Ze hadden ook niet gebeld om te zeggen dat ze later kwamen. We hadden nog geen reden om ons te haasten, maar met slechts twee uur te gaan, zou de ontmoeting korter duren dan gebruikelijk. Het kennismaken gebeurt nu eenmaal volgens een vaste serie regels en je kunt het dus niet zomaar inkorten. Het zou heel onbeleefd van ons zijn als we het tempo van de ontmoeting drastisch opvoerden. Mijn moeder belde op om te vragen wat er aan de hand was. Geen gehoor. We namen aan dat ze onderweg waren. We hadden geen mobiel nummer, dus we konden ze niet meer bereiken. Ze bleef het toch maar proberen en om halfvijf kreeg ze iemand aan de lijn.

'We wachten op mijn man,' legde de moeder van Karim uit. 'Ik weet zeker dat hij elk moment thuis kan komen en dan vertrekken we meteen. Maakt u zich geen zorgen,' zei ze.

We maakten ons geen zorgen; we waren woest, de stoom kwam uit onze oren. Ze hadden niet eens de moeite genomen om ons in te seinen dat ze later kwamen. Uiteindelijk kwamen ze om zes uur aanzetten. Om op tijd op de bruiloft aan te komen, had ik mijn eenvoudige, elegante rok en blouse al verruild voor mijn fel turkooizen, zijden shalwar kameez met veel borduurwerk. Hij was volmaakt voor een bruiloft, maar niet bepaald geschikt voor een eerste ontmoeting. Ik was in die tijd ook aan het experimenteren met mijn uiterlijk. Dus om mijn verveling te verdrijven terwijl ik op Karim zat te wachten, lakte ik mijn nagels turkooisblauw, zodat ze mooi pasten bij mijn kleren. Als hij een beetje leuk was, zou hij het waarschijnlijk grappig vinden.

Toen ze eindelijk kwamen, was ik sprakeloos. Hij was oogverblindend knap. Hij had een mooi gezicht en fantastische groenbruine ogen. Hij was beleefd en charmant en had een vriendelijke, warme uitstraling die de spanning in de kamer meteen verdreef. Hoewel ik boos was dat ze zo absurd laat waren, voelde ik me enorm opgewonden. Het was de eerste keer van al die ontmoetingen, dat ik zo reageerde op iemand. Ik was op slag verliefd.

We kletsten een tijdje, stelden ons vertrek naar de bruiloft uit en besloten deze ontmoeting voorrang te geven. Hoewel zij drie uur te laat waren gekomen, voelden we ons verplicht om beleefd en gastvrij te zijn. Karim was intelligent en charmant. Hij voelde zich als moslim nauw verbonden met zijn geloof en dat sprak mij erg aan. Mijn hart klopte in mijn keel terwijl ik met hem zat te praten. Zijn glimlach bezorgde me kippenvel.

Voor het eerst zat ik met mijn mond vol tanden, maar hij was vlot en charmant genoeg om het gesprek op gang te houden. Hoewel we elkaar maar kort spraken, had ik het gevoel dat de vonk was overgeslagen. Om zeven uur verlieten we gezamenlijk ons huis. Zij keerden terug naar huis en wij gingen naar de bruiloft.

Het irriteerde me nog steeds dat ze zo laat waren gekomen en niet het fatsoen hadden om even te bellen, maar ik was smoorverliefd. Hij scoorde zes van de zes op de Shelina-Scorelijst-met-Essentiële-Eigenschappen. Wat ik bij anderen zo moeilijk kon vinden, was bij hem in overvloed aanwezig: hij was een praktiserende moslim die meedeed aan alle jeugdactiviteiten in zijn moskee, hij was op zoek naar een vrouw die een hijaab droeg, hij had de juiste leeftijd en hij was een verstandig mens met wie je kon praten. En als ik in zijn ogen keek, bleek hij ook te voldoen aan verschillende *wenselijke* kwaliteiten op mijn verlanglijst.

Eindelijk had ik iemand gevonden die mijn ideeën over het geloof deelde, iemand die bij me leek te passen. Ik dacht voortdurend aan hem en hoopte dat hij 'de klik' ook had gevoeld. Ik wist bijna zeker van wel. Alles wees erop. Hij keek me recht in de ogen toen we met elkaar spraken en zijn glimlach straalde warmte uit. Maar het belangrijkste van alles was dat hij had gezegd hoe leuk hij me vond, en hoe verfrissend het was om iemand zoals mij te ontmoeten. Ik wist zeker dat er een tweede afspraak zou volgen.

Een paar dagen later hadden we nog steeds niets gehoord. Het was niet gepast dat mijn moeder hen zou bellen. De familie van het meisje mocht niet zo onbeschaamd zijn; de familie van de jongen moest de eerstvolgende stap zetten. We mopperden allemaal dat we waren overgeleverd aan de genade van de jongen en zijn familie en dat het zo vernederend was dat zij alle touwtjes in handen hadden. We wezen elkaar erop hoe Khadija, de eerste vrouw van de profeet Mohammed, die zelf een geslaagde zakenvrouw was, het initiatief had genomen door een huwelijksaanzoek naar Mohammed te sturen. En toch hadden we, onder druk van de culturele normen, het gevoel dat we het niet konden maken om hen te bellen.

Naarmate de dagen verstreken, verloor ik de hoop en begon ik mijn wonden te likken. Ik was diepbedroefd. Eindelijk had ik iemand gevonden die geschikt was en die ik leuk vond, en nu vond hij mij niet leuk. Misschien lag het aan de blauwe nagellak.

Drie weken later, op een vrijdagmiddag, werden we gebeld. Het was de moeder van Karim. 'We zouden morgen, zaterdagmiddag om twee uur graag langskomen, zodat Karim en Shelina elkaar nog eens kunnen ontmoeten.' We waren allemaal diep geschokt. We hadden drie weken lang geen teken van leven gehad en nu wilden ze ineens de volgende dag langskomen. Totaal overbluft vergat mijn moeder gereserveerd te doen en stemde ze erin toe dat ze op visite kwamen, hoewel we al gasten hadden uitgenodigd voor zaterdagmiddag. Haastig verzette ze die afspraak. Huwelijkskandidaten gingen altijd vóór: je wist maar nooit wanneer je weer een kans kreeg.

Om tien uur maakten we het hele huis schoon. Om twaalf uur bakten we samosa's en cakejes. Om één uur begon ik me om te kleden; ik wilde er leuk maar bescheiden uitzien. Om twee uur zaten we klaar. Om halfdrie zaten we te wachten. Om drie uur zaten we nog steeds te wachten en raakten we geërgerd. Om halfvier waren we woest. Om vier uur belden ze aan. Ik zag hem en ik smolt. We praatten aan één stuk door. Hij lachte naar me en zijn prachtige groenbruine ogen straalden. Ik verloor me erin. Wat wilde ik nog meer? Ik voelde de vonken overspringen.

Aan het eind van de ontmoeting wisselden we mobiele telefoonnummers en e-mailadressen uit. Toen ze vertrokken, kreeg ik van zijn moeder een flinke knuffel. Ze keek me strak aan en zei op bewonderende toon: 'Je bent een heel leuke meid, Shelina. Ik vind je erg aardig.' Ik lachte haar hartelijk toe. Ik had de moeder aan mijn kant!

Aangezien Karim en ik elkaars gegevens nu hadden, namen mijn ouders aan dat de officiële introductie voorbij was. Ze konden het verder aan ons overlaten of we de relatie wilden uitbouwen. Ze zouden, uiteraard, een oogje in het zeil houden en me zo nodig van wijze raad voorzien. Ik had het nog niet eerder zo gedaan. De regels voor de ontmoetingen veranderden, stapje voor stapje. Door nieuwe technieken en veranderende inzichten was het nu mogelijk om mobiel te bellen en te mailen. Het werd dinsdag en ik had nog steeds niets van hem gehoord. Ik besloot als moderne vrouw de teugels van mijn toekomst zelf in handen te nemen en contact te zoeken met Karim. Ik stuurde hem een korte e-mail.

Salam alaikum, Karim
Ik vond het erg leuk je weer te zien afgelopen zaterdag. Ik hoop dat je een prettig weekend hebt gehad. Het is altijd moeilijk om op maandag weer aan het werk te gaan. Ik verveel me nu een beetje, dus ik dacht ik stuur even een mail om je te laten weten dat ik volgende week maandag naar Canada vlieg om mijn oma, die daar woont, te bezoeken.
Ik heb er zin in. Ik ben al een paar keer in Toronto geweest, maar deze keer gaan we ook naar Montréal om daar een paar dagen rond te kijken. Ik kijk er echt naar uit.

Hoe gaat het met jou?

Shelina

Volgens mij was dit de juiste balans tussen de deur openzetten voor Karim, zonder hem daarbij onder druk te zetten. Ik had bewust gekozen om te eindigen met een neutrale vraag, zodat hij wel moest reageren, maar niet het gevoel kreeg dat het zwaar woog voor mij. Het mailtje maakte ook duidelijk dat hij de tijd had om te reageren, aangezien ik op reis ging.

Ik kreeg geen reactie.

De volgende maandag zat ik in het vliegtuig, klaar om naar Canada te vertrekken. Ik zwichtte en stuurde hem een kort sms'je. 'Vertrek vandaag naar Canada. Hopelijk is alles goed met je. Ik kom in het weekend terug. We houden contact. Shelina.'

Het kostte me een halfuur om dit berichtje op te stellen, omdat ik een toon wilde zetten die het midden hield tussen interesse en afstandelijkheid. Ik voelde me net een tiener. Ik was opgewonden, gespannen, en geloofde echt dat hij de ware was. In Montréal kocht ik een T-shirt voor hem. Zoiets had ik nog nooit eerder gedaan. Ik wist niet zeker hoe of wanneer ik het hem zou geven, maar ik voelde een band met hem. Op de een of andere manier wist ik dat hij een speciaal plekje in mijn leven zou krijgen.

Ik was al een week terug en ik had nog steeds geen reactie van hem. Ik probeerde nog een e-mail, maar die bleef ook onbeantwoord. Het weekend erop belde Karims moeder mijn moeder. Ze was verontrust.

'Ik vind Shelina zo geweldig,' zei ze tegen mijn moeder. 'Ze is zo aardig, zo gelovig, ze draagt haar hijaab, heel mooi. Maar mijn zoon, ik weet gewoon niet wat ik met hem aan moet. Steeds als ik hem ernaar vraag, zegt hij "ja, ze is heel leuk", maar vervolgens *doet* hij niets. Ik wil graag dat hij trouwt en hij heeft een ontwikkelde, religieuze vrouw nodig, dus stel ik hem aan Shelina voor en vervolgens negeert hij me gewoon. Hij zegt dat hij druk bezig is om met een vriend een nieuw bedrijf op te zetten en dat hij zijn goede baan wil opgeven. Wat moet ik met hem?'

Mijn moeder zat muurvast: aan de ene kant moest ze deze arme vrouw advies geven en aan de andere kant moest ze de zoon voor mij zien te strikken. Tegelijkertijd ergerde ze zich aan hun weifelende houding. We hadden dit al vaker meegemaakt en vonden dat je maar beter eerlijk en duidelijk kon zijn. Maar ze wist inmiddels ook dat als er iemand als Karim op ons pad kwam, het geen zin had om beledigd onze neus op te trekken. Dat zou ons zeker niet verder helpen.

Mijn moeder vertelde haar over de e-mails en de sms'jes die ik had gestuurd en sprak haar vervolgens troostend toe en zei dat ze geduld moest hebben.

Een paar dagen later kreeg ik een reactie op mijn e-mails.

Lieve Shelina, salam alaikum
Dank voor je berichtjes. Ik zag je eerste e-mail en vlak voordat ik die wilde beantwoorden, werd ons huis getroffen door de bliksem!

Er was een stroomstoring waardoor mijn computer raar ging doen. Ik denk dat de harde schijf een klap heeft gekregen. Hoe dan ook, ik was je e-mail kwijt en ook je e-mailadres. Ik bel je later deze week.

Pas goed op jezelf.

Karim

Ik heb nooit meer iets van hem gehoord.

Ik kan dit niet meer. Ik kan het niet, ik kan het niet. Waarom doen ze allemaal zo akelig, en waarom geeft die ene die ik echt leuk vind me niet eens een kans? Misschien had mijn vader gelijk... misschien bestond de ideale man niet. Moest ik de zoektocht naar mijn Prins op het witte paard staken? Zou ik nooit de betovering van echte liefde leren kennen? Misschien was mijn sprookjesprins niet meer dan dat: een ideaal, een droom, iemand die nooit echt kon bestaan.

Of misschien lag het aan mij. Had ik te hoge verwachtingen? Ik dacht toch zeker niet serieus dat verliefd worden ook meteen inhield dat ik nog lang en gelukkig zou leven? Goed, ik maakte mezelf wijs dat ik mijn geloof serieus nam en dat het huwelijk daarbij hoorde. Maar als ik eerlijk was... moest ik mezelf bekennen dat ik op zoek was naar de Prins op het witte paard uit de sprookjes. Ik eiste van de Schepper dat hij die droomman voor me zou vinden. Maar dat was niet de goede houding. Als ik mijn partner maar op de juiste manier kon zien, als een maatje in mijn leven en mijn geloof, zou hij ook mijn droomprins zijn.

Misschien had ik van het gedoe met Karim moeten leren dat de ideale man niet bestond. Jazeker, hij voldeed aan al mijn criteria op papier en hij gaf me – erg belangrijk – 'dat gevoel'. Maar hij miste het karakter om me goed te behandelen en het verlangen om bij mij te zijn.

Zijn afwijzing had me aan het denken moeten zetten. Wat zocht ik nou écht in een partner en op basis waarvan wilde ik iemand uitkiezen? Het moest iemand zijn die me goed zou behandelen en ik moest op God vertrouwen om onze relatie te zegenen met medeleven en liefde. Dat beloofde Hij immers. Het Karim-debacle had moeten onderstrepen hoe belangrijk betrouwbaarheid en goede manieren zijn – veel belangrijker dan die ongrijpbare vonk.

En toch stond 'dat gevoel' nog altijd boven aan mijn lijst met prioriteiten. Ik hoopte nog steeds dat mijn romantische dromen zouden uitkomen en dacht dat ik dan een completer, gelukkiger mens zou zijn. Maar verliefdheid, de liefde die je 'dat gevoel' geeft, is niet hetzelfde als de eeuwige en grootse Liefde met een hoofdletter. Vlinders in je buik komen en gaan, helaas. Ze hebben niets te maken met Goddelijke Liefde. Ik kende de woorden om dit uit te leggen. Ik kon direct ophoesten wat ik als moslim had geleerd over mijn geloof en het bijzondere karakter van liefde waar Gods zegen op rust. Toch *wist* ik het niet echt. Het is zo gemakkelijk om te *zeggen* dat je iets weet, maar het is iets totaal anders om er met je hele hart naar te leven. Ik moest nog harder vallen voor ik mezelf op kon rapen en echte liefde zou herkennen.

VIJF

☆☆☆

Geen van de vorigen

Zelfmedelijden in zes stappen

De tijd verstreek, en de kwaliteit van de mannen met wie de Tantes aan kwamen zetten, holde achteruit. Mijn ouders wisselden bezorgde blikken uit tijdens de kennismakingsgesprekken en als ik weer een kandidaat afwees. Ze waren bang dat ik nooit iemand zou vinden die precies bij mij paste en dat ik nog maar eens goed moest nadenken of er tussen de mannen die we tot dusver op bezoek hadden gehad toch niet een geschikte zat. 'Drie van de zes,' herhaalde mijn vader voor de zoveelste keer, wijzend op het aantal eisen dat ik naar beneden toe moest bijstellen. Ik vroeg hen op mijn beurt om na te denken over de jongens die we hadden ontmoet. Wie vonden zij in aanmerking komen voor een tweede kans? Bedroefd gaven ze toe dat er geen geschikte kandidaat bij had gezeten. We waren terug bij af.

Het leven stond stil tot ik was getrouwd, en dat gold ook voor mijn vriendinnen. Meisjes kenden twee levensfasen: voor het huwelijk en na het huwelijk. Dus tot ik een echtgenoot had gevonden, moest al het andere wachten. Al snel kwam ik erachter dat dit een onzinnige tweedeling was en dat ik prima verder kon met mijn leven en tegelijkertijd zoeken naar een partner.

Ik sprak regelmatig af met mijn vriendinnen Sara en Noreen om ervaringen over onze zoektocht uit te wisselen. We keken altijd uit naar onze afspraakjes, niet alleen omdat we onze intiemste gedachten en frustraties konden delen, maar ook om inspiratie en troost van elkaar te krijgen.

Elke keer dat we bij elkaar kwamen, verliep het gesprek volgens hetzelfde patroon: Zelfmedelijden in zes stappen.

1. (Moslim)vrouwen zijn geweldig

'Ik begrijp het niet,' begon ik dan, terwijl ik de aftrap gaf voor onze inmiddels afgezaagde gespreksroutine. 'Jij bent zo knap, zo slim, zo grappig. Ik begrijp gewoon niet waarom de mannen niet in de rij staan om met jou te trouwen.'

Noreen begon te giechelen. 'Dat kunnen we van jou ook wel zeggen… Jij had ook Syed met zijn cricketverslaving kunnen trouwen. Of je had groeihormonen kunnen slikken en 'ja' zeggen tegen Khalil, de tandarts die alleen een vrouw op lengte wilde.'

'Hou op!' klaagde ik. 'Dat soort mannen is allesbehalve grappig.'

'Het is erg, echt erg,' beaamde ze, en ze probeerde haar lachen in te houden.

'Ik snap het ook niet,' zei Sara, die Noreens voorbarige neiging tot de slappe lach negeerde. Het commentaar op alle verschrikkelijke mannen die we hadden ontmoet, was meestal pas stap drie van het gesprek. Sara bracht ons voorzichtig terug bij stap één van ons vertrouwde gesprek: opsommen hoe getalenteerd moslimvrouwen zijn en hoe geweldig ze het doen in hun studie, hun beroep, in de gemeenschap en hoe superspiritueel ze zijn. 'We hebben zo ons best gedaan om te worden wie we nu zijn, dat ging bepaald niet vanzelf.'

Noreen en ik knikten instemmend. Onze ouders waren tijdens de immigratiegolven in de jaren zestig, zeventig en tachtig naar Groot-Brittannië gekomen. In die periode was het land sociaal en cultureel veranderd, terwijl de wereld steeds kleiner werd door internet en e-mail, alsof we in een groot 'mondiaal dorp' wonen. We hoorden alle drie tot de eerste generatie van onze families en onze gemeenschap die in Groot-Brittannië was geboren en opgegroeid. Dus moesten we onze weg zoeken door het labyrint van problemen waarmee alle Aziaten en moslims werden geconfronteerd. Het zijn waarschijnlijk grotendeels de problemen van elk kind van immigranten. Je moet je eigen identiteit vinden, waarin stukjes cultuur van je ouders en de cultuur waarin je opgroeit samenkomen.

Moslima's hadden die uitdaging met beide handen aangegrepen en hadden alle kansen benut. Ze deden het op school beter dan moslimmannen, net als op de universiteit en soms zelfs in hun beroep. Ze waren zelfverzekerder en konden hun geloof, de Aziatische en Britse cultuur beter combineren. Bovendien waren ze open over de verschillende culturen in hun leven. De moslima's in onze vriendenkring waren allemaal afgestudeerd aan de universiteit en hadden een goede baan.

Eén ding was overduidelijk: de moslima's met wie wij omgingen waren allemaal nauw betrokken bij hun gemeenschap, hun moskee en hun geloof. Op al die gebieden vielen ze meer op dan de mannen. En ze deden hun uiterste best om de samenhang te bewaren. Het leek erop dat moslimmannen er pas weer waren voor de moskee en de gemeenschap als ze eenmaal waren getrouwd. De moslimvrouwen namen het initiatief bij de discussie over de betekenis van de islam binnen onze gemeenschap. We zetten in ons geloof vraagtekens bij 'zo is het nu eenmaal'. Ons geloof was belangrijk voor ons en we wilden dat onze stem werd gehoord, dat er aandacht was voor onze vragen. We wisten dat wij een echte, positieve verandering teweeg konden brengen in de moslimgemeenschap. We konden de islam bevrijden van de vastgeroeste normen en waarden waardoor het geloof ouderwets en vreemd leek voor anderen.

In die verre, fantastische droomwereld werden hard werken, oprechte inspanning en bijdragen aan positieve veranderingen meteen beloond. Daar was het duidelijk dat we een goede man in ons leven verdienden, en zouden de hartverscheurende gesprekken onder vriendinnen – over het feit dat we geen echtgenoot konden vinden – niet nodig zijn. Zo zou het echte leven moeten zijn, maar dat was het niet.

'Ik weet niet of het een troost is, maar wij moslima's zijn niet de enige vrouwen die geweldig zijn en toch geen geweldige mannen kunnen vinden,' sprak ik de meiden bemoedigend toe.

'Je hebt gelijk, ik heb genoeg hoogopgeleide vriendinnen en die kunnen ook maar geen geschikte vent vinden,' beaamde Noreen.

'Sorry hoor,' zei Sara, terwijl ze nadrukkelijk haar hoofd schudde, 'dat vind ik een schrale troost.'

2. Waar zijn die geschikte mannen?

'Ze moeten er zijn,' zei Noreen, 'ergens.'

'Maar waar?' vroeg Sara zich hardop af. 'Ik heb overal gezocht. Zijn ze soms onzichtbaar?'

We waren inmiddels jaren op zoek en hadden nog steeds geen geschikte exemplaren gevonden. Waar hielden ze zich schuil?

'De goeden zijn allemaal getrouwd,' verzuchtte Noreen.

'Maar misschien worden ze pas "goed" nadat ze door hun vrouwen zijn opgevoed?' dacht ik hardop. 'Misschien worden het pas "fatsoenlijke mannen" als ze een poos met een vrouw hebben samengewoond?'

'Dus we moeten de verborgen mogelijkheden in een man zien te herkennen, met hem trouwen, zodat hij daarna – hocus pocus – verandert in de perfecte Prins op het witte paard!' Noreen gooide haar armen enthousiast in de lucht.

'Of misschien,' zei Sara ademloos, 'verstoppen ze zich allemaal voor ons, omdat ze bang zijn dat we ons op hen zullen storten. Misschien hebben ze zich verstopt in een ondergrondse bunker of op een onbewoond eiland. Konden we ze maar vinden, dan hadden we keuze in overvloed!'

Ik legde mijn hand op Sara's voorhoofd en vroeg me af of ze misschien ijlde door de stress van de zoektocht.

Het was niet zo dat wij, vrijgezelle jonge vrouwen, de enigen waren die lichtelijk wanhopig werden door het gebrek aan begerenswaardige mannen. Vooraanstaande leden van de moskee en de gemeenschap wisten ook niet waar ze moesten zoeken.

'Ik heb vorige maand een paar leuke jongens op een bruiloft ontmoet,' vertelde Noreen. Trouwerijen waren bij uitstek geschikt om kennis te maken met nieuwe mannen. Jongemannen waren zelden aanwezig bij meer alledaagse sociale activiteiten, maar hun familieleden verplichtten hen om dit soort belangrijke gebeurtenissen bij te wonen. 'Beiden leken oké. De een was bezig zijn eigen bedrijf op te zetten, de ander was architect. Ze waren allebei erg aardig, intelligent en charmant.'

'Klinkt goed,' zei Sara geboeid. 'En, wat gebeurde er?'

'We wisselden adressen en telefoonnummers uit, maar ik heb nooit meer iets van hen gehoord.'

'Heb je zelf contact gezocht?' vroeg ik, en ik liet alle bescheidenheid varen: 'Het heeft weinig zin om terughoudend te zijn als je vooruit wilt.'

'Ja, dat heb ik gedaan,' verklaarde Noreen, 'maar zonder resultaat. Ik vind het niet erg om contact te leggen, maar ik heb geen zin om wanhopig over te komen.'

'Ik denk dat deze mannen niet op zoek zijn naar een vrouw via de oude route van familie en vrienden. Misschien vinden ze dat gewoon hopeloos ouderwets,' opperde Sara. 'En omdat ze ons alleen tegenkomen op dit soort gebeurtenissen, denken ze misschien dat wij te "traditioneel" zijn en zien ze ons niet zoals we echt zijn. Ook al hebben we juist mannen zoals zij nodig, mannen die volop in het leven staan.'

'Waar verstoppen al die mannen zich toch?' vroeg ik nogmaals.

En Sara zei: 'Belangrijker nog: met wie trouwen ze?'

3. Misschien zijn er geen fatsoenlijke mannen meer

'Misschien bestaan ze gewoon niet, als niemand ze kan vinden,' jammerde Noreen. 'Iedereen kent allerlei mensen, die op hun beurt weer mensen kennen, dus zo langzamerhand hebben wij drieën elke vrijgezel die enigszins geschikt is wel voorbij zien komen.'

'Je hebt gelijk,' zei Sara, 'ze bestaan gewoon niet. We zullen ons leven moeten slijten als eenzame, vrijgezelle Tantes in een nylon shalwar kameez, en een nieuwe lichting meisjes en jongens proberen te koppelen.'

'Ik ga ze adviseren dat ze de eerste de beste nemen,' sprak Noreen ernstig. 'Ik wou dat ik dat had gedaan, dan was ik nu niet wanhopig én manloos.'

'Misschien laten de mannen hun moeder naar een echtgenote zoeken, maar omdat wij niet tot de categorie "goede, traditionele vrouw" horen, vallen we buiten de boot!' Sara was boos: ze kreeg lelijke gedachten over deze karakterloze mannen. Ik voelde aan dat ze nu heel negatief ging doen.

'We hebben zo ons best gedaan om een partner te vinden en die mannen komen gewoon binnenvallen, nemen wie ze willen en verwachten dan ook nog dat we voor ze in de rij staan. Dat vind ik echt niet oké! Ook al ben ik dol op koken en het huishouden en wil ik een hele rits kinderen, dat betekent niet dat ik iemand wil die van me verwacht dat ik de hele dag gedienstig thuis ga zitten!' Sara's wangen waren nu knalrood.

Noreen sloeg haar arm om Sara's schouders om haar te troosten, maar felle Sara was nog niet klaar. 'Waarom gaan al die mannen naar het "oude land" om daar te trouwen? Dat zijn juist de mannen die goed zijn voor óns. Ze hebben een zelfde soort opvoeding. Ze zijn opgegroeid in dezelfde maatschappij. Daar kunnen wij iets mee. Ik ga echt niet trouwen met iemand uit het "oude land", want ik spreek de taal niet en bovendien begrijpen zij het nieuwe land waarin wij leven niet. De mannen lijkt het niets uit te maken, zij willen gewoon een traditionele vrouw en een lekker leventje leiden. Geen wonder dat er geen fatsoenlijke mannen over zijn: ze trouwen allemaal in het "oude land" en wij zitten hier met lege handen.'

'Ik weet het, ik weet het,' zei Noreen sussend, maar zij had ook tranen in haar ogen. 'De familie en de gemeenschap moedigen de jongens aan om met iemand uit het "oude land" te trouwen en vergeten dat hier allemaal meisjes single blijven.' Ze schraapte haar keel en probeerde over te schakelen op iets vrolijkers. 'Ik heb nog een waanzinnig verhaal voor onze Top Tien van verschrikkelijke kennismakingen.'

Sara en ik hapten zogenaamd naar adem: 'Niet nog eentje! Dat kan niet waar zijn!'

Noreen vervolgde: 'Ik heb vorige week koffiegedronken met een kanshebber. Vijfendertig jaar, vicepresident van een multinational. Hij nam zijn moeder mee als chaperonne.'

'Nee!' riepen Sara en ik in koor uit.

'En ze zei dat ik de volgende keer mijn paspoort mee moest nemen, zodat ze kon controleren of ik wel echt Brits was…'

'Nee!' gierden we, een toontje hoger.

'… en niet met haar zoon wilde trouwen om zijn staatsburgerschap of zijn geld.'

Na deze laatste toevoeging aan onze verzameling van vreselijke ervaringen, zat stap drie erop. Vanaf nu gingen alle remmen los en gooiden we al onze frustraties en verdriet op tafel.

4. Misschien mankeert er wel iets aan óns

'Ik werd door een paar Tantes apart genomen op een bruiloft,' verzuchtte Noreen. Ze rolde vol afschuw met haar ogen. 'Ze waren in topvorm, trokken hun wenkbrauwen op en zwaaiden fanatiek met hun wijsvinger naar mij.'

'Juist ja, en welk grandioos advies hadden ze je dit keer te bieden?' vroeg Sara geërgerd en nog steeds niet bijgekomen van haar emoties.

Noreen probeerde het ritme en het accent van de Tantes te imiteren. '"We weten dat de tijden *veranderen*. We *weten* het, kindje, we zijn niet zo ouderwets als je denkt. We *weten* dat het voor jullie jonge meiden goed is om te werken, maar we hebben het *gezegd*, we hebben het zo vaak *gezegd*, zoek eerst een man en strik hem, dan kun je daarna doen *wat je maar wilt*. Ga eerst voor hem zorgen, en je daarna pas druk maken over die moderne onzin van onafhankelijk zijn en dergelijke. Mannen willen graag *bevriend* zijn met onafhankelijke vrouwen, maar als het op *trouwen* en een echtgenote aankomt, willen ze allemaal hetzelfde: een lieve, traditionele vrouw die voor hen zorgt. Mannen blijven *mannen*, dat kun je niet veranderen."'

We zaten alle drie te tandenknarsen, maar waren we nu overstuur doordat ze het mis hadden of juist omdat ze gelijk hadden?

We volgden het 'traditionele' huwelijksproces. We hadden het gevoel dat het goed paste bij ons geloof als moslims. Maar we wezen het idee van een 'traditionele' echtgenote af, als 'traditioneel' erop neerkwam dat de man de baas is over de vrouw. We waren op zoek naar een echt *islamitisch* huwelijk, met een minimum aan plichten, waarbij liefde en gezelschap het belangrijkste waren. Misschien werkte het proces daarom niet voor ons. We hielden ons wel aan de regels, maar wilden niet ondergeschikt zijn.

Hoe dan ook: wij leken de enigen te zijn die pijn leden. Hoe we ook dachten over de rol van een ouderwetse echtgenote of over het traditionele huwelijksproces en hoe we ook ons best deden om het soort vrouw te zijn dat de jongens en hun moeders wensten, de jongens trouwden toch wel. Terwijl wij meiden, jammerend tegen familie en vrienden, ongetrouwd en ongeliefd overbleven.

We dachten dat we het voor elkaar hadden omdat we, dwars door de doolhof van complicaties van cultuur en geloof heen, de islam trouw bleven, en ook onze familie en onze gemeenschap. Moesten we er misschien een prijs voor betalen dat we deze weg in waren geslagen? Waren we niet ouderwets genoeg voor 'traditionele' mannen (en hun moeders) en te 'saai en gelovig' voor 'moderne' mannen?

'De Tantes beweren dat we niet traditioneel genoeg zijn...' zei Noreen.

'...en het soort mannen dat wij zoeken zegt juist dat we té traditioneel zijn,' voegde Sara eraan toe.

Hadden wij a) verkeerde ideeën over het huwelijk, of b) waren we niet het geschikte type vrouw?

5. O, mijn god, stel dat we nooit trouwen?

'De mannen zijn gewoon niet oké,' klaagde Sara opnieuw.

'En we zijn niet geschikt voor het huwelijk,' jammerde ik nog eens.

Er was maar één conclusie mogelijk, en Noreen bracht hem onder woorden: 'We zullen nooit trouwen.'

Waren wij – vrijgezelle, hoogopgeleide moslima's in de eenentwintigste eeuw – een tijdbom die op het punt stond te ontploffen in onze gemeenschap? Als een hele generatie niet zou trouwen, omdat er geen geschikte partners waren, wat zou dat voor negatieve gevolgen hebben? Niet alleen voor ons, maar voor de hele gemeenschap?

‘We zullen oud, gerimpeld en ongetrouwd sterven, terwijl de katten om ons huis zwerven,’ verzuchtte Sara dramatisch. ‘We vinden nooit iemand en we zullen never-nooit trouwen.’

6. De perfecte partner zit ergens op ons te wachten

We gingen helemaal op in onze ellende en eindelijk was de bodem van onze wanhoop bereikt. Het voelde goed om onze pijn te delen, maar diep in ons hart wisten we dat er ergens iemand op ons zat te wachten. Misschien was hij nog niet klaar voor ons en moest het leven hem nog wat bijschaven. Of misschien moest het leven ons juist nog wat bijschaven voor we klaar waren voor de ware.

Het was fijn om te weten dat we er niet alleen voor stonden. Een goed gesprek met vriendinnen veranderde verdriet in troost, en dat gaf ons weer hoop.

Jij, niet ik

Sinds die allereerste keer dat ik als kind een prijs won met een spreekbeurt, had ik af en toe korte voordrachten gehouden over de islam. Soms in de moskee, soms tijdens andere bijeenkomsten binnen onze gemeenschap. Zo werd ik eens gevraagd om tijdens het hennafeestje van een goede vriendin, aan de vooravond van haar huwelijk, een praatje te houden.

Een hennafeestje is alleen voor vrouwen, een beetje als een ouderwetse vrijgezellenavond. De bruid geeft een feestje voor haar vriendinnen en vrouwelijke familieleden om zich voor te bereiden op haar huwelijksleven. Op het hennafeest vieren de vrouwen hun vrouwelijkheid, plus dat moeders, dochters en tantes uitgebreid praten over het geluk, de tranen en de strijd waarmee ze als vrouw te maken krijgen. De getrouwde vrouwen denken terug aan hun eigen bruiloft en delen hun ervaringen met de rest. De ongetrouwde vrouwen worden bedolven onder de zegeningen en gebeden dat zij op een dag ook het centrum van alle aandacht zullen zijn. Het is een heerlijk vrouwenfeest. Aan het eind van het feestje schildert een kunstenaar henna op de handen en voeten van de bruid, zodat ze er extra mooi uitziet voor haar trouwdag en haar kersverse echtgenoot.

Omdat het een bijeenkomst met alleen vrouwen was, koos ik mijn meest sprankelende outfit, liet ik mijn haar speciaal doen en maakte ik mijn gezicht zorgvuldig op. Niemand droeg een hoofddoek, sluier of lange mantel. Ik koos een prachtige, sierlijk vallende vuurrode rok met allemaal kleine, glinsterende kristalletjes erop geborduurd. Er hoorde een topje bij met dezelfde kristalletjes en een zijden sjaal die fraai over mijn armen viel. Ik had lange oorbellen van siersteentjes uitgekozen en een dunne halsketting om het geheel af te maken. Ik voelde me net een prinses. Ik vond het heerlijk om me zo op te tutten, alleen voor mij en mijn dierbaren. Ik zag er graag mooi uit, net als alle andere vrouwen: het hoort bij je vrouw-zijn. Maar in het openbaar droeg ik mijn hoofddoek en veel bescheidener kleding, omdat ik niet wilde dat mensen me op mijn uiterlijk beoordeelden.

Toen ik nadacht over mijn speech voor het hennafeest, leek er maar één onderwerp geschikt: de Liefde en Goedheid van God. Het onderwerp was perfect voor een trouwerij: een partner hebben draait ook om liefde en goedheid.

'Allah begint elk hoofdstuk in de Koran met de woorden: "In de naam van Allah, de Barmhartige, de Genadevolle,"' begon ik. 'Als je iemand ontmoet die je leuk vindt...' Ik zweeg even en lachte samenzweerderig naar de bruid. Ze giechelde. '...Of wanneer je een kennismakingsgesprek hebt en hoopt dat er een huwelijk uit voortkomt...' Ik richtte me nu op de moeders, Tantes en koppelaarsters, die allemaal hun wenkbrauwen optrokken. Ze vroegen zich nu of ik hen een compliment zou maken, met een cliché aankwam of iets schokkends zou zeggen, '...begin je het gesprek altijd met een compliment. Je kiest de eigenschap die je het beste bevalt aan die persoon en zegt er iets aardigs over.'

Ik lachte opgewekt: 'Wat Allah ons vóór alles duidelijk wil

maken is dat Hij *Rahman* is, vol liefde en medeleven, en *Rahiem*, vol goedheid en genade. Deze twee namen kennen wij het beste en die herhaalt Hij het vaakst over zichzelf.'

God heeft talloze namen waarmee we Hem benoemen en de meest gebruikte zijn de beroemde 'Negenennegentig Schone Namen'. Dit zijn 99 manieren waarop God Zijn karakter beschrijft, zodat wij contact met Hem kunnen zoeken. Het zijn namen als de Machtige, de Majestueuze en de Sterke, maar ook namen als de Milde, de Liefhebbende en de Edelmoedige. Door na te denken over die namen en hun betekenis leer je God beter begrijpen. Mensen hebben in principe dezelfde eigenschappen, maar we moeten ze eerst in onszelf ontdekken en ze ontwikkelen om een betere persoon te worden en dichter bij God te komen.

Ik stapte uit sfeer van het hemelse over op de heerlijk romantische bruiloft die ons te wachten stond. 'Het huwelijk is perfect om meer over goedheid en mededogen te leren. Ze zijn de basis voor de relatie en weerspiegelen de liefde tussen man en vrouw.'

Later tijdens dat feestje werd ik benaderd door een van de gasten. 'Je stond daar en je zag er zo mooi en modieus uit dat we dachten: Wat kan dit moderne meisje, dat daar zo opgetut staat, zonder hoofddoek en volgens de laatste mode gekleed, ons in 's hemelsnaam over het geloof vertellen?'

Ik beet op mijn tong bij het idee dat mode en geloof een slechte combi zijn. Ze was niet de enige die zo redeneerde. Mensen die niet bekend zijn met moslims en de islam dachten vaak hetzelfde, maar dan andersom: een hoofddoek zegt dat je supergelovig bent en totaal niet trendy.

Ik liet haar uitspreken. 'Maar je zag er niet alleen prachtig uit, je sprak ook prachtige woorden. Je hebt ons hart geraakt en ons bijzonder ontroerd.'

Ik had een clichébeeld uit de weg geruimd.

Shelina versus Vooroordelen, 1-0...

De profeet Mohammed werd in 570 voor Christus geboren in Mekka, in het hart van het Arabische schiereiland. De Arabieren leefden in stammen die erg trots waren op hun eigen identiteit en neerkeken op niet-Arabieren. Mohammed werd geboren in een van de leidinggevende stammen, de Qoeraisj. Hij deelde blijkbaar het superioriteitsgevoel van zijn mede-Arabieren niet, want hij moedigde de stammen aan om samen te werken. Zijn familie paste al generaties lang op de Ka'aba, het huis dat de profeet Abraham in Mekka had gebouwd ter ere van Eén God, maar waar inmiddels honderden afgodsbeelden stonden die door heidense Arabieren werden aanbeden. Ze vonden zichzelf erg slim en modern voor hun tijd en waren vooral erg trots op hun dichtwerken, waarvan sommige tot op de dag van vandaag bewaard zijn gebleven. Behalve de Arabieren die in verschillende goden geloofden, woonden er joodse en christelijke stammen. Sommige geloofden dat hun heilige geschriften voorspelden dat er binnenkort een profeet zou komen.

Mohammeds vader stierf voor zijn geboorte en zijn moeder overleed toen hij nog maar zes jaar was. Hij ging bij zijn opa wonen, die als een van de leiders van de stam werd beschouwd, maar ook hij overleed na korte tijd. Daarna ging hij bij zijn oom wonen, en groeide op tot een man die opviel vanwege zijn buitengewoon goede manieren en zijn sterke karakter.

Mekka lag op een kruispunt van verschillende handelsroutes en dus werd Mohammed, zoals zoveel mensen in die regio, een koopman die rondreisde om goederen te kopen en verkopen. Aangezien hij de reputatie had een eerlijke, harde werker te zijn, werd hij ingehuurd door de rijke zakenvrouw Khadija. Zij stond ook wel bekend als de Koningin van de Arabieren, vanwege haar enorme zakenimperium en waarschijnlijk ook vanwege haar schoonheid. Ze was een slimme, ontwikkelde vrouw die precies wist wat ze wilde en hoe ze dat moest krijgen. Als ik verhalen over haar las, bewonderde ik niet alleen haar waardigheid en charme, maar ook haar vastberadenheid en zelfvertrouwen.

Ze was onder de indruk van Mohammeds goede neus voor zaken. Hij maakte veel winst voor haar tijdens reizen met de handelskaravaan die hij, in opdracht van haar, langs andere steden leidde. Ze was nog meer onder de indruk van de eerlijkheid en de waardigheid waarmee hij zakendeed. Ze wist dat Mohammed de reputatie had om *sadiq*, oprecht, en *amien*, betrouwbaar, te zijn. Ze zag een waardige metgezel en partner in hem en liet informatie over hem inwinnen met het oog op een eventueel huwelijk. Ze vroeg een familielid om haar idee om te trouwen aan Mohammed voor te leggen en te zien wat hij ervan vond. Mohammed was opgetogen en accepteerde het aanzoek, want hij zag ook in haar een waardige metgezel en partner. Het huwelijk was in alle opzichten een sterke, intieme verbintenis en zelfs jaren na haar dood verkondigde Mohammed nog dat zij de enige voor hem was en dat hij haar nooit zou vergeten. Niemand zou haar plaats ooit kunnen innemen.

Het verhaal van Khadija's aanzoek en haar huwelijk met Mohammed werd vaak bij de gesprekken tussen moslims gehaald over de rechten van de vrouw binnen de islam. Het onderwerp vrouwen, hun status en hoe ze behandeld werden was altijd een heet hangijzer. Het kwam dikwijls aan de orde in de media en de Britse samenleving, maar ook onder moslima's zelf waren er verhitte discussies over. We moesten ons wel afvragen waar het fysieke geweld, de onderdrukking en marteling van moslimvrouwen in de wereld vandaan kwamen. We vonden zeker niet dat het paste bij ons geloof, maar hoe moesten we het tegenhouden? In het nieuws werden beelden getoond van zwaar gesluierde vrouwen in zwarte gewaden met de vraag: 'Worden deze vrouwen onderdrukt?' Om onze culturele erfenis te begrijpen en kracht te putten uit onze geschiedenis als gelovig volk, keken we naar figuren als Mohammed en Khadija, die de islam hadden gesticht. *Om te weten waar je heen gaat, moet je weten waar je vandaan komt.*

Khadija was een vrouw die een man vond in wie ze een ideale partner zag. Schijnbaar bestond er toen, net als nu, een vast proces om een huwelijk te arrangeren: het proces was niet kapot te krijgen. Maar in plaats van te wachten tot de man in actie kwam, zette Khadija de eerste stap door degene op wie ze een oogje had te benaderen en hem via een tussenpersoon een aanzoek te doen. Haar daad wordt door veel moslims en moslima's als super geëmancipeerd en daadkrachtig beschouwd. Ik was het met hen eens, maar vroeg mezelf wel af waarom Khadija zo geweldig was, terwijl de familie van een moslimmeisje van nu zich moet schamen om de familie van een jongen te benaderen over een eventueel huwelijk.

Het verhaal kent nog een bijzonder detail: Khadija was veel ouder dan Mohammed, misschien wel vijftien jaar. Dat was ook een argument in discussies over moslimvrouwen en het huwelijk: het draaide er dus om dat je de juiste eigenschappen in een persoon vond en niet alleen iemand die op papier geschikt leek. Ik vroeg me af waarom er een strenge, onuitgesproken regel bestond dat het meisje jonger moest zijn dan de jongen, terwijl de profeet Mohammed zelf met een veel oudere vrouw gelukkig was geweest. En zij hadden de islam gesticht!

Het zette me wel aan het denken over de verschillen tussen wat mensen *zeggen* over de islam en over wat de islam *werkelijk* inhoudt.

Moslims weiden er graag over uit dat de islam vrouwen al vroeg rechten gaf. Lang voordat vrouwen elders in de wereld, bijvoorbeeld in Europa, dat soort rechten kregen. Mohammed legde uit dat vrouwen gelijk waren aan mannen en dat de beste mannen en vrouwen er vooral naar streefden om als mens goed te zijn. Hij zei duidelijk dat vrouwen daarin niet anders waren dan mannen. Hij maakte wetten die vrouwen het recht gaven om zelf grond te bezitten, zodat ze niet gedwongen waren hun land aan hun echtgenoten te geven. Vrouwen zijn geen eigendom van hun man en hoeven hun eigen bezittingen niet aan hun man over te dragen. In Europa kregen vrouwen dat recht pas eeuwen later.

Hoewel de islam in zijn beginjaren dus erg progressief was, *radicaal* zou je kunnen zeggen, is dat in de loop van de jaren verdwenen onder de vele, dikke stoflagen van de cultuur. En nu deden veel moslims alsof die stoffige ideeën puur islamitisch waren.

Moslims moeten gewoon eerlijk tegenover zichzelf zijn, dacht ik.

Waarom zouden we niet toegeven dat het mooie, oude idee van gelijkheid was vervaagd? En dat we het nodig nieuw leven in moesten blazen? Ik vond het vreselijk dat sommige moslims probeerden om moslima's die hiermee bezig waren, af te schilderen als verraders en verwesterde feministen, alsof het vieze woorden waren.

Maar als we iets zien wat niet klopt, is het onze plicht als intelligente mensen om het daarover te hebben, dacht ik.

De intieme relatie tussen Khadija en Mohammed stond aan de wieg van een nieuwe moslimgemeenschap. De nieuwe ideeën van Mohammed trokken langzaam maar zeker steeds meer mensen aan. Behalve zijn kernboodschap dat er maar één God was, verkondigde hij iets wat zo simpel was dat het ronduit schokkend was: alle mensen, ongeacht hun leeftijd, geslacht, geloof, ras of huidskleur, zijn gelijkwaardig. Dat was een opmerkelijke verklaring in een racistische samenleving, waar sommigen heel veel waard waren en anderen niets, eentje waarin vrouwen werden onderdrukt. Een van Mohammeds beste vrienden was Bilal, een zwarte Afrikaanse slaaf die werd gemarteld vanwege zijn geloof in de islam. Salman, die oorspronkelijk uit Perzië kwam, was een andere vriend van hem. Beide mannen werden belachelijk gemaakt en vernederd omdat ze niet Arabisch waren. Mohammed pikte dit racisme niet en gaf Bilal een belangrijke baan, namelijk die van *muezzin*, de geestelijke die oproept tot het gebed. Hij gaf Salman de titel 'de zuivere', omdat hij zo spiritueel was.

Ik dacht dat moslims trots waren op het antiracisme van de Profeet. Trots op de gelijkheid die de kern is van de islam. Maar door mijn ervaringen met het huwelijksproces moest ik wel vraagtekens zetten bij de 'regels' die de gemeenschap aan ons oplegde. Hadden die nog echt iets te maken met ons geloof? Als dat zo was, waarom was het dan schandalig om met iemand uit een andere, etnische groep te trouwen? Als je uit de Aziatische gemeenschap kwam, zou een huwelijk met iemand als Salman afgekeurd worden, ondanks zijn voorbeeldige karakter. En erger nog, het zou een stortvloed van afschuw veroorzaken, als je zelfs maar de vage suggestie deed om met iemand als Bilal te willen trouwen.

Door dat soort tegenstrijdigheden besefte ik uiteindelijk dat geloof en cultuur twee totaal gescheiden zaken zijn. En zo moest ik er ook mee omgaan. Cultuur was een geweldige, mooie menselijke ervaring die gekoesterd en hoog gehouden moest worden. Ik wilde alles wat er aan cultuur in mij zat bewaren. Ik was dol op de tradities, de rituelen en de eigenaardigheden in mijn cultuur. Ik zag er schoonheid en geschiedenis in, maar ook eenvoud en charme. Vaak gaven onze tradities een simpel antwoord op een ingewikkelde vraag. Maar soms had onze cultuur het mis. Het was geen schande dat te zeggen: de cultuur moet zich van tijd tot tijd aanpassen en daarom zijn er zo vaak profeten op de mensen afgestuurd: om de fouten in hun cultuur recht te zetten.

Maar mijn geloof als moslim is voor mij het belangrijkste. Als mijn geloof en cultuur botsen, krijgt mijn geloof voorrang. Ik moest wel inzien dat er voortdurend nieuwe tegenstrijdigheden boven water kwamen. Juist het huwelijksproces, een van de meest traditionele onderdelen van de Aziatische cultuur, maakte mij duidelijk dat er met twee maten werd gemeten. Ironisch, maar waar. Er was een verschil tussen wat er over de islam werd gezegd en wat er daadwerkelijk werd gedaan. Zodra ik dit besefte, moest ik mezelf bevrijden van de ketenen van de cultuur. Die hielden me tegen mijn leven te leven en mijn geloof serieus te onderzoeken en uit te oefenen.

Dit besluit had grote gevolgen: ik zou de sociale trucjes van de cultuur om mensen – en dan vooral vrouwen – onder de duim te houden, moeten trotseren: reputatie, roddels, populariteit en, niet te vergeten, toegang tot het huwelijk.

Het is gemakkelijk om iemand sociaal buitenspel te zetten. Je kunt deze vier middelen stuk voor stuk snel inzetten en iemand, vooral een jonge vrouw, alleen al door middel van woorden de grond inboren. Stel je dit onschuldige tafereel voor: twee Tantes zitten, al paan kauwend, het laatste nieuws te bespreken. 'Weet je wat dat meisje heeft gedaan? (Hier volgt een sappige roddel.) Kent geen schaamte, totaal geen respect voor onze cultuur. Zeg maar tegen je dochters dat ze niet meer met haar moeten omgaan, anders worden ze ook nog besmet. Dan is hun reputatie ook naar de maan. Ik had een heel aardige jongeman voor haar in gedachten, maar hoe kan ik met zo'n meisje aankomen bij die moeder. Nee, nee, ik heb haar van mijn lijstje geschrapt.'

Het was tijd voor verandering. Het was niet erg als dat langzaam ging. Maar, zoals Gandhi ooit zei, ik moest de verandering *zijn* die ik wilde realiseren. Ik glimlachte erom dat ik zover was gekomen en dat ik mijn besluit ooit als moedig zou hebben beschouwd. Nu voelde het heel vanzelfsprekend en verstandig, omdat ik mijn geloof had omarmd als het belangrijkste deel van mij. Met de visie van de islam om mijn leven en het leven van de mensen om me heen beter te maken in mijn achterhoofd, besloot ik: om *die verandering te zijn*. En ik zou intelligentie en humor gebruiken als mijn wapens.

Mijn eerste wapenfeit was al iets wat nette meisjes niet deden. Ik wilde een berg beklimmen, een heel hoge berg. De Kilimanjaro om precies te zijn, het hoogste punt in Afrika, net binnen de grenzen van Tanzania. Het was heel speciaal om zo'n spannend avontuur te beleven in het land waar mijn familie vandaan kwam.

'Nette meisjes beklimmen geen bergen,' zei een Tante tegen me.

'Waarom niet?' vroeg ik.

'Omdat meisjes dat niet horen te doen.'

'Waarom niet?'

'Omdat het niet netjes is. Daar komen praatjes van.' Daarna veranderde ze van tactiek. 'Waarom moet je zo nodig een berg beklimmen?'

'Het is niet nodig, maar het lijkt me gewoon spannend, een uitdaging.' Ik liet het gesprek om de grenzen van onze cultuur en mijn persoonlijke ontwikkeling draaien.

'Er zijn wel andere spannende dingen die je kunt doen.'

'Maar God zegt dat we moeten reizen om Zijn schepping te bewonderen. Sterker nog, hij zegt op verschillende plekken in de Koran dat we over Zijn aarde moeten reizen, die Hij voor ons heeft geschapen.' Ik maakte duidelijk dat er een verschil zat tussen 'hoe het hoorde' en de islamitische principes, en daar viel niets tegen in te brengen.

'Denk maar niet dat je een jongen bent, dat je kunt doen wat je wilt. Je bent een meisje en je moet je plaats kennen.'

Ik was niet verbaasd over deze opmerking. Maar het wekte wel, voor de zoveelste keer, mijn ongeloof over wat meisjes en jongens wel en niet mogen doen.

'Weet u zeker dat jongens wel bergen mogen beklimmen, maar meisjes niet?'

Ik fronste mijn wenkbrauwen en lachte brutaal. Ik wist zeker dat ik erg irritant was op dat moment.

Stiekem wilde ik vragen: 'Wilt u een misschien de hulplijn gebruiken of het publiek om raad vragen? Is dat uw definitieve antwoord?' In plaats daarvan zweeg ik, nam gas terug en ging op serieuzere toon verder.

'Ik ben dol op verhalen over de Profeet, vooral over zijn vrouw Khadija. U ook? Het moet aangrijpend voor haar geweest zijn om met zo'n spirituele man getrouwd te zijn. Ze was heel toegewijd aan hem. Vaak ging hij naar een speciale plek om "even weg van alles te zijn" en om te mediteren. Op die plek, de grot van Hira, ontving hij de eerste versregels van de Koran. En de engel Gabriël zei hem dat hij aan de wereld moest verkondigen dat er maar Eén God was en dat hij, Mohammed, Zijn boodschapper was.'

Dit was een ontroerend verhaal over de allereerste dagen van de moslimgemeenschap en elke moslim kent de details van die momenten.

'De eerste persoon met wie hij dit grote nieuws deelde, was zijn vrouw Khadija, en zij accepteerde zijn boodschap. Dus was ze heel belangrijk bij het ontstaan van de islam.'

Er werd geërgerd gekucht. 'Natuurlijk is dat een prachtig verhaal, maar dat verandert niets aan het feit dat nette meisjes geen bergen beklimmen. Je moet je reputatie bewaken, anders wil niemand met je trouwen.'

'O, maar dit verandert juist alles, Tante. Dit verhaal verandert echt alles als we het ter harte nemen. Deze grot van Hira bevindt zich op de top van een enorme steile berg die je niet zomaar beklimt. Maar Khadija beklom die berg elke dag om de Profeet te bezoeken als hij daar zat te mediteren. De vrouw van de Profeet beklom een berg. En ik ga dat ook doen.'

Er was maar één pad dat ik kon kiezen om zonder spijt terug te kijken op de dingen die ik deed: ik moest leven volgens de regels die voor mij de waarheid waren. Ik had die keuze gemaakt: het was de islam. Daarna gold er, wat de mensen ook zeiden, maar één overduidelijk principe: *Wees trouw aan jezelf.*

Op een dag in oktober stond ik rond het middaguur op het hoogste punt van de Kilimanjaro. De eerste drie dagen van de reis waren een geleidelijke klim, eerst door een tropisch oerwoud, daarna dwars door de waterige wolken en vervolgens hielden we een rustdag om aan de hoogte te wennen. De vierde en voorlaatste dag was een eindeloos lange tocht over een soort maanlandschap naar de basis van de krater. We kampeerden aan de voet van de gigantische top. We hadden gebrek aan zuurstof op deze hoogte en waren hongerig, maar we wilden niet eten voor het geval we misselijk zouden worden.

Om middernacht begonnen we aan de laatste etappe over de steile krater naar de top van de vulkaan. Het was donker en we strompelden over de rotsbrokken die overal bijna onzichtbaar uit de steile bergwand staken. Toen de dag aanbrak, kwamen we uitgeput bij de kraterrand aan. Daar, op de top, kwam ik twee Engelsen met een thermoskan tegen. 'Kopje thee?' vroegen ze.

Na een hele nacht klimmen, op een hoogte van bijna 6000 meter, kostte elke stap ongelooflijk veel moeite. Eerst weigerden mijn benen dienst en moest ik me uit alle macht concentreren om een voet te verzetten, stapje voor stapje. Ik trok mijn handschoenen uit om een reep chocolade uit mijn rugzak te pakken en ontdekte dat de temperatuur van -25 graden Celsius mijn hand donkerblauw had gekleurd. Kou en vermoeidheid knabbelden aan mijn voornemen om naar de top te klimmen. Ik had de kraterrand bereikt, zou het wat uitmaken of ik het hoogste punt echt bereikte of niet?

Ik zal nooit begrijpen waar de innerlijke kracht vandaan kwam, maar centimeter voor centimeter heb ik mijn benen, mijn lichaam en de rest van mijn persoontje naar de Uhuru Peak gesleept. Ik had het dak van Afrika bereikt. Ik zag eruit als een dikke teddybeer, gehuld in zes lagen kleding, met twee mutsen en een honkbalpet over mijn hoofddoek. Mijn handen waren Pruisisch blauw van de kou toen ik mijn fototoestel overhandigde voor een foto van mijzelf: uitgeput, maar verrukt en trots op een hoogte van 5892 meter. Ik had het hoogste punt gehaald. Het was een grandioos en onvergetelijk moment. *Het was me gelukt.*

We baden op de top van de berg uit pure vreugde en dankbaarheid dat we veilig op deze wonderbaarlijke plek waren aangekomen en dat we zo gezegend waren iets te ervaren wat maar weinig mensen is gegund. We keken uit over de vredige besneeuwde bergtoppen en de majestueuze gletsjers die met een onwerelds aura schitterden onder de zon.

Het was geen eenvoudige expeditie en ik was supertrots op mezelf. Het was een training voor zowel lichaam als geest. Ik was letterlijk en figuurlijk bergopwaarts geklommen. Ik had een doel bereikt waarvan 'men' vond dat ik dat niet kon maken. Tijdens de vier dagen van de slopende klim had ik groot ontzag gekregen voor Gods schepping en had ik geleerd dat ik veel meer kon dan ik had gedacht. Ik kon mijn lichaam zwaarder inspannen dan ik ooit had gedaan. Ik kon geestelijk meer aan en me beter concentreren dan ik ooit voor mogelijk had gehouden.

Doordat mijn geloof me had gestimuleerd, had ik de schoonheid van de schepping gezien, iets wat ik anders nooit voor elkaar had gekregen. De ervaring onderstreepte wat allang zonneklaar was: *nette* meisjes kunnen bereiken wat ze maar willen.

Nadat ik de berg had beklommen, besloot ik een sportwagen met een open dak te kopen, zo'n snel James Bondmodel met een stoer brullende motor. Jongens mochten spannende auto's kopen, sterker nog, er werd van hen verwacht dat ze een bijzondere bolide aanschaften. Nette meisjes deden dat niet. Mensen konden wel eens in de war raken en denken dat het *meisje* pittig was, in plaats van de auto.

Ik kreeg het advies om niet met de auto naar de moskee te gaan, omdat de mensen misschien een verkeerde indruk van me zouden krijgen. Ze kenden mij al hun hele leven, maar het bezit van die speciale auto kon mijn *reputatie van keurig meisje* in één keer verwoesten.

Vooral meisjes die een hoofddoek droegen, konden dat soort auto's beter mijden. Het paste niet bij hun vroomheid, vond men, en ook niet bij de matigheid die ze in acht moesten nemen. Besefte ik wel dat *de mensen zouden praten?*

'Laat ze,' zei ik schouderophalend. 'Als mijn auto het meest interessante is waarover die mensen kunnen praten, vind ik dat zielig voor ze. Als het helpt om hun roddels sappiger te maken en hun leven prettiger, dan is de aanschaf van mijn nieuwe auto dus een daad van publieke dienstverlening.'

Ik pakte mijn zonnebril uit het handschoenenkastje, zette het dak open en scheurde de zonsondergang tegemoet.

De hijaab als doelwit

Het was een doorsnee dinsdag op het werk. De bureaus bij ons op kantoor staan in een rij langs de manshoge ramen op de vijfde verdieping. We zitten hoog boven de Theems en hebben aan de ene kant uitzicht op de parlementsgebouwen en aan de andere, voorbij een aantal bruggen en enigszins vaag in de verte, op het financiële centrum, de City. Achter ons bevond zich een drukke Londense straat.

Het weer was zoals op een gemiddelde herfstdag; droge, knisperende blaadjes kleurden de straten; de stadsbewoners sloegen hun kraag op en klikklakten op hun hippe schoenen over de stoffige trottoirs, terwijl ze zich naar huis haastten tegen het invallen van de septemberavond. De vlotte, in het zwart geklede vrouwen die bij radio en tv werkten, droegen dikkere en langere jassen dan andere vrouwen op straat.

Ik zat naast de Engels-Duitse Emma, een onvoorspelbare, nogal nerveuze en ongelofelijk naïeve vrouw. Achter me zaten Elaine en Nicola, die ongeveer van mijn leeftijd waren en het fantastisch vonden dat ze nu, na het afronden van hun studie, in Londen woonden. Tegenover me zat de knappe, bereisde, hoffelijke Jack.

Hij was een lange, typisch Amerikaanse student die iedereen moeiteloos en onbewust voor zich innam met zijn charmes; gekke gezichten trok als de baas weer eens iets onzinnigs had bedacht en vrolijk en zonder kwade bijbedoelingen meedeed aan het geplaag op kantoor. Jack was een optimistische Amerikaan en had het gezonde verstand van een New Yorker. Door zijn humoristische, cynische zelfspot paste dat hij ook goed in Londen.

Het was na de lunch en we zaten driftig te tikken op onze toetsenborden. De e-mails vlogen over en weer, er werd druk gesurft op het internet en er werden digitaal beslissingen genomen. Aan de andere kant van de ruimte klonk gefluister op.

Tegenover mij keek iedereen op en ik hoorde een stem schreeuwen: 'Er is een vliegtuig op het World Trade Center neergestort.'

Ik keek op. Er was beroering, er werden blikken uitgewisseld, wenkbrauwen opgetrokken. Iedereen werd onrustig, maar er was nog geen sprake van grote schrik of angst.

Weer hoorde ik dezelfde woorden: *er is een vliegtuig neergestort.* Ik stelde me voor dat het om een klein zweefvliegtuig ging en vroeg me af hoe die een goed bewaakt gebied als Manhattan kon binnenvliegen en de controle verliezen. Ik dacht dat het niets anders was dan een akelig ongeluk.

Ik typte verder. Plotseling klonk er een luide, paniekerige kreet: 'O, mijn god, ik denk dat we dit op het grote scherm in de kantine moeten zien.'

Stoelen schraapten over de vloer, schoenen klepperden en mensen verplaatsten zich gehaast. We renden naar de open ruimte waar we iedere dag tussen de middag zaten te eten. Al hollend fixeerden we onze blik op het grote beeldscherm waarop live nieuwsbeelden te zien waren. De camera stond strak gericht op twee van 's werelds beroemdste gebouwen die zich daar indukwekkend hoog tegen de blauwe herfstlucht aftekenden.

We waren sprakeloos: er kringelden zwarte rookslierten uit het World Trade Center.

We stonden als aan de grond genageld. Het was echt niet te geloven; we begrepen niet wat er gebeurde. Toen, recht voor onze ogen, kwam er een tweede vliegtuig in beeld dat zich vervolgens in de tweede toren boorde.

Ik was diep geschokt en staarde naar de beelden van het tweede ongeluk, die ze maar bleven herhalen. Dit kan niet waar zijn, dacht ik, dit is gewoon een of andere morbide rampenfilm uit Hollywood.

Niemand wist wat te zeggen. Wat we zagen was onverklaarbaar. Zoiets was nog nooit gebeurd. Dit was de eerste keer in ons leven dat er zo'n soort aanval op Amerika werd gedaan. Toen we de beelden van de ramp niet langer konden aanzien, keerden we terug naar onze bureaus. We begrepen niet wat er was gebeurd.

Jack en ik zochten gejaagd naar meer informatie op internet, naar iets, wat dan ook. De website van de BBC lag eruit, die van CNN ook, CBS was niet bereikbaar en Fox News al evenmin. Ze zonden allemaal uit vanuit de Twin Towers en de zenders die dat niet deden waren overbelast door de vele bezoekers van hun website. We waren slechts twee van de miljoenen mensen die informatie over de ramp zochten en op dat moment vonden we helemaal niets. Jack had vrienden die in het gebouw werkten. De verloofde van mijn vriendin werkte er ook. De paniek sloeg toe op onze verdieping, want iedereen had wel een vriend of collega die in de Twin Towers werkte.

Wie zat hier achter? Een Palestijnse groepering eiste de verantwoordelijkheid op, omdat ze een kans roken om aandacht te krijgen. Maar die claim trokken ze al snel terug, toen ze inzagen dat hun leugen onhoudbaar was.

Ik ging naar huis en zat gekluisterd aan de tv, net als mijn vrienden en collega's. Londen viel stil, zo stil als we nog nooit hadden meegemaakt. De minuten tikten voorbij en nog steeds was er geen nieuws, geen duidelijkheid. Angst en wantrouwen knaagden aan ons. Welke stad zou de volgende zijn? Er was zo weinig bekend over wie de aanval had uitgevoerd en waarom, dat we bang waren dat Londen binnenkort ook aan de beurt was.

George W. Bush verklaarde dat Al-Qaida de boosdoener was. Al-Wie? Ik had nog nooit van ze gehoord. Osama Bin Laden was ineens de meest gezochte misdadiger ter wereld. Van hem had ik ook nog nooit gehoord. We kregen te horen dat Bin Laden en zijn aanhangers de aanvallen hadden uitgevoerd. Ze waren moslims en riepen de *jihad* uit tegen het Westen. In reactie hierop verklaarde George W. Bush negen dagen later zijn eigen 'oorlog tegen terreur'. Het voelde alsof die oorlog aan ons werd verklaard, aan ons als moslims. Ik voelde me gestigmatiseerd en in het nauw gedreven. Het was nu niet meer de herfst die me koude rillingen bezorgde.

Net als iedereen was ik boos en bang. Door hun angst vielen mensen gemakkelijker uit tegen anderen en gewone moslims zoals ik, die dezelfde doodsangst en paniek voelden, werden ineens afgeschilderd als moordzuchtige, barbaarse schurken. Dubbele pech, dacht ik bij mezelf. We hadden nu van twee kanten iets te vrezen.

Mijn hoofddoek leek plotseling wel een knipperende neonreclame als ik over de door angst beheerste straten liep. De afschuwelijke tragedie van de Twin Towers en de duizenden onschuldige doden waren, zo leek het, mijn schuld.

Op elke tv-zender werden discussies, gesprekken en analyses over de aanslagen uitgezonden. Jack kwam terug van een kort bezoek aan New York; hij wilde zeker weten dat zijn familie en vrienden het goed maakten na de aanslagen. Hij beschreef hoe groepsdenken en vaderlandsliefde zich hadden verspreid vanuit de treurige resten van Ground Zero. 'Waarom haten mensen ons?' was de vraag die veel Amerikanen op de lippen brandde, zo vertelde hij ons. Hij zei ook dat wat hij op dit moment deed, zoals vragen stellen, analyseren, iets te weten komen over de daders, echt taboe was in Amerika. De mensen hadden tijd nodig om te rouwen.

We kregen te horen dat de daders bij hun vreselijke actie geïnspireerd waren door de 'jihad'. Blijkbaar waren ze overtuigd dat ze als martelaren voor hun geloof in het paradijs zouden komen. Ik was verbijsterd. Nu leek de hele wereld te denken dat moslims de moord op onschuldige mensen oké vonden. Dit was onbegrijpelijk voor mij en de meeste andere moslims, die voor alles geloven dat we moeten zorgen voor vrede en harmonie in de wereld om ons heen. 'Islam' betekent zelfs 'vrede'. We begrepen absoluut niet hoe mensen die zichzelf moslims noemden zoiets konden doen.

De term 'jihad' was door westerse journalisten hopeloos verkeerd vertaald als 'heilige oorlog'. Het begrip was vreselijk verdraaid door de misdadigers die beweerden dat ze moslims waren en dat hun gewelddadige acties een jihad waren tegen hun 'vijanden'. Jihad betekent letterlijk 'spirituele strijd'. Het betekent dat je je uiterste best doet om een goed en verantwoord leven te leiden. Het heeft een eigen plek in het rijtje religieuze termen, omdat het een daad op zich is. Een heel moeilijke daad bovendien. Het draait om de zware strijd om de donkere kant van je bewustzijn te beteugelen. Pas als dat lukt ben je een goed en volwaardig mens. De enige keer dat de jihad een fysieke strijd kan zijn, is wanneer je jezelf moet verdedigen tegen een aanval. De jihad staat echt niet toe dat je onschuldige burgers vermoordt.

De uren en dagen gingen voorbij, en het onderzoek naar de gebeurtenissen vorderde gestaag. We kwamen erachter dat er negentien mannen bij betrokken waren. We hoorden ook dat die mannen, in de laatste uren voordat ze hun plannen uitvoerden, zich hadden laten vollopen met drank en seks hadden gehad met onbekende vrouwen. Het klopte gewoon niet. Als zij de toegewijde puriteinen waren, zoals de media dachten, zouden ze zich niet zo gedragen. Dat paste absoluut niet binnen de islam. Maar als hun daden niet werden ingegeven door hun religie, waarom bliezen ze zichzelf dan samen met duizenden anderen op?

Door de schok die door Amerika ging, stond de hele wereld in één klap stil. De grote, machtige natie was aangevallen op haar eigen grondgebied; dat hadden de Amerikanen nog nooit meegemaakt. Zij waren diep geschokt en verslagen, en de hele wereld leefde met hen mee. Alle andere landen zetten hun eigen leed opzij en leefden mee met Amerika. Onschuldige mensen waren vermoord en dat was onverdraaglijk. De islamitische – en menselijke – etiquette zegt dat er gerouwd moet worden als er iemand sterft, ongeacht wie die persoon is. Ieder leven is er één. Het verlies van een mens, wie of waar ook, betekent een verlies voor de hele mensheid.

Moslims stuurden vanuit de hele wereld berichten van oprecht medeleven en openlijke afkeuring, maar het was nooit genoeg. We veroordeelden de wrede aanslagen, maar kregen te horen dat we erachter stonden. We moesten de daden nog harder veroordelen. Dus dat deden we. En toen waren we ineens hypocriet. Als we de vreedzame, menslievende principes van de islam wilden uitleggen, kregen we te horen dat we leugenaars waren. Want de mannen die deze vreselijke acties hadden uitgevoerd zeiden toch ook dat ze 'islamitisch' waren? We legden dus uit dat hun interpretatie van de islam fout was. Dat ze criminelen waren die alleen maar een smoes zochten om zich te rechtvaardigen. Door op te komen voor de islam trokken we echter alleen maar meer aandacht en kregen we nog meer haat te verduren. Maar zwijgen was geen optie. Door te zwijgen zouden anderen te lijden hebben en zou de oorlog tegen terreur uit de hand lopen. Ik was bang, alsof ik was betrapt en gebrandmerkt als 'slecht' en als 'terrorist'. Ik was bang voor wat mij als moslim te wachten stond.

Dit was de eerste keer dat ik me geroepen voelde om te zeggen 'niet uit mijn naam'. Ik als moslim moest het gebeurde openlijk verwerpen, hoewel ik er niets mee te maken had. Natuurlijk keurde ik het vreselijke geweld hartgrondig af en mijn afschuw over de vele doden kwam uit het diepst van mijn hart. Ik haat geweld.

'Niet uit mijn naam' moest gelden voor alle mensen. Maar ik was wél boos dat ik als moslim werd gedwongen om 'niet uit mijn naam' te roepen. Ik had toch zeker geen enkele band met de kwaadaardige mannen die dit hadden gedaan? Dus waarom moest ik dan 'niet uit mijn naam als moslim' zeggen? Waarom moest ik een link leggen die niet bestond? Ik was er net zomin bij betrokken als anderen. Ik had geleerd dat ik vrede en harmonie moest nastreven. Dat was het basisprincipe van het geloof: om in harmonie met de Schepper, met jezelf en met anderen te leven.

'Niet uit mijn naam' weergalmt nog steeds na de aanslagen van 7 juli 2005 in Londen. En moslims horen het te zeggen telkens wanneer er een moslim in verband wordt gebracht met geweld. Ik moet dus 'sorry' zeggen voor de daden van een ander, van iemand die ik in de verste verte niet ken, en niet begrijp. Maar ik ben alleen maar verantwoordelijk voor mijn eigen daden: dat is een menselijke regel, een islamitische regel.

Na 11 september 2001 en opnieuw na de aanslagen in juli 2005 in Londen werd ik op mijn huidskleur, mijn naam en mijn hoofddoek beoordeeld en kreeg het etiket van 'terrorist'. Op 11 september voelde ik me voor de allereerste keer minder dan menselijk in Groot-Brittannië, en het was ook de eerste dag dat ik bang was om in mijn eigen land te leven.

Een hele tijd voor de afschuwelijke gebeurtenissen in New York had ik met een stel andere jonge moslima's afgesproken om een netwerk op te bouwen. Dit zou onze eerste bijeenkomst worden. Het doel was om gezellig samen thee te drinken, muffins te eten en nieuwe vriendinnen te ontmoeten. Het was 12 september en de meiden waren nerveus.

'Weet niet of we ons op straat kunnen vertonen,' zei Sara.

'Ik ben bang,' zei Noreen. 'We lopen misschien gevaar. De mensen zullen ons met argusogen bekijken, ze zullen zich afvragen wat een groep moslimvrouwen te bespreken heeft.'

Ik maakte me ook zorgen: we zouden een doelwit kunnen zijn. Zouden we uitgescholden worden of misschien zelfs aangevallen? Mijn oom kreeg twee keer agressief een middelvinger naar zich opgestoken en mijn vader was die ochtend in de supermarkt door twee mannen aan de kant geschoven.

Iedereen was bang om de stad in te gaan of iets te ondernemen. Stel dat Londen nu aan de beurt was? De straten stonken naar angst, sommige mensen werden achterdochtig bekeken en iedereen haastte zich naar de veiligheid van zijn eigen huis en naar de niet-aflatende stroom van nieuwsprogramma's waarop we allemaal gefixeerd waren.

Wij waren net als iedereen, net zo bezorgd, net zo bang. Maar wij droegen een dubbele last: we waren een doelwit voor terroristen én een doelwit voor diegenen die kookten van woede en angst over de aanvallen op de Twin Towers.

We besloten elkaar toch te ontmoeten, in een kleine koffiebar. We waren met z'n vijven en wilden ons niet laten intimideren door de angst die de terroristen bij de mensen in onze omgeving hadden gezaaid. We weigerden ook om ons als terroristen te laten bestempelen. We hadden alle vijf zin in sterke cappuccino en zoete marshmallows. We waren net zo in shock als de rest van Londen, net zo verbijsterd en tegen geweld. Maar we moesten verder met ons leven.

Mijn geloof was een rustig geloof en vrij onbekend, maar ineens was de islam constant onderwerp van discussie. Sommige commentatoren herhaalden ons nadrukkelijk betoog dat de islam tegen geweld was en tegen het vermoorden van onschuldige burgers. Politici bedachten nieuwe maatregelen onder het mom van de oorlog tegen terrorisme. Afghanistan was het eerste slachtoffer en werd gebombardeerd om Bin Laden uit te leveren. We voelden enorm mee met de onschuldige burgers die daar onbedoeld gedood zouden worden, puur omdat ze die ene man wilden pakken. Het zou de onschuldige Amerikanen die gestorven waren niet terugbrengen. Het was verschrikkelijk dat een aanval op Amerika tot gevolg had dat er duizenden onschuldige burgers in Afghanistan zouden sterven. En al snel volgde Irak.

Het werd moeilijk om als moslim normale dingen te doen. Als je met het vliegtuig ging, werd je vanwege je islamitische naam extra streng en bruut gecontroleerd, ook al leek je totaal niet op het simplistische plaatje dat ze van moslims hadden. Mijn vriendin Shahnaz werd tijdens een rondreis tien keer 'zomaar' aangehouden. Ze kreeg te horen dat het om een routinecontrole ging. Een andere vriend van me werd 'zomaar' aangehouden toen hij op weg was naar een sollicitatiegesprek. Hij vertelde hoe laat zijn afspraak was en werd vervolgens expres vastgehouden en pas een paar minuten na de afgesproken tijd weer vrijgelaten. Vriendinnen van mij die bij een bank werkten, moesten rekeningen van mensen met een 'islamitisch klinkende naam' bevriezen. Toen ik na een zakenreis terugkwam in Londen en uit het vliegtuig stapte, stond er bij de uitgang een vrouw van de immigratiedienst aandachtig te kijken. Ze blafte mij toe om opzij te stappen, maar toonde totaal geen interesse voor de andere passagiers. Ze stond erop mijn paspoort te controleren, dus vroeg ik waarom ik als enige werd gecontroleerd, terwijl honderden anderen gewoon door mochten lopen. Ze herhaalde haar verzoek. Ik vroeg haar opnieuw waarom ze mijn Britse paspoort wilde zien, maar ze negeerde me volkomen. 'Als u mij uw paspoort niet laat zien, zullen we u voor ondervraging mee moeten nemen. Wie weet hoe lang dat gaat duren,' fluisterde ze onheilspellend.

Op een ochtend, later die winter, nam Emma me apart toen ik 's morgens op kantoor kwam. Ik droeg een zwarte hoofddoek, omdat die mooi paste bij het modieuze zwarte pak dat ik onlangs had gekocht. Het was een ijzig koude novemberochtend, en ik had mijn lange zwarte winterjas uit de kast getrokken om me warm te houden, zoals andere mannen en vrouwen in de stad dat ook hadden gedaan. Ik had geen moment nagedacht over die combinatie van een zwarte hoofddoek en een zwarte jas. Het was winter, het was koud en zwart was in de mode.

'Je kunt je beter niet helemaal in het zwart kleden,' fluisterde Emma.

Ik was verbijsterd. Was zwarte kleding ineens voor mij verboden?

Ze keek me bezorgd aan. 'Mensen krijgen misschien de verkeerde indruk, weet je, met al die toestanden in het nieuws. Straks krijg je nog problemen.'

Emma bedoelde het goed, dat wist ik zeker. Ze was iemand die zich erom bekommerde dat ik moslim was. Ze wilde niet dat ik gekwetst werd. Ze zag wat andere mensen misschien niet zagen: dat ik – onder mijn hoofddoek – een mens was, net als iedereen. En dat waardeerde ik erg in haar.

'Dank je, Emma, lief dat je bezorgd om me bent.' Ik lachte haar toe en omhelsde haar even. 'Mijn zwarte Franse spionnenlook is vanaf nu verleden tijd.'

'Vind je het niet vervelend dat ik er wat van zeg?'

'Natuurlijk niet. Ik vind het fijn dat je zo aan me denkt.'

Ik vond Emma's aan de ene kant positief. Het zou beter worden. We konden naar een maatschappij streven waarin we mensen in hun waarde zouden laten en voor elkaar zorgen. Ik had goede hoop dat er nog veel meer goedhartige mensen, zoals Emma, rondliepen. De wereld had meer mensen nodig die op elkaar wilden passen.

Maar ik was ook bezorgd vanwege haar opmerking: zou het genoeg zijn om zwarte kleding te mijden? Degenen die zo onwetend waren dat ze mij de schuld gaven, waren op zoek naar wraak, ongeacht of hun doelwit gemakkelijk herkenbaar in het zwart liep. Als ik mijn hoofddoek afdeed, zou ik minder zichtbaar zijn. Er was discussie over of vrouwen met een hoofddoek deze misschien beter, voor hun eigen veiligheid, af konden doen. Maar dat ging mij te ver. Ik hechtte erg aan mijn geloof en ik stond er voor. Ik ging daar niets aan veranderen en me zeker niet door angst laten weerhouden van dingen waarin ik geloofde. Als ik dat deed, zou ik mijn vrijheid als burger opgeven.

Ik maakte me zorgen om de clichébeelden van moslims die bleven hangen. Emma's idee dat mensen met zwarte jassen en zwarte hoofddoeken als terroristen gezien zouden worden, was zo'n cliché. Ik was diep geroerd dat ze zich zorgen maakte om mijn veiligheid. En ik begreep haar dilemma: moest ze de vooroordelen die andere mensen over mij hadden nu wel of niet onder mijn aandacht brengen? Maar door me te wijzen op dat stereotiepe beeld accepteerde ze dat ook een beetje. En dat was niet oké. Hoe kon ik de wereld veranderen als zelfs de fatsoenlijke mensen die zich zorgen om mij maakten me niet hielpen om vooroordelen aan te pakken? Als ik de vooroordelen van mensen zou accepteren, moest ik in angst leven en me voortdurend afvragen hoe mensen tegen mij aankeken. Ik moest dapper zijn en korte metten maken met die ideeën.

Het was niet gemakkelijk. Angst en geweld raakten ons allemaal. Een van mijn vriendinnen, die ook een hoofddoek droeg, kreeg terwijl ze rustig in de trein naar huis zat zomaar een klap. Ze hield er een gebroken neus aan over. Haar aanvaller mompelde godslasterlijke dingen over haar geloof en haar 'terroristische activiteiten', waarna hij haar zelf begon te terroriseren. Hij sloeg haar neus kapot en stapte op het eerstvolgende station doodleuk uit. Ook toen hij al lang uit het zicht was, lieten de andere treinpassagiers haar bloedend aan haar lot over.

Als moslim geloof ik in vrede en overleg, maar kreeg van verschillende kanten te maken met angst en agressie. De mannen die de Twin Towers aanvielen, hadden ook het kernbegrip van de islam – het werken aan vrede – gemolesteerd. Ze beweerden agressief dat mensen zoals ik zwakke, 'gematigde' moslims waren. Maar gek genoeg werd ik, zo had ik de afgelopen weken en maanden gemerkt, juist geassocieerd met die gruwelijke fanatiekelingen, en was ik opeens 'gewelddadig' en 'extremistisch'.

Terwijl al dit soort starre meningen werden verkondigd, ging de discussie over de positie en de behandeling van moslima's gewoon door. De ideeën die ik uit mijn jeugd van tv kende, namelijk dat moslimvrouwen standaard worden onderdrukt en mishandeld, waren de afgelopen jaren weinig veranderd. De islam kreeg de schuld van alle geweld tegenover moslimvrouwen in niet-westerse landen, hoewel die gruwelijke dingen bijna altijd voortkwamen uit culturele gebruiken. En uit onwetendheid en te weinig onderwijs. De vrouwen over wie het ging hadden het nog eens extra moeilijk door oorlogen, waardoor ze achterbleven in armoede en amper konden overleven. Maar dat was een andere wereld. Ik had er zelf voor gekozen om een hoofddoek te dragen, maar toch was ik in de discussies over moslimvrouwen, waar moslima's meestal niet voor waren uitgenodigd, zogenaamd iemand die zó erg onderdrukt werd dat ik niet wist wat ik zelf wilde. Ik was zelfs zo onderdrukt dat ik niet voor mezelf mocht opkomen in dit soort gesprekken. Door een hoofddoek te dragen, onderdrukte ik eigenlijk mezelf, zo gezegd.

Zonder dat ik kon protesteren, kreeg ik allerlei etiketten opgeplakt:

Onderdrukt, onderworpen, achterlijk, dom.
Gewelddadig, extremist, haatdragend, terrorist, jihadist, agressief, radicaal.
Zwakkeling, gematigd, verrader, vol zelfhaat, geloofsverdediger.

Etiketten en hokjes, ik haatte ze. Ik was niets van dit alles.

Ook tijdens mijn zoektocht naar mijn grote liefde sloeg het hokjesdenken toe.

Keurig Aziatisch meisje.
Buitengewoon vrome, nors kijkende moslima met hijaab.
Wijsneus, bemoeial.
Saaie, altijd biddende slome duikelaar die nooit uit wil.
Niet-traditionele, moderne, grensverleggende, onafhankelijke, ongeschikte, niet meer kneedbare…

Ik leed onder al die verwachtingen en etiketten uit verschillende culturen. Iedereen scheen te weten wat ik wel of niet moest zijn en iedereen beweerde namens mij te spreken. Hoeveel vooroordelen kon ik in mijn eentje aan flarden scheuren?

Ik besloot mijn eigen stem te laten horen. Zo kon ik mensen de mond snoeren die het zogenaamd over mij hadden. En ik zou vragen beantwoorden zoals: Wat is de waarheid? Wat kan ik het beste doen?

Ik verpletterde alle hokjes waar mensen mij in wilden stoppen met een simpele stelling:

Ik ben ik.

Mijn erfgoed was een lappendeken van verschillende culturen en religies. Dat had ik als Britse Aziatische moslima allemaal meegekregen. Alle stukjes van de kleurige lappendeken samen maakten mij tot wie ik was. Die verschillende stukjes waren geen last voor me, ze maakten me juist uniek: ik kon de dingen van verschillende kanten bekijken. Zo kon ik mijn afkomst en de heldere visie die de islam me gaf, gebruiken om aan een betere toekomst te gaan bouwen.

Ik was in mijn eentje bezig antwoorden te vinden op al die grote vraagstukken en mijn hart brak van eenzaamheid. Het leek alsof ik vanbinnen steeds leger werd. Zou ik ooit een man vinden om mijn problemen mee te bespreken? Met wie kon ik die moeilijke reis samen ondernemen, die ene dappere figuur die ook vastbesloten was om vooroordelen overboord te zetten en zijn eigen weg te gaan?

Ik ben ik, dacht ik nog eens, *maar wie is hij?*

ZES

☆☆☆

Hoofddoekvragen

Hoe is het daaronder?

11 september 2001 zette moslims wereldwijd in de spotlights. De Koran schoot naar boven op de bestsellerlijst. Het boek was opeens een hit. *Ik wil uitzoeken wie moslims zijn*, zeiden de lezers. Ik voelde wel dat mensen op mijn werk wilden weten wat ik vond en of wat ze hoorden over de islam waar was of niet, maar ze durfden het kennelijk niet te vragen. Ik hoorde hun gefluister, druk bezig met de ideeën die op tv over moslims langskwamen te ontrafelen. Klopte dat beeld met hun indruk van mij, hun eigen kantoormoslim.

De dagen verstreken en het verbaasde me dat collega's mij niets vroegen. Zouden ze bang zijn om de joviale sfeer te verpesten? Of dachten ze misschien dat ze mijn privacy zouden aantasten? Ik *wilde* met hen praten, ik *wilde* tekst en uitleg geven over wat er in het nieuws kwam. Zinvolle dingen over de islam en moslims aan hen vertellen. Maar hoe? Ik wilde zeker geen preek afsteken. We zouden het kunnen hebben over de berichtgeving in de media en hoe het was om moslim te zijn. Maar mijn collega's werden juist terughoudender om privézaken op het werk te bespreken en ik was teleurgesteld. Niemand wilde praten over de ingrijpende gebeurtenissen die ons allemáál raakten – maar mij in het bijzonder. De terreur van 11 september, en daarna die van 7 juli 2005 en andere aanslagen, zorgden voor een angstige sfeer bij alledaagse dingen: we waren bang om met elkaar te praten.

Hoewel alle aanslagen waren gepleegd door mannen, was het vooral de hoofddoek van vrouwen die werd aangevallen, met woorden en daden. Plotseling stond de lap stof op onze hoofden in het middelpunt van de belangstelling. Veel moslima's droegen, net als ik, een hoofddoek en leidden een rustig en vreedzaam leven. Het was een uiting van ons geloof en onze eigen keus om ons zo te kleden. Mijn hoofddoek had niets met politiek te maken en hij was ook niet bedoeld als reclame voor de islam. Het hoorde gewoon bij mijn dagelijkse outfit. 'Het is maar een stukje stof,' mijmerde ik. 'Het is niet bepaald een wereldschokkend ding.' Maar dat zag ik verkeerd.

'HOE ZIET JE HAAR ERUIT?'

Alle ogen waren op mijn haar gericht. 'Het is míjn haar,' dacht ik. 'Ik mag ermee doen waar ik zin in heb. Jullie hoeven mijn haar niet te zien als ik dat niet wil.' Alweer mis. Het publiek eiste het recht op om mijn haar te zien. Mijn prachtige haar, een deel van mij en van mijn vrouwelijkheid, was blijkbaar opeens van iedereen. Hadden vrouwen soms geen recht meer om over hun eigen lichaam te beslissen?

Vooral mannen waren nieuwsgierig naar mijn haar; de vrouwen vroegen er nooit naar. Hadden mannen het moeilijk om mijn vrouwelijkheid los te zien van mijn haar? Ze vonden me blijkbaar niet compleet zo; ze konden me niet inschatten. Ik was niet beledigd. Sterker nog, ik vond hun nieuwsgierigheid onschuldig en grappig. Ik kon hen plagen, maar zij konden mij nooit echt beoordelen naar hun eigen maatstaven. Ze moesten het doen met wat ik kwijt wilde over mezelf. Door hun onhandigheid als ze het vroegen, wist ik dat ze er al een poosje mee rondliepen.

'Het is een blonde hanenkam,' antwoordde ik dan, met een uitgestreken gezicht. En zij geloofden het en knikten.

'Wordt het dan niet helemaal geplet?' vroegen ze argeloos, terwijl ze probeerden om niet naar de bovenkant van mijn hoofd te kijken. Daarna drong het door dat ik een Aziatische was, met een bruine huid en donkerbruine wenkbrauwen en wimpers.

Er verscheen een grijns op mijn gezicht, maar ik bleef hen recht en serieus aankijken. 'Eerlijk gezegd, heb ik helemaal geen haar.'

Op dat moment sloeg de twijfel toe. Ze beseften dat ik hen expres voor de gek hield.

'Maar hoe ziet je haar er dan echt uit?' vroegen ze opnieuw.

Nu werd ik serieuzer. Ik wilde mezelf beschermen. Ik had er geen zin in dat iemand over me fantaseerde. 'Dat is privé. Ik heb mijn haar bedekt, omdat ik niet wil dat je het ziet. Waarom zou ik je dan vertellen hoe het eruitziet?'

Wat ze niet beseften, is dat moslima's – net als iedereen – voortdurend druk doen over hun haar. We brengen het in model, knippen en kleuren het, net als vrouwen die geen hoofddoek dragen. Ons haar mag dan in het openbaar bedekt zijn, maar in de privésfeer is het evengoed een belangrijk aandachtspunt. Het hoort bij je vrouwelijkheid. Dat je een hoofddoek draagt, betekent niet dat je je vrouwelijkheid ontkent, het betekent alleen dat je het in de privésfeer houdt.

Een hoofddoek dragen draait ook niet alleen om het haar, al vinden mensen de hoofddoek blijkbaar een superinteressant onderdeel van onze kledingvoorschriften. Het gaat om een manier van kleden die 'bescheiden' was. Veel moslimvrouwen dragen geen hoofddoek, maar zorgen er wel voor dat ze zich bescheiden kleden en gedragen, en daar gaat het om. Door al die aandacht voor ons haar en hoofd, gaan de mensen voorbij aan het idee van bescheidenheid achter de hoofddoek.

'MOET JE VAN JE MAN EEN HOOFDDOEK DRAGEN?'
Ik zuchtte weemoedig. 'Had ik maar een man.' Dit was wel heel ironisch. Men dacht dat ik als moslimvrouw onder de duim zat bij mijn man. En ik, arme, had de ware jakob nog steeds niet gevonden.

Vóór iemand met dit soort vragen doorging, voegde ik eraan toe: 'En nee, mijn vader dwingt me ook niet om een hoofddoek te dragen.'

Moslimvrouwen met een hoofddoek kwamen terecht in een spagaat. De kwestie riep intense gevoelens op. Traditionele moslimmannen *stonden erop* dat moslimvrouwen een hoofddoek droegen om de islam te verdedigen. Maar de media, die suggereerde dat iedere moslim wel eens een achterlijke, gewelddadige terrorist kon zijn, vonden juist dat vrouwen *geen* hoofddoek moesten dragen.

Mag ik ook nog iets zeggen, alsjeblieft? dacht ik bij mezelf.

Ik deed mijn mond open, maar een moslimman stapte naar voren en verdedigde mij: 'De islam geeft jullie moslimvrouwen het recht om een hoofddoek te dragen, snappen mensen dat niet? Natuurlijk ben je er trots op dat je zo geëmancipeerd bent.' Ik was het eens met die stelling, maar ik had het *echt* liever zelf willen zeggen.

En nu ben ik aan de beurt, dacht ik opnieuw.

Maar nee. Voor ik mijn mond kon opendoen, klonk het al van de andere kant. 'Moslimvrouwen zijn gehersenspoeld. Jullie denken dat jullie een hoofddoek willen dragen, omdat jullie leiders zeggen dat een goede moslima dat doet en dus zijn jullie schuldig aan je eigen onderdrukking.'

Schuldig aan mijn eigen onderdrukking? dacht ik. Dat klonk heel ingewikkeld en eigenlijk nogal pervers ook.

Ik was boos. Iedereen moest eindelijk zijn mond eens houden. Als ik door de islam bevrijd ben als volwaardig mens, met volwaardige rechten, dan ben ik toch ook bevrijd genoeg om voor mezelf op te komen. Word ik volgens jullie onderdrukt? Dan moet je het niet nog erger maken door voor mij te praten en te denken.

Ik had er lang over nagedacht hoe ik me wilde kleden en welke indruk ik wilde maken op mijn omgeving. Het was niet gemakkelijk om een hoofddoek te dragen, omdat ik er daardoor meteen anders uitzag dan iedereen om me heen. Na 11 september was iedereen bovendien zó gespannen dat de hoofddoek me kwetsbaarder maakte. Ik werd meteen in een hokje gestopt. Ik bleef mijn hoofddoek dragen. Dus liet ik zien dat ik bereid was om deze moeilijkheden en spanningen te verdragen. Dit was immers mijn manier om mijn geloof uit te oefenen en proberen de wereld te verbeteren. Mijn hoofddoek zette een groot vraagteken bij vooroordelen tegen vrouwen, en vooral tegen moslimvrouwen. Als vrouw kon ik kiezen wat ik wilde dragen, dat was mijn recht. Het was míjn beslissing.

Door te laten zien dat ik mijn eigen beslissingen nam, hoopte ik de vrouwen een klein beetje te helpen die, uit naam van welke religie dan ook, wél werden onderdrukt. Ik had mijn eigen keuzes gemaakt, maar sommige moslimvrouwen werden gedwongen om zich op een bepaalde manier te kleden en te gedragen, en dat was fout. Sommige vrouwen werden gedwongen tot een huwelijk, en dat was ook fout. Anderen werd het recht op onderwijs, gezondheidszorg en werk afgepakt of leden onder gewelddadige gebruiken in hun cultuur. Het moest telkens weer gezegd worden: fout, fout, fout. Elke vorm van dwang was absoluut verboden en helemaal in tegenspraak met de geest van de islam. Degenen die schuldig waren en die hier achter zaten, moesten ontmaskerd worden, want ze waren maar op één ding uit: macht. Ze mochten niet de smoes gebruiken dat ze het deden in het belang van vrouwen, of voor de islam of de menselijkheid. Een moslim moet altijd handelen uit vrije wil, dwang is zinloos. De Koran is daar heel duidelijk over: 'Religie kent geen dwang.' Je kunt iemand en *mag iemand niet dwingen* iets te doen wat hij niet wil.

'IS HET ERG WARM?'

Het standaardplaatje van moslimvrouwen toont ons van top tot teen in het zwart. Onze hoofddoeken zijn lange, zwarte, loshangende stukken stof die over een lange, zwarte jas zijn gedrapeerd. En soms dragen we ook een *nikaab*, een sluier die het gezicht bedekt, meestal een zwarte. Op dergelijke foto's zien moslimvrouwen er griezelig en onmenselijk uit, totaal vreemd in westerse ogen. Maar onder elke hoofddoek zit een leven, een verhaal, en een kloppend hart. En dat schijnt degenen die deze vrouwen enkel zien als spoken in zwarte stof helemaal te ontgaan. Wie deze vrouwen als anonieme wezens ziet, is net zo fout bezig als de mensen die hen anoniem proberen te maken door ze te dwingen dit aan te trekken. Ik baal er altijd van als ik vrouwen zag, moslim of niet, die in stereotiepe kleding worden afgebeeld. Of het nu gaat om de zwarte cocktailjurkjes of zwarte outfits van mediasterren of om de zwarte mantels van moslimvrouwen. Toch vreemd dat de kleur zwart steeds weer terugkomt.

Deze outfit van lange, vormloze, zwarte kleding is voor veel moslimvrouwen dé manier om hun imago te beschermen. Ze hebben domweg genoeg van het clichébeeld van de perfecte vrouw: lang, blond, slank, betoverend mooi, met perfect haar, een perfecte huid en perfecte make-up. Zo krijgen vrouwen nog steeds opgelegd hoe ze zich moeten kleden en hoe ze eruit moeten zien. Het lange, zwarte gewaad is hun troef om de controle over hun eigen imago terug te winnen.

Maar niet alle vrouwen kiezen ervoor zich zo te kleden. Zelf vind ik een eigen persoonlijkheid en schoonheid wel belangrijk. 'God is Schoonheid en God houdt van schoonheid,' is een beroemd islamitisch gezegde, en ik vind dat schoonheid prima kan samengaan met bescheidenheid. Tenslotte gaat de discussie eigenlijk over de islamitische bescheidenheid. De hoofddoek is daar slechts een onderdeel van.

De Koran zegt 'gelovige mannen en gelovige vrouwen' dat de eerste stap naar bescheidenheid bestaat uit het 'neerslaan van hun blik' als zij iemand van het andere geslacht tegenkomen. Je kunt dit letterlijk of figuurlijk opvatten. Het gaat om respect voor die andere persoon, door hem of haar niet op sekse te beoordelen. Stel dat je dat inderdaad niet doet, dan zouden mensen veel meer relaxed met elkaar omgaan, meer vrij van ingewikkelde seksuele spanning. Mensen willen gewaardeerd worden om wie ze zijn en niet om hoe ze eruitzien. Helaas hebben de vrouwen meestal het meest te lijden, doordat ze op hun uiterlijk en hun sekse worden beoordeeld.

Bij bescheiden gedrag hoort bescheiden kleding. Voor vrouwen betekent dat ruimvallende kleren die hen bedekken tot de pols en tot de enkels. De meeste moslims, maar niet alle, geloven dat het ook betekent dat je je haar bedekt, en een heel klein aantal vindt dat je ook je gezicht moet bedekken.

De bedoeling van bescheiden kleding en bescheiden gedrag in het openbaar is dat het leven er gemakkelijker, minder gespannen en minder kritisch van wordt. Als ik daarmee voor een betere sfeer kan zorgen, ben ik er voor in om meer tijd en zorg te besteden aan mijn kledingkeuze en ook om een hoofddoek te dragen. Voor mij is het een kwestie van geloof en bijdragen aan een betere maatschappij. Mijn beruchte hoofddoek was maar een klein stukje van mijn aangepaste garderobe. Soms zat hij een beetje warm, maar het was helemaal de moeite waard.

'WAAROM HOEVEN MANNEN GEEN HOOFDDOEK TE DRAGEN?'

Volgens de Koran moeten mannen zich net zo goed gedragen en zich bescheiden kleden. Vaak denken mannen dat ze om die regel heen kunnen. Soms gaan ze zelfs zo ver dat ze strakke spijkerbroeken en strakke T-shirts dragen. Maar volgens de islamitische voorschriften, moeten ze zich evengoed respectvol kleden. Volgens de meeste moslims moeten mannen zich wel bescheiden kleden maar hoeven ze hun hoofd niet te bedekken, zoals vrouwen dat moeten. Mannen waren nieuwsgierig naar mijn haar, en vrouwen helemaal niet. Mannen hadden mijn haar dus kennelijk nodig om een goed beeld van mij te krijgen. Ik vroeg me af of het haar misschien essentieel is voor de schoonheid en aantrekkingskracht van vrouwen. Dat geldt dan schijnbaar niet voor mannen.

Of het bedekken van haar nu verplicht is of niet, in veel islamitische landen doen veel mannen het wel. In Oman dragen ze een tulbandachtig hoofddeksel, dat *mussar* heet. In Saoedi-Arabië zie je de *ghutra*, een witte doek die met een zwarte hoofdband bijeengehouden wordt. In de Golfregio en de Levant dragen mannen een *keffiyeh*, een geblokte doek die op dezelfde manier wordt vastgezet. Op het subcontinent is de hoofdbedekking een kleine hoed, meestal wit, die een *topi* heet en in Maleisië zetten de mannen een *songkok* op hun hoofd. Het klopt niet dat 'moderne' moslimmannen hun hoofd niet zouden moeten bedekken. Misschien zijn de meeste mannen er zo druk mee dat vrouwen iets op hun hoofd moeten, dat ze het voor zichzelf vergeten, dacht ik bij mezelf.

Als het onderwerp 'mannen en de hijaab' ter sprake komt, maakte ik me namens hen om één ding kwaad. Sommige moslima's zeggen dat een hijaab nodig is om zichzelf te beschermen tegen de woeste en onbedwingbare lust van mannen. Als vrouwen geen hijaab droegen, zouden die arme, gek gemaakte mannen hen belagen. Ik vond dat nogal een belediging voor mannen. Alsof zij niet meer dan op seks beluste monsters zouden zijn. Het is niet aan de vrouwen om de mannen te beteugelen. Het zijn geen wilde dieren. Mannen zijn ethisch en fatsoenlijk. Ze zijn heel goed in staat om vrouwen met respect te behandelen. Bescheiden gedrag tonen en bescheiden kleding dragen gelden dus voor zowel mannen als vrouwen, om een omgeving te creëren die respectvol en ontspannen is. Een samenleving waarin beide partijen worden beoordeeld op wie ze zijn, niet op hoe ze eruitzien.

'SLAAP JE MET EEN HOOFDDOEK OM?'

Mooi zijn vind ik belangrijk. Er stralend uitzien, lekker ruiken, je mooiste vrouwelijke eigenschappen benadrukken: het hoort er allemaal bij. Ook daarom wilde ik graag trouwen: zodat ik een man zou hebben met wie ik mijn aantrekkelijke kanten zou kunnen delen. Iemand die mij zou waarderen. Intimiteit… *ahum, ahum*… seks dus, wordt door de islam aangemoedigd, maar je moet je schoonheid wel tonen in de beslotenheid van je eigen huis. Dat is voor mannen én vrouwen zo'n beetje verplicht. Tegenover je eigen man laat je de bescheidenheid achterwege, en ook binnen je familiekring, als het maar privé blijft. Zodra ik thuis een voet over de drempel zet, doe ik mijn hoofddoek af. En als ik ga slapen, zit er echt niets tussen mij en mijn hoofdkussen.

Dat ik in het openbaar een hoofddoek draag, is een uiting van mijn geloof en heeft te maken met bescheidenheid in kleding en gedrag. Wat is het nut van dergelijke waarden als ik ze niet mag laten zien in de maatschappij? Dat is net zoiets als iemand die beweert dat je vriendelijk hoort te zijn en zich vervolgens gedraagt als een botterik.

'BEN JE EEN TERRORIST?'

Ik wilde antwoorden: 'Ja!' en dan in mijn handtas rommelen om er een vaag voorwerp uit te halen, maar ik moest mezelf beheersen. Dus vroeg ik in plaats daarvan: '*Jij* misschien?' en ik bewoog mijn wenkbrauwen dan op en neer, alsof ik de boef in een superheldenstrip was.

Op de middelbare school deden we eens een beroepentest. Ik had een digitale vragenlijst ingevuld over mijn sterke en zwakke punten en mijn interesses. Er kwamen vier adviezen uit. Ten eerste, gevangenisbewaarder, omdat uit de test bleek dat ik goed zou kunnen opvoeden en het goede in mensen zag. Ten tweede, bibliothecaresse, omdat ik van boeken hield. Ten derde, technisch ontwerper, omdat ik geïnteresseerd was in nieuwe ideeën en die graag toepasbaar maakte voor mensen. En tot slot, een nieuwkomer op de lijst van mogelijke beroepen, terrorist, omdat ik graag 'wilde shockeren'. Zou dat echt een baan zijn? Ik betwijfelde of het goed betaalde en wist wel zeker dat ik kon fluiten naar een goed pensioen en het recht op gezondheidszorg. Uiteindelijk besloot ik naar Oxford te gaan om daar te studeren en daarna een baan te zoeken in de groeiende technologische sector. Gelukkig: toch goed gekozen.

Natuurlijk ben ik geen terrorist, wat een absurde vraag.

Ik vraag me af waarom iemand zijn eigen leven opgeeft om dood en verderf om zich heen te zaaien. Dat is toch gewoon griezelig? Is het pure haat? Is het een kwade geest die iemand zo bloeddorstig maakt? We zouden het aangaande 11 september nooit echt weten, maar zoiets moest het haast wel zijn.

Ik wilde gelukkig zijn, een goed leven hebben en herinnerd

worden als iemand die iets voor anderen had betekend. Ik wilde werk, succes, een huis, een man, kinderen en een fijne oude dag, net als de meeste andere mensen. En ik wilde proberen de wereld te verbeteren, al was het maar een beetje. Elke moslima wil iets bereiken, net als iedereen. Onze kleren en godsdienst veranderen daar niets aan. We willen een gelukkig, bevredigend en succesvol leven leiden.

Mijn ambities waren oprecht en groot. Daar leefde ik voor. Maar anderen in de wereld lijden onder armoede, oorlog, honger, verwoesting en dictatuur. Sommigen van hen vonden zichzelf in brand steken of zichzelf en anderen vermoorden een beter alternatief dan leven. Wat moest hun leven wanhopig en leeg zijn geweest. Wat me vooral angst aanjoeg, was dat deze mensen hadden besloten dat ze hun leven alleen door de dood konden verbeteren. Als ze alleen een einde wilde maken aan hun lijden, dan hadden we hen in de steek gelaten. Ik had hen in de steek gelaten.

'WAAROM LOOP JE ZO VAAK IN HET ZWART?'

Ik vroeg me dikwijls af of mensen wel echt keken naar wie er voor hen stond. Nu afbeeldingen van moslimvrouwen in het zwart kortweg stonden voor 'moslim' of, erger nog, 'moslimterrorist', nam iedereen aan dat alle moslima's altijd zwarte kleren droegen. Dit is de mode in de landen rond de Perzische Golf, zoals Saoedi-Arabië, en veel andere moslims nemen dat over. Net zoals vrouwen over de hele wereld 'westerse' kleding aantreffen, zo aanvaardde een bepaald deel van de moslimbevolking de 'Saoedische' stijl om hun geloof in de islam te tonen. Maar als de zwart geklede vrouwen uit de Golfregio naar andere islamitische landen reisden, vielen ze lelijk uit de toon. De moslima's in landen als Indonesië, China, Maleisië, Nigeria, Turkije en tal van andere landen, dragen felgekleurde kleren in kleuren die variëren van groen tot roze en van blauw tot wit en alle mogelijke tinten daartussenin.

'Ik draag een roze hoofddoek,' verklaarde ik dan, 'meestal in een lila of zachtroze tint. Roze past bij mij.'

Sluierkeuring

Op de dag dat ik met Hasan een kopje koffie zou drinken voelde ik me prima. Maar dat duurde niet lang.

'Ik had niet veel zin om af te spreken,' bekende hij. 'Het is niet persoonlijk, hoor, maar ik heb duidelijk tegen mijn moeder en mijn tante, die een vrouw voor mij zoeken, gezegd dat ik geen meisje wil dat een hijaab draagt.'

O nee, daar gingen we weer: iemand die me al in de eerste zin meldt dat ik totaal ongeschikt ben! 'Maar ze zaten maar te drammen,' zei hij, en hij rolde grappend met zijn ogen, 'hoe ontzettend leuk je bent. Hoe slim, hoe knap, hoe aardig, tot ik er niet meer tegenop kon!' Wie waren deze vrouwen, die zo anders dachten dan alle andere Tantes? Ik had even geen idee wie zijn moeder of zijn tante kon zijn, dus ik wist niet wat ik had gedaan om zoveel indruk op hen te maken.

'Uiteindelijk hebben ze me overgehaald toch met je af te spreken. Nee zeggen was geen optie!' Hasan gooide zijn armen zogenaamd wanhopig in de lucht, alsof ze hem met geweld naar deze koffietent hadden gesleept. Hij was innemend, lachte om zichzelf en de bespottelijke situatie waarin hij zich bevond.

Ik lachte vriendelijk. Meer kon ik niet opbrengen voor een man die eerlijk genoeg was om te bekennen dat ik niet was wat hij zocht. Ik gaf hem wat speling. Hij stond in elk geval open voor de afspraak. Nou ja, een beetje dan.

'Ze hebben me echt een hele tijd aan mijn hoofd gezeurd.'

Hij leek aardig, goedgemanierd en intelligent. Hij was heel beleefd en bereid om nieuwe dingen uit te proberen. Na alle kennismakingsgesprekken die ik had doorstaan, wist ik al snel met wie ik het wel of niet zou kunnen vinden en of er toekomst in de relatie zat. Behalve dat hij mijn hoofddoek niet zag zitten, was alles aan hem heel positief. Ik had ook geleerd dat ik maar beter niet om de hete brij heen kon draaien. Het antwoord op de vraag zou uiteindelijk toch hetzelfde zijn: de tijd veranderde iemands mening over een belangrijk onderwerp zelden.

En dus flapte ik het er meteen uit: 'Dus je wilt geen vrouw met een hijaab?'

'Ik denk dat meisjes die een hijaab dragen waarschijnlijk heel religieus zijn en de hele dag thuis blijven om te bidden. Ze zijn vast saai. Ik houd van uitgaan, dus dan zou ik alleen moeten.'

Ik herhaalde zijn woorden. 'Dus een vrouw die een hijaab draagt, is iemand die de hele dag thuis zit, alsmaar bidt en nooit uitgaat. En ze is erg saai.' Ik keek hem breed lachend aan.

Hasan keek verlegen, heel jongensachtig en onschuldig, en lachte ook.

'Oké, het is je misschien opgevallen dat ik een hijaab draag. Dus wat doen we hier? En trouwens, je noemde me saai.'

'Ik weet het! Ik weet het!'

Hij wrong zich in allerlei bochten.

'Nog meer?' vroeg ik.

'Nou ja, er zijn plekken waar ik heen wil, maar waar ik een vrouw met een hijaab niet mee naartoe zou willen nemen,' verklaarde hij op een uitdagende, ondeugende, maar ook licht bezorgde toon.

'Wat voor plekken?' vroeg ik. Zo kwam hij er niet vanaf.

'Plekken. Je weet wel.'

'Nee, ik heb geen idee.' Ik trok mijn wenkbrauwen op en nam een slok koffie. 'Overal waar jij naartoe kan, kan ik ook naartoe.' Ik zweeg even om te kijken of hij zou bezwijken. 'Of zijn het plekken waarvan je diep in je hart weet dat je daar beter weg kunt blijven? Wil je daar geen hoofddoekmeisje bij om je niet schuldig te voelen?'

Hasan veranderde van onderwerp. 'Ik voel me gewoon niet op mijn gemak naast een vrouw met een hijaab.'

'O nee, voel je je niet op je gemak bij mij?' Ik lachte hem uit.

'Nee! Nee!' Meer gedraai.

Ik kon mijn lachen niet langer inhouden vanwege zijn ontwijkende antwoorden.

'Ik heb gewoon nog nooit iemand als jij ontmoet. Ik ken geen vrouwen met een hijaab. Ik dacht dat ze allemaal dodelijk saai zouden zijn.'

O, o die vooroordelen: nu was ik er zelf eentje kwijt en kreeg er meteen een van een ander voor terug. Hoe zou Hasan reageren als ik hem een paar pittige vragen stelde. Ik besloot bot te zijn.

'Wil je soms pronken met je vrouw? Wil je je vrienden laten zien hoe mooi ze is? Als ik een hijaab draag, kan dat niet.'

Sommige jongens hadden me schaamteloos bekend dat ze een mooie vrouw wilden om hun vrienden af te troeven. Een soort wedstrijd wie de verleidelijkste partner had. Een vrouw met een hijaab kon natuurlijk nooit voldoen aan die verwachting. Een vrouw met een hijaab zou dat ook niet willen.

Hij keek naar me, onzeker over deze wending in het gesprek.

'Of maak je je misschien zorgen dat je vrienden dan snappen

dat je moslim bent? Of raak je ze kwijt, omdat je dekmantel verknald wordt?'

Van vrouwen met een hoofddoek was het duidelijk welk geloof ze aanhingen. We waren herkenbaar als moslima's en vingen dus de klappen op. Door onze manier van kleden in het openbaar waren we dé vertegenwoordigers van de islam. De verhalen in de krant over moslims – zelfs als er geen moslimvrouw bij betrokken was – werden standaard afgedrukt met foto's van vrouwen met hoofddoeken of gezichtssluiers. We lieten met ons uiterlijk zien wat we vanbinnen geloofden; we hadden geen keus.

Voor sommige moslimmannen, die hun geloof niet zo openlijk wilden tonen of niet wilden dat anderen wisten dat ze moslim waren, was het makkelijk om hun geloof geheim te houden. Ze hoefden geen bepaalde kleding te dragen. Sommige moslimmannen schaamden zich voor hun geloof en juist zij vonden mijn hoofddoek extreem opvallend. Alsof er een of andere neonreclame op mijn hoofd knipperde: 'Moslim! Moslim!'

Ik keek Hasan strak aan. Ik deed echt mijn best om hem niet ten onrechte een etiket op te plakken door mijn eerdere ervaringen met mannen die geen vrouw wilden die een hijaab droeg. Ik moest mijn eigen vooroordelen opzijzetten.

'Je bent heel erg aardig, en ik heb nooit geweten dat er moslimvrouwen zijn die ook uitgaan en reizen en werken of die zich zo modieus kleden en er met een hoofddoek toch zo supergoed uitzien...' Hij bloosde, en daarop bloosde ik ook. 'Ik besefte het gewoon niet. Maar het is gewoon, gewoon... Het spijt me, ik voel me gewoon niet op mijn gemak.'

We praatten verder en langzamerhand kwamen Hasans echte gevoelens aan het licht. Door mijn hijaab liet ik iedereen weten wat mijn geloof was. Dus dacht Hasan dat ik waarschijnlijk erg gedreven was om mijn standpunten in het openbaar te verkondigen terwijl hij zijn religie voor zich wilde houden. Ik legde uit dat een vrouw, die de grote stap zet om zich bescheiden te kleden en een hoofddoek te dragen, niet per se supervroom was. Ze was net zo menselijk als wie dan ook. Maar zijn instinct zei hem dat hij door mij gedwongen zou zijn om zich als moslim bloot te geven.

De uiteenlopende reacties die ik kreeg op mijn hoofddoek, vertelden me hoe deze mannen zich vanbinnen voelden. Ik moest ineens denken aan mijn valentijnskaart en aan hoe verschillend mannen kunnen reageren op een vrouw die een hoofddoek draagt. En hoe enorm iemands mening wordt beïnvloed door hoe een vrouw zich kleedt. Hasan wilde in stilte moslim zijn. Hij was zo eerlijk toe te geven dat er wel een zaadje van het geloof in zijn hart lag, maar dat hij niet klaar was om dat te laten zien.

Hij en ik waren in een ander stadium van onze reis door het leven. Het leek wel alsof we niet eens dezelfde taal spraken; we konden niet met elkaar praten over wat we echt belangrijk vonden.

Ik vond het oké dat hij zo zijn eigen ideeën had over de wereld, maar ook begreep dat er ruimte was om te leren en te groeien. Ik waardeerde zijn eerlijkheid over zijn eigen vooroordelen. Deze date zorgde ervoor dat ik ieder persoon als een individu en uniek mens zag.

Ik was mijn zoektocht begonnen naar een man die het niet erg vond dat ik een hoofddoek droeg; het was tenslotte mijn eigen keuze om me zo te kleden. Maar hoe meer ik moest vechten tegen de vooroordelen over hoe een moslima met een hijaab zogenaamd was, hoe meer ik een man wilde die begreep waarom ik een hoofddoek droeg en die me daarin zou steunen. Ik wilde dat hij *wilde* dat ik een hijaab droeg. Ik wilde dat hij een eigen mening had en dat hij begreep dat ik een hijaab droeg voor een betere toekomst voor iedereen.

Als iemand vastgeroest zit in ouderwetse ideeën over de islam en zijn leven als moslim, dan kunnen we nooit iets veranderen. We moeten juist nieuwe kansen creëren en dat wilde ik samen doen met iemand die naast me stond en ook openlijk moslim durfde te zijn.

Het besluit om een hijaab te dragen had ik niet overhaast genomen. Het Arabische woord 'hijaab' betekent 'bedekken'. Vroeger moest je je hele lichaam bedekken met ruimzittende kleding, maar nu gaat het meestal alleen maar om de hoofddoek.

Toen ik ooit besloot om een hijaab te dragen, deed ik dat vooral omdat 'het zo hoorde'. Ik ging vaak naar de moskee, las veel islamitische boeken, las in de Koran, reisde naar islamitische landen en ging op *oemra*, de kleine pelgrimstocht naar Mekka. Ik ging helemaal op in mijn wens een volwaardig islamitisch leven te leiden en dus koos ik voor een hijaab.

In de Koran staat dat gelovige mannen en vrouwen bescheiden kleding dragen. Ik geloofde in God en ik geloofde in de Koran en ik wilde bij die groep van gelovige mannen en vrouwen horen. Het was dus eigenlijk heel simpel: ik geloofde in de achterliggende gedachte van de hijaab en dus wilde ik er eentje dragen.

Dat betekende dat mijn garderobe langzaam maar zeker veranderde; ik koos kleding die paste bij de hijaab. Ik moest erop letten dat ik lange mouwen en lange rokken droeg. En dat ik sjaals koos die ik helemaal om mijn hoofd kon wikkelen, zodat mijn haar, oren en hals waren bedekt, om ze met een speld onder mijn kin vast te zetten. Ik was niet erg hip in mijn experimenteerfase, net zoals veel andere Britse moslima's. De hijaab was iets nieuws in Groot-Brittannië en voor de moslima's die hem in dit land gingen dragen. Het had toen niets te maken met mode, maar puur met onze regels voor bescheidenheid.

Veel Tantes giechelden deels beschaamd, deels trots om de 'moderne' kleding die ze droegen voordat ze de islam echt hadden 'doorgrond'.

'We moesten huis en haard en ons islamitische vaderland eerst verlaten voordat we de islam echt begrepen,' zeiden de Tantes. Dit gevoel nam snel toe bij de generaties die als immigranten in Groot-Brittannië waren gekomen. 'Thuis' in het vaderland was de hele cultuur 'islamitisch'. Dat sprak voor zich. Niemand vroeg zich af, of wat de mensen daar deden wel islamitisch was of niet. Maar in het nieuwe thuisland werkte dat niet meer zo. Niets sprak vanzelf. In de tijd dat de nieuwe generatie, waar ik bij hoor, opgroeide in Groot-Brittannië legden we de islamitische cultuur onder de loep; het was niet meer voldoende om te roepen 'zo is het altijd gegaan'. Dat vonden de ouders nog wel het moeilijkste, dat we vragen hadden over hun gewoonten en gebruiken. Veel volwassenen zagen het als opstandigheid tegen hen, maar dat was het absoluut niet. Het ging niet om hen persoonlijk, we keken gewoon of hun gebruiken wel echt zo 'islamitisch' waren als zij beweerden.

Toen de Tantes dit alles uitlegden, leken het opeens echte mensen die zo hun eigen problemen hadden gekend. Ik begon in te zien hoe moeilijk het was geweest toen ze van land en cultuur moesten wisselen, dat alles anders wordt voor een immigrant, ook je geloof.

Sommige vriendinnen van mij wilden ook een hijaab dragen, maar mochten dat niet van hun familie. Zij mochten die keus niet maken. Hun families wilden niet dat hun dochters 'godsdienstfanatici' werden. Ze wilden in het openbaar niet gezien worden met een 'gek' of 'fundamentalistisch' kind.

Moderne denkers én veel traditionele moslims waren het over één ding eens: 'feminisme' was een vies woord. Maar ik vond het geweldig dat Europese vrouwen hadden gevochten voor vrijheden, zodat ik nu zelf mocht weten of ik een hijaab wilde dragen en over mijn eigen leven beslissen. Ik las hoe vrouwen hun beha's hadden verbrand en over de revolutie van de minirok. De vragen die vrouwen toen stelden, waren dezelfde als die van moslima's nu: waarom zouden vrouwen zich door mannen laten vertellen wat ze moesten dragen? Waarom werden vrouwen afgescheept zonder dat iemand hen serieus nam? Ik was het helemaal eens met die strijdbare Europese vrouwen. Ze moesten zichzelf bevrijden, de arbeidsmarkt opgaan en gelijkheid eisen. Ik stak mijn vuist strijdbaar in de lucht en vroeg mezelf daarna nederig af: ben ik een feministe?

Wat het feminisme voor elkaar had gekregen vond ik prima. Ik had als kind van de jaren tachtig geen last gehad van ongelijkheid en onderdrukking, ik had niet zo hard hoeven vechten en mezelf opofferen zoals de vrouwen die vóór mij kwamen. Maar ik had wel last van de Aziatische moslimcultuur die het westerse feminisme helemaal niets vond en de islam misbruikte om vrouwen onder de duim te houden.

De feministen waren bezig geweest met vragen die ik heel belangrijk vond: Hoe moesten vrouwen zich gedragen op hun werk? Hoe moesten ze zorgen dat ze serieus genomen werden en invloed uitoefenden? Gek genoeg denken de feministen hier ongeveer net zo over als de islamieten: namelijk dat vrouwen zich bescheiden moeten kleden, zodat ze serieus worden genomen om wie ze zijn en niet om hoe ze eruitzien.

Ik wilde meepraten over gelijke rechten voor mannen en vrouwen, maar moslimvrouwen die een sluier droegen of die de islam positief vonden, mochten niet meepraten. Alleen moslima's die de islam openlijk hadden afgezworen, konden hun zegje doen. Ik was gezakt voor de feministische test.

Iedereen die zich druk maakte over gelijkheid voor vrouwen zag de sluier steeds weer als teken van onderdrukking, van een tweederangs status. Als vrouwen gedwongen werden een sluier te dragen, vond ik dat verkeerd. Maar toch, was dat niet het grootste probleem: het ging erom dat ze helemaal niet vrij waren te doen wat ze wilden. En dat past juist helemaal niet bij de islam. De islam is vóór gelijkwaardigheid van man en vrouw. Voor God zijn ze even belangrijk.

God zal elke man en elke vrouw beoordelen, als mens, en elk beetje goed en elk beetje kwaad dat ze in hun leven hebben gedaan meewegen. Ik was erg ontroerd door een vers in de Koran waarin staat dat God 'jullie heeft geschapen uit één enkele ziel'. Niks overgebleven ribben, niks tweederangs. Mannen en vrouwen komen uit één ziel voort, en zijn allebei evenveel waard. Al het andere moet daarmee kloppen. Dus als iemand zorgt dat de vrouw voor de islam minder waard is, moeten wij altijd teruggaan naar die tekst en er nog eens goed over nadenken. Wij zijn als moslims 'geschapen uit één ziel,' en zo moeten we ons ook gedragen. Als we dat zouden doen, dan zouden we volgens mij allerlei plannen kunnen bedenken om het leven van veel vrouwen op de wereld enorm te verbeteren. Omdat ik in mijn jeugd mijn geloof, de Aziatische én de Britse cultuur had leren kennen, denk ik dat ik – en anderen zoals ik – een unieke kijk op de wereld hebben. Daarom kunnen we iets betekenen.

Bij de regels van de islam over mannen en vrouwen is er één ding dat me speciaal aanspreekt: de waarde die de islam hecht aan 'vrouwelijke' dingen. Volgens mij moeten echtgenotes, moeders, verzorgers en opvoeders veel meer status en erkenning krijgen. De feministen hebben enorm hun best gedaan voor gelijke rechten, maar nu lijkt het wel alsof alleen vrouwen die mannelijke dingen willen doen voorrang hebben. Maar nu zijn de eigen vrouwelijke dingen nog aan de beurt! Ik zag spelprogramma's op tv waaraan getrouwde stellen deelnamen en waar de vrouw dan zei 'ik ben maar een huisvrouw' of 'gewoon moeder'.

Ik wist precies hoe hard mijn moeder had gewerkt om goed voor mij te zorgen.

Als ik aan mijn moeder dacht en de status van alle moeders, dacht ik aan wat de profeet Mohammed had gezegd: 'Het paradijs ligt aan de voeten van de moeder.' Alles waarvan een gelovige moslim droomt, ligt daar op hem te wachten. De Koran zegt dat een kind nooit iets onbeleefds tegen zijn ouders mag zeggen of doen uit dankbaarheid voor hun pijn, moeite en zorgen om dat kind groot te brengen. Mohammed maakte het overduidelijk toen hij de vraag kreeg welke ouder een kind moest gehoorzamen en hij antwoordde: 'De moeder, de moeder, de moeder en daarna de vader.'

Mijn moeder is degene die het dichtst bij mij staat op aarde en ik weet dat ze meer van mij houdt dan wie ook. Ze weet, zonder te vragen, wanneer ik verdrietig of eenzaam ben of pijn heb. Ze stelt mij altijd boven zichzelf en bidt voortdurend om mijn welzijn en dat al mijn dromen mogen uitkomen.

Toen ik opgroeide en begon aan mijn zoektocht naar de ware en veel leerde over het leven en het geloof, reisde zij met me mee en groeiden we samen. We praatten veel samen over van alles. Vaak zat ze op de bank en lag ik met mijn hoofd op haar schoot, terwijl ze mijn haar streelde. En dat zal altijd, hoe oud ik ook ben, de fijnste, veiligste en meest liefdevolle plek voor mij blijven. Zelfs als ik getrouwd ben, zal de liefde tussen moeder en dochter altijd uniek blijven, en anders dan de liefde van een partner. Als moeder en dochter hebben we een reis afgelegd die ons de vreugde en het verdriet leerde kennen van de vrouwen op deze wereld, en delen we de intiemste momenten in ons leven.

Mijn moeder is een en al toewijding en betrokkenheid als het om haar echtgenoot en haar gezin gaat. Ik heb nog nooit iemand ontmoet die zoveel lacht en zoveel geduld en berusting uitstraalt bij tegenslagen als zij. Ze is een stille held, net zoals de meeste vrouwen.

Mijn moeder noemt me haar *'hiro'*, een Indiaas Gujaratiwoord voor 'diamant'. Zij is míjn held, mijn inspiratiebron voor alles wat ik doe. Als ik voor de helft word zoals zij, is mijn leven als vrouw al geslaagd.

Niet te onderdrukken

Ik had, net als iedereen, zo mijn eigen problemen. Ik moest nog veel dingen op een rijtje zetten: over het leven, het geloof, mannen, spiritualiteit, mijn werk, familie en vrienden combineren, en de liefde natuurlijk. Ik was dus een normaal mens en probeerde mijn draai in de wereld te vinden. Als het over hokjes en etiketten ging en mensen die zeiden 'zo is het altijd gegaan' en 'zo hoort het, want zo hoort het nu eenmaal', werd het simpelweg steeds duidelijker: ik was het probleem niet.

'Shelina moet wat meegaander zijn,' hielden de Tantes en de koppelaarsters mijn moeder voor.

'Wat bedoelen ze nu weer met "meegaander"?' vroeg ik verbijsterd aan mijn moeder. Ik had toch al afspraken gehad met een man die me voor de gek had gehouden, eentje die twee uur te laat was gekomen vanwege een cricketwedstrijd en eentje die me wijsmaakte dat mijn e-mails door de bliksem waren getroffen.

'Er is naar je gevraagd,' zei ze tegen me, 'door een heel geschikte jongeman. Hij heeft ook in Oxford gestudeerd en heeft nu een goede baan in het financiële centrum van Londen. Hij komt uit een heel goede familie en ik weet nog dat zijn vader erg aantrekkelijk was in zijn jonge jaren. Zijn moeder is ook beeldschoon, dus hij moet wel behoorlijk knap zijn. Ik heb gehoord dat hij nooit zo gelovig was, maar dat hij steeds meer geïnteresseerd raakt in de islam; hij zegt dat hij met iemand wil trouwen die ook religieus is.'

'Dat klinkt allemaal veelbelovend,' reageerde ik. 'Zullen we maar een afspraak maken dan? Het klinkt beter dan alle verzoeken die we de afgelopen tijd hebben gehad.'

Mijn moeder keek me bemoedigend maar fronsend aan.

'Wat nu weer?' vroeg ik aarzelend. Nadat ik vol optimisme en hoop aan ontelbare kennismakingsbezoeken en afspraken was begonnen, had ik eindelijk geleerd om het 'addertje onder het gras' meteen te doorzien. De eerste keer dat ik dit deed, had ik nog geprobeerd het te negeren en positief te blijven. Maar nu ik meer 'islamitische dates' achter de rug had en steeds minder fantaseerde over de Prins met een hoofdletter, had ik besloten de realiteit maar liever meteen te accepteren: er was altijd iets mis. En trouwens, daar ging het ook om bij deze gearrangeerde afspraken en kennismakingsgesprekken: dat je je verstand zou gebruiken om te kijken of de emoties die iemand bij je opwekte wel klopten met de werkelijkheid.

'Hij wil geen vrouw die een hijaab draagt,' vervolgde ze. Deze had ik al eerder gehoord. En daar was een simpele oplossing voor: hij moest alleen afspreken met vrouwen die geen hijaab droegen. Dat leek me duidelijk de volgende stap voor hem. Dat zei ik ook tegen mijn moeder.

'Misschien moet je hem toch eens spreken, hij is alles wat je nodig hebt. Hij is intelligent en intellectueel, hij kijkt vooruit in het leven, hij is actief en sociaal en zijn familie is heel open en gemakkelijk. Allemaal dingen die je tot dusver niet hebt kunnen vinden,' adviseerde ze.

Dat had ze goed gezien. Ik *had* inderdaad moeite deze eigenschappen bij iemand te vinden. Ik zuchtte: 'Wat stel je voor?' We hadden dit al eerder meegemaakt, dat ik werd voorgesteld aan mannen die uitdrukkelijk hadden gezegd dat ze een vrouw zochten zonder hijaab, in de hoop dat ze, als ze mij eenmaal zagen, overrompeld zouden worden door mijn knappe uiterlijk, mijn charmes en mijn ontwapenende persoonlijkheid. En dat ze, verblind door mijn stralende persoontje, onmiddellijk 'ja' zouden zeggen. Ze zeiden altijd 'nee'.

'*Ik* stel helemaal niets voor,' zei mijn moeder, met de nadruk op ik. 'Het is gewoon dat je Tante me heeft gevraagd om dit aan je voor te leggen. Ik moet je de mogelijkheid geven om zelf een beslissing te nemen.'

'Ik wil liever niet weer een man ontmoeten die mijn uiterlijk op een schaal van 1 tot 10 beoordeelt en dan besluit of ik knap genoeg ben om mee te pronken of die kijkt of mijn kleding wel trendy en stijlvol genoeg is als "tegenwicht" voor mijn hijaab.'

Stel je voor: de Tantes hadden aangeraden dat ik mijn hoofddoek misschien beter een keer thuis zou kunnen laten. Maar om hem *niet* te mogen dragen, dat was pas dwang!

'Tante zegt dat hij het niet erg vindt dat je op lange termijn een hijaab draagt, sterker nog, hij zal waarschijnlijk willen dat je hem draagt. Hij zegt dat hij het prettig vindt dat je bent geïnteresseerd in religie en denkt dat hij veel van je kan leren.'

'Dan begrijp ik niet wat het probleem is.'

'Voor hij zover is, vraagt hij of je tijdelijk... je hijaab wilt afdoen...'

Mijn ogen vielen uit mijn oogkassen, stuiterden tegen de muur en rolden toen over de vloer. Ik pakte ze op, stopte ze terug en liet haar uitpraten.

'...voor een jaar of zo,' vervolgde ze haar zin.

'Wauw.' Ik was stomverbaasd. Was dit een hoffelijk compromis van de kant van de Prins?

'Oké, begrijp ik het goed: hij wil dat ik een jaar lang stop met iets, waarvan hij vindt dat het waarschijnlijk wel zo hoort? En waarvan hij erkent dat het deel uitmaakt van ons geloof?'

'Ja.'

Nou zeg, een waar mysterie. En het meest onbegrijpelijke was nog wel dat hij dit eerst met zijn ouders overlegd moest hebben en toen met de Tante, en dat zij allemaal vonden dat dit een redelijk voorstel was. Omdat de jongen zo nodig moest trouwen waren ze bereid om iemand te vragen iets *niet* te doen, waarvan ze allemaal vonden dat het *wel* zo hoorde. En dan deden ze net alsof ik, de arme, passieve jonge vrouw in kwestie star, onvriendelijk en niet erg begripvol was. Plus dat ik, in hun ogen, niet erg mijn best deed om de ideale status van getrouwde vrouw te bereiken als ik weigerde. Ik was best boos. Nee, ik was razend.

Ik had een keuze gemaakt wat mijn geloof betrof en de manier waarop ik wilde leven. Ik had hier diep over nagedacht en besloten wat de juiste koers voor mij was. Dus hoefde ik mijn geloof echt niet aan te passen om deze goed in de markt liggende, jonge 'adonis' te paaien. Dit pikte ik niet, ook al had hij nog zo'n superbaan. Hij dacht blijkbaar dat ik wilde trouwen ten koste van alles.

Natuurlijk wilde ik trouwen, maar het zou mijn geloof moeten verrijken, niet kapotmaken.

Ik had mijn eigen wereld veranderd en was bereid me schrap te zetten tegen de buitenwereld. Ik grijnsde naar mijn moeder. Waarop de bezorgde frons op haar gezicht eerst veranderde in een bescheiden, samenzweerderig lachje en toen in een brede, trotse grijns om de dochter die ze had grootgebracht. Ik had eindelijk geleerd om de dingen bij de naam te noemen. Zij wilde niet dat haar dochter – en ook zijzelf – zich zou laten betuttelen door een eeuwenoud gebruik, waarbij de familie van de jongen alle troeven in handen hield en allerlei onbegrijpelijke eisen kon stellen. Zelfs al wisten ze dat die tegen alle regels van het geloof indruisten.

Ik gaf de schuld aan de poortwachters: de schoonmoeders, de Tantes, de koppelaarsters. Zij moesten de heiligheid van het huwelijk hooghouden. Zij hadden de meisjes verteld dat ze verder moesten kijken dan oppervlakkige verliefdheid, dat de liefde met de tijd zou groeien, dat je in het huwelijk meer moest geven dan nemen. Zij hielden ons voor dat we gelovig moesten zijn en ons geloof moesten koesteren. En ineens moedigden ze jongemannen aan om moslimvrouwen te vragen hun geloof te verstoppen, als ze maar konden trouwen.

'Als ze echt willen dat ik mijn hijaab niet meer draag, terwijl ze wel vinden dat het zo hoort voor een moslimvrouw, dan moet je maar doorgeven dat ik mijn hoofddoek met alle plezier afdoe als zij het ook prima vinden dat ik een jaar lang stop met bidden en niet ga vasten tijdens de ramadan.'

ZEVEN

☆☆☆

Liefde

Uit één ziel, in paren geschapen

Tegen het eind van de zomer zou ik met vriendinnen een rondreis door Jordanië en Egypte maken. Ik had er veel zin in. Egypte lag precies tussen Arabië en Noord-Afrika, in het hart van de moslimrijken die daar al eeuwen heersten. Ik kon niet wachten tot ik de gebouwen kon bewonderen en over de beroemde, bruisende bazaars kon slenteren. De geschiedenis hier voerde terug naar de grote beschaving van het Oude Egypte, waar ook de Bijbel- en Koranverhalen over Jozef en Mozes speelden. Als kind al wilde ik de piramides zien en over het zand lopen dat daar ook al lag toen de farao's regeerden, El-Alamein werd gesticht en het Suezkanaal werd aangelegd. Ik wilde niet alleen de geschiedenis verkennen, maar ook de prachtige natuur: ik wilde door die schitterende, onherbergzame woestijn trekken en bij zonsondergang een boottocht maken op de Nijl, de slagader van dit geweldige land. Door de Nijl voelde ik me verbonden met Egypte, want die rivier ontspringt in het grensgebied met Tanzania, het vaderland van mijn ouders. De keren dat ik tijdens mijn reizen naar Oost-Afrika uit het raam van het vliegtuig had gekeken, had ik met eigen ogen gezien hoe de rivier, die als een dikke, groene slang door het landschap slingerde, de woestijn veranderde.

We brachten een aantal dagen door in Cairo, de hoofdstad van Egypte. Ondanks de ongelofelijke wervelwind van bedrijvigheid in de stad en de majestueuze Nijl die door het centrum stroomt, was er één ding dat ons telkens weer overviel: het aantal huwelijksaanzoeken dat we kregen. Aan het eind van de dag wisselden we ervaringen uit. Zo kregen we verschillende aanzoeken van taxichauffeurs; tijdens de taxirit legden zij uit wat ze allemaal te bieden hadden. Dan nog twee van winkeliers en een handjevol aanzoeken van paardenbezitters, die ons op hun paarden langs de vele monumenten voerden.

Sulaiman was eigenaar van een bedrijf met paarden en gidsen, dat toeristen op excursie meenam langs de piramides. We huurden alle vier een paard en Sulaiman koos ervoor om mijn paard te begeleiden. Ik had nog nooit op een paard gezeten en vroeg me af wat de risico's waren als het paard op hol zou slaan. Sulaiman lachte om mijn nerveuze, stadse gedrag en gniffelde om die onnozele vrouwelijke toeristen die niet eens wisten hoe ze een paard moesten berijden. De hoeven klepperden ritmisch door het zand en de stipjes in de verte veranderden langzaam maar zeker in torenhoge piramides. We reden om de piramides en de drommen toeristen heen, terwijl de zon geleidelijk onderging. De felrode strepen in de lucht weerspiegelden in het zand.

We stopten vlak bij de piramides en wachtten op de zonsondergang, terwijl we het eeuwenoude uitzicht bewonderden. Sulaiman vervulde zijn taak als gids uitstekend, want hij gaf ons ruimschoots de kans om alle moois te bekijken.

We kletsten over de toeristen, zijn leven in Cairo, zijn werk, en Londen. En toen, heel abrupt en zonder aanleiding, keek hij me recht in de ogen en zei: 'Je bent beeldschoon.'

'Dank je,' mompelde ik, waarna ik stilviel. Ik wiebelde vervaarlijk in het zadel toen het paard ineens zijn hoofd wegdraaide om wat te drinken uit een plas.

'Ik heb een bloeiend bedrijf,' vervolgde hij. 'Veel paarden.'

'Goed, zeg,' reageerde ik neutraal, enigszins bezorgd over de wending die het gesprek opeens nam.

'En ook veel kamelen.'

'Dat is mooi,' zei ik weinig enthousiast en ik bleef strak naar de piramides staren.

Sulaiman slenterde weg, kwam even later terug met een ander paard en besteeg het dier. Hij was in het nadeel geweest toen hij nog op de grond stond, maar nu zat hij op ooghoogte met mij, nadrukkelijk gescheiden door twee goed getrainde paarden.

'Is dit niet fantastisch?' Hij zweeg even en keek toen naar mij. 'Zou ieder mens dit koninkrijk niet elke dag willen verkennen?'

Ik dacht erover na: een leven ver weg van het regenachtige Londen, de dagelijkse reis in de vieze, overvolle trein die leidde naar een duffe kantoorbaan, die weer zou leiden tot meer gereis naar andere kantoren terwijl het leven voorbijging. Dat het altijd zo was geweest, betekende niet dat het altijd zo moest blijven. Waarom zou ik wachten tot ik gerimpeld en verschrompeld was om vakantie te vieren in een heerlijk warm klimaat? Ik kon alle gepieker opzijzetten en nu al gewoon gaan genieten. Maar ik stelde mezelf al dagelijks moeilijke vragen over wat ik eigenlijk in een man zocht. En ik moest ook blijven nadenken over de manier waarop ik mijn leven wilde leiden.

'Ik heb 20.000 kamelen.'

Ik wees op mijn ring, hoewel die aan de verkeerde hand zat, en liet hem de conclusie trekken dat ik getrouwd was of op zijn minst verloofd.

Als ik had geweten dat elke kameel zo'n duizend euro waard was, had ik misschien ja gezegd, of toch niet? Ik had toch niet al die jaren gezocht naar iemand die mijn hand zou vasthouden op mijn levenspad, om dat ineens op te geven voor een vreemdeling met een grote zak geld?

Ik sloeg het aanbod snel af: er waren te veel hindernissen. Ik zou in een nieuw land, een nieuwe cultuur moeten wonen met een man die ik amper een uur kende. Ik zag de risico's wel van vastzitten op een nieuwe plek met allemaal nieuwe mensen om me heen. En bovendien: was hij wel echt zo rijk en waren zijn bedoelingen wel echt oprecht? Ik had al te veel gruwelverhalen gehoord.

In de papyruswinkel bewonderde ik alle mogelijke soorten souvenirs die waren gemaakt van een van de bekendste symbolen van het Oude Egypte: papyrusriet. Het prachtig beschilderde papier was ideaal om als cadeautje mee te nemen: licht, klein en goedkoop. Ik stond een tijdje alleen door de schilderijtjes te bladeren, maar dat duurde niet lang. Een medewerker van de winkel kwam me helpen en sprak me zonder aarzeling en volkomen openhartig aan.

'Je bent beeldschoon.'

Daar gaan we weer, dacht ik. Ik bleef naar de papyrus staren.

'De mannen in het land waar jij vandaan komt, moeten wel blind zijn dat ze niet zien hoe prachtig je bent.'

Ik zweeg en staarde naar een traditioneel schilderij van de levensboom.

'Ik zou je beschermen, voor je zorgen. Ik zou je laten zien hoe een vrouw als jij gewaardeerd zou moeten worden. Je zou een man moeten hebben die jou het allerbelangrijkste in zijn leven vindt. Ik zou je niet alleen laten rondreizen. Ik zou je koffers dragen en voor je zorgen, waar je ook heen gaat.'

Het was een fraaie, roerende toespraak. Ik glimlachte, opende mijn mond een paar keer maar kon de juiste woorden niet vinden. Hoe moest je reageren op zo'n emotionele ontboezeming?

Wat bezielde die mannen om ons zo direct te benaderen? Misschien redeneerden ze dat als ze maar genoeg vrouwen vroegen er uiteindelijk wel eentje zou toestemmen. Of waren we een gemakkelijk doelwit en probeerden ze door hun vleiende woorden meer aan ons te verdienen? Misschien waren we een soort vermaak voor hen, terwijl ze onderling in een deuk lagen om die onnozele vrouwelijke toeristen.

Wat zou er gebeurd zijn als een van ons 'ja' had gezegd? Zou hij met haar zijn getrouwd en was zij dan in Egypte achtergebleven? Of zou het pasgetrouwde stel naar Londen zijn verhuisd? We waren sceptisch: we dachten dat ze onze paspoorten aantrekkelijker vonden dan ons. Op die manier werd de liefde een gokspelletje, besloten we.

Wie weet was het een onderdeel van de toeristische dienstverlening. Wij klaagden over de ongevraagde aandacht, maar waren er misschien vrouwelijke bezoekers die de complimenten en de vleiende woorden wel prettig vonden? Ik had nog nooit zo vaak te horen gekregen dat ik mooi was. Ik had nog nooit zoveel aanzoeken gehad. Deze mannen versterkten ons zelfvertrouwen: jazeker, wij waren begeerlijke vrouwen met status! Hun complimenten stegen ons naar het hoofd en zo kwam er een stuitende waarheid aan het licht: wij vonden onszelf op een of andere manier geweldig, omdat we uit het Westen kwamen.

Soms vroeg ik me af of ik te cynisch was geweest over hun plannetjes. Zagen we hen wel als echte mensen? Wat ging er echt schuil achter hun vrolijke geplaag? Ik zette een punt achter het geflirt en vroeg hen ronduit naar hun leven, van mens tot mens. Ze waren verrast dat ik daarin geïnteresseerd was. De mannen praatten emotioneel over hun manier van leven, over de strijd om brood op de plank te krijgen, over hun families en hun ambities. Ze vertelden enthousiast hoeveel ze van hun land hielden en hoe graag ze het leven hier wilden verbeteren.

De winkelmedewerker bleef tegen me praten. 'Ik ben ook

moslim, en ik ben op zoek naar een vrouw die ook echt praktiserend moslim is. Als jij in Londen woont en toch een hijaab draagt, moet je wel heel sterk zijn. Het is vast niet gemakkelijk voor je.'

Ik draaide me om en keek hem aan. De toon van ons gesprek was veranderd en opeens waren we twee mensen die dezelfde reis maakten, die van elkaar leerden. Ik was niet langer zijn prooi. Nee, hij nodigde me uit om een brug te slaan en met hem te praten over een onderwerp dat me na aan het hart lag: mijn geloof. Dat was de kracht van de *oemma*, een gevoel dat alle moslims binnen de islam verbond. De oemma is een basisidee waarin alle moslims geloven. Het betekent dat je hoort bij een grote, wereldwijde groep mensen die in hetzelfde geloven. Natuurlijk hebben ieder mens en ieder volk binnen de oemma zo zijn eigen opvattingen en cultuur, maar het geeft de mensen eenheid en het gevoel erbij te horen. We hebben dingen gemeen: de reis naar God en de wil om de wereld te verbeteren. De oemma stamt uit de begintijd van de islam, veertien eeuwen geleden, en was eigenlijk de eerste wereldwijde gemeenschap, nog vóór begrippen als 'globalisering' en het 'mondiale dorp' waren uitgevonden. Net als in een grote familie is elk lid van de oemma waardevol en voel je zijn geluk en zijn verdriet. Daarom zijn moslims zo betrokken bij de ervaringen en moeilijkheden van moslims elders in de wereld. Iedere moslim is voor ons een soort familielid, waar hij of zij ook op de wereld woont.

Ik glimlachte en zei: 'Weet je dat er bijna twee miljoen moslims in Groot-Brittannië wonen? We hebben geluk, ik kan mijn hijaab gewoon naar de universiteit en naar mijn werk dragen. We kunnen bidden en vasten. We hebben onze eigen moskeeën.'

'Echt waar?' Hij was verbaasd en ontroerd. 'Ik wilde dat we dat soort vrijheid hier ook hadden. Wij moeten oppassen met wat we zeggen. Je komt zo in de problemen, vooral als je te religieus bent.'

Die verhalen had ik ook in andere moslimlanden gehoord. In Syrië spraken mensen zelden met vreemden over politiek. In Tunesië probeerde de regering de ramadan te verbieden. De Tunesiërs die we tegenkwamen, vertelden ons hoe vreemd het was om hoogopgeleide vrouwen met een hoofddoek te zien, omdat dat bij hen op de universiteit niet mocht. De mannen fluisterden zelfs dat als ze op vrijdag naar de moskee gingen om te bidden, ze het risico liepen om in de gevangenis te belanden. In Saoedi-Arabië ontmoette ik een vrouw die me huilend vertelde hoe moeilijk het voor haar was en hoe graag ze dezelfde vrijheid als ik zou hebben om het geloof te belijden. Ik zou de situatie van deze mensen ontzettend graag helpen verbeteren.

Honderd jaar geleden woonden de meeste moslims in relatief afgebakende gebieden in de wereld. Na de koloniale tijd en ook door het internationale verkeer, de migraties en de intensievere wereldwijde handel, trokken moslims naar alle delen van de wereld. Mijn eigen familie was daar een goed voorbeeld van. Hoe hard moslims werkten in de diverse landen waar ze woonden, dat wisten de mensen die in het 'oude land' bleven niet. Vaak zijn ze blij verrast door de wereldwijde spreiding van geloofsgenoten.

'*Inshallah*, ik ga dit jaar op hadj,' vertelde de winkelbediende me. Hij straalde helemaal. De hadj is iets waar elke moslim naar uitkijkt, de reis naar Mekka die elke moslim minstens eens in zijn leven moet maken. Ik wilde ook gaan en het wonder, dat het leven van zoveel mensen verandert, zelf ervaren.

'Ik bid voor je dat je zult gaan en veilig terug zult keren,' zei ik tegen hem. Gebeden waren het mooiste geschenk dat ik hem kon bieden. We kregen altijd te horen dat, als we iets wilden, we voor anderen moesten bidden zodat hun wensen uitkwamen; in ruil daarvoor zouden onze eigen wensen ook uitkomen. 'En ik zal bidden dat je een mooie, geweldige vrouw vindt.'

'Dank je, zuster, ik zal bidden dat jij ook op hadj kunt gaan. En ik zal bidden dat je een heel goede man vindt,' reageerde hij. Ik was ontroerd door zijn spontane gebed voor mij om op hadj te kunnen gaan. Doordat hij 'zuster' zei merkte ik dat hij het meende en respect voor me had. Het gaf me een veilig en warm gevoel.

Hier in Cairo begin ik me af te vragen of alle moeite en energie die we hadden gebruikt om die fantastische, perfecte echtgenoot te vinden misschien zonde van de tijd was. Misschien was de liefde eigenlijk veel alledaagser dan de sprookjesachtige ideeën die ik had. Die lange, romantische jacht op de perfecte, maar onbereikbare liefde: wie had daar nu tijd voor? Zoals de imam zei: 'De liefde komt na het huwelijk. Je leert de betekenis van de liefde pas echt kennen nadat je de verplichting bent aangegaan.'

Stel dat dat zo is, dan moeten we ons niet zo druk maken om de jacht op een partner, maar om het werken aan die relatie. Minder zoeken en vragen, meer doen om je relatie levendig te houden. Plus het bij elkaar brengen van de twee families en ervoor zorgen dat het huwelijk een hoeksteen van de samenleving is. Als je zo denkt zou een aanzoek gemakkelijk, snel en eerlijk kunnen verlopen, zoals ik in Egypte had meegemaakt. En je hoeft je niet te schamen voor een afwijzing, omdat je gewoon je doel – trouwen – probeert te bereiken. En dat is dan niet het einde, maar slechts het begin van een echt liefdesverhaal.

Door al mijn ontmoetingen had ik moeten weten dat je liefde vindt in de gewoonste mensen en plaatsen. Ook al vond ik mijn man hier niet, de liefde woonde hier evengoed ook, zoals die paste bij de mensen en de maatschappij hier. De liefde kan zich soms verstoppen in de smalle steegjes van de soek. Waar hij ook opbloeit, de liefde hoort bij de mensen. Liefde is de vonk waar je warm van wordt en de liefde zorgt dat mensen het leven volhouden.

Zodra we de grens met Jordanië waren overgestoken, reisden we naar de stad Petra, het mysterieuze decor van de speelfilm *Indiana Jones and the Raiders of the Lost Ark*.

Was Indiana Jones maar bij ons, verzuchtte ik. Ik was al jaren verkikkerd op hem, met zijn scherpe, mannelijke gezicht en zijn onverschrokken ridderlijkheid. Wie zou niet vallen voor die intelligente professor geschiedenis en archeologie, die vanaf de jaren dertig een dubbelleven leidde als wilde avonturier?

Petra lag al duizenden jaren op een kruispunt van handelsroutes en werd sinds de prehistorie bewoond. Ik stelde me de stad voor als een bruisende handelsplaats waar kooplieden met zijde en specerijen op en neer reisden tussen landen als China, India, Arabië, Egypte, Griekenland en de stad Rome.

Om de 'roze stad' Petra te bereiken, trokken we langzaam door de Siq, een donkere, nauwe bergkloof van anderhalve kilometer die op sommige plekken niet meer dan drie à vier meter breed is. De terracottakleurige rotswanden torenden griezelig hoog boven ons uit en er viel maar een dunne streep licht in de kloof, waar wij zwetend het smalle pad afliepen. Hoewel we die ochtend al om halfzeven aan de wandeling waren begonnen, was de hitte bijna ondraaglijk. Het pad dat we volgden werd steeds nauwer en de dieporanje zandsteenwanden aan weerszijden steeds hoger. Uiteindelijk werd de kloof breder en ineens stonden we voor de ingang.

Het was zeven uur en we keken om ons heen naar wat veel weg had van een bedrijvig dorp. Er waren kleine cafeetjes en talloze plaatselijke bewoners die al om de vele toeristen heen krioelden. Grote zonneschermen zorgden voor schaduw boven de lage tafels en stoelen, die speciaal voor de bezoekers op traditioneel Arabische wijze waren opgesteld. Op dit moment waren de terrassen nog leeg, omdat alle bezoekers de historische resten van Petra aan het verkennen waren. Later op de middag, tegen het vallen van de schemering, zouden de terrassen vollopen met uitgehongerde toeristen. Wij lieten de cafeetjes ook links liggen. De bewoners die er werkten, knikten ons toe.

Daar waar de kloof uitliep in een brede arena, vielen onze monden open. Voor ons stond een reusachtig gebouw van ongeveer veertig meter hoog, voor de helft gebouwd en voor de andere helft uit rotsen gehouwen. Daarachter zagen we complete huizen en andere bouwsels die uit de berg waren gehakt en na duizenden jaren nog tot in detail bewaard waren gebleven. De zandsteenrotsen waren perfect uitgehakt, en volgens natuurlijke lijnen, zodat het leek alsof de kamers er al waren vanaf het ontstaan van de rotswanden. Wat fantastisch dat er ooit een mens voor deze ruige, gigantische bergen had gestaan die zo creatief was geweest om er een huis, een tempel, een grafkelder, ja zelfs een compleet dorp van te maken.

De Koran noemt een plaats, waarvan gezegd wordt dat het Petra is, de woonplaats van het Thamudvolk. Er staat dat 'Ze huizen uit de bergen hakten, waar ze zich veilig voelden...' Wie zou zich niet veilig voelen, genesteld in deze vallei en beschermd door deze enorme rotswanden? Het volk stond bekend om zijn vaardigheid in het steenhouwen, maar de Koran zegt dat de Thamud het leven luchtig opnamen en godsdienst niet zo belangrijk vonden. Ze hadden succes met hun sluwe geldhandel, waarbij ze anderen vaak bedrogen. Ze waren trots op wat ze hadden bereikt, zowel op financieel als architectonisch gebied, en dachten dat hun succes niet kapot kon.

In de Koran staat een verhaal met een wijze les, namelijk dat er een eind komt aan voorspoed als je arrogant bent en foute dingen doet. De Thamud troggelden mensen hun geld af. De Koran moedigt mensen aan om te reizen en de resten van beschavingen, zoals die in Petra, te bekijken. En hoewel de Koran misschien beschrijft wat er is gebeurd in Petra, is het heel anders als je die overweldigende roze stad met eigen ogen bekijkt. Terwijl ik rondslenterde en de bouwwerken in me opnam, werd het me ineens duidelijk: zelfs grootse rijken gaan ten onder aan corruptie. Geen wonder dat de Koran mensen aanmoedigt om historische monumenten te bezoeken. De aanblik is onvergetelijk.

Petra komt voor in een van de vele verhalen over de opkomst en ondergang van een rijk waarin de mensen reusachtige gebouwen neerzetten en zichzelf als onoverwinnelijk zien. De farao was ook zo iemand, een man die duizenden onschuldige baby's vermoordde. Hij noemde zichzelf een god en wilde een trap bouwen tot in de hemel, zodat hij God kon vermoorden. Maar als het om de verhalen over de farao ging, was ik meer geïnteresseerd in zijn vrouw Aasiya. Dat was pas een vrouw.

Sinds ons bezoek aan Egypte had ik vaak aan haar gedacht. Ze was de mooiste en slimste echtgenote van de farao, en ze was dan ook zijn favoriet. Egypte was een grote beschaving en als koningin van dat rijk was ze in die dagen een van de machtigste vrouwen ter wereld. Ze had alle luxe en alle mogelijke status die ze zich kon wensen; de wereld lag aan haar voeten. Aasiya had nergens gebrek aan: ze was de koningin van Egypte.

Ik bewonderde Aasiya omdat ze verder keek dan de rijkdom en macht om haar heen. Hoewel ze de lievelingsvrouw van de farao was, wist ze dat hij een tiran en een moordenaar was. Ze wist dat hij zich niets aantrok van gerechtigheid of gelijkheid, en onschuldige mensen vermoordde. De farao zei dat hij God was, maar zij accepteerde dat niet. Hij was woest: hoe durfde ze hem ongehoorzaam te zijn! Maar zij volgde haar hart en geloofde niet blindelings wat haar echtgenoot haar voorhield. Ze koos ervoor om te geloven in een Schepper en Liefhebbende, Eén God. Ze geloofde dat dit Goddelijke Wezen gelijkstond aan de Waarheid en dat ze waarheid, rechtvaardigheid, gelijkheid, en respect zo goed als ze kon moest verdedigen. Ze ging naar de farao toe en wees hem op zijn slechte gedrag.

Ze bad en vroeg om de hulp van God, die overal is: *ik zou graag dicht bij u in de hemel zijn.*

Hoewel de farao veel van haar hield, liet hij haar executeren, omdat zij hem tartte met haar geloof in Eén God en de farao zelf niet als een godheid zag. Ze moest van hem gewoon genieten van het feit dat ze koningin was en zich niet druk maken over hoe hij het land regeerde. De farao smeekte haar om van gedachten te veranderen, maar zij weigerde. Wat voor echtgenote zou ze zijn als ze haar man niet zou wijzen op zijn gruweldaden? Wat voor vrouw was ze als ze zichzelf niet wilde opofferen voor waarheid en gerechtigheid?

Terwijl ik bewonderend naar de reusachtige gebouwen om me heen staarde, groeide mijn respect voor Aasiya. Ze was koningin van heel Egypte, koningin van de piramides. Ze had alles kunnen krijgen wat haar hart begeerde. Maar ze koos ervoor de machtigste man van haar tijd te trotseren en haar liefde, leven en status op te offeren voor de mensheid.

We liepen van de ene ontzagwekkende spelonkachtige ruimte naar de andere en keken vol verbazing naar de tempels, de graftombes, de baden en de woonvertrekken. Plichtsgetrouw vinkten we ze af op het lijstje in onze reisgids. We vergaapten ons aan de unieke kunstzinnige pracht van iedere plek tot de zon onderging, de hitte afnam en de schaduwen langer werden.

De lampen in de cafeetjes gingen aan en fonkelden romantisch in de schemering. We gingen zo op in ons gelach, in het bewonderen van de omgeving en de geweldige ervaring dat we niet beseften hoe snel de avond inviel. Tegen de tijd dat we de uitgang bereikten was het ineens donker. De mannen van het dorp hadden zich in de cafeetjes verzameld om te ontspannen na een dag hard werken. Zodra alle bezoekers waren vertrokken, lieten ze zichzelf pas echt gaan en veranderde de sfeer. Je ving een glimp op van het normale dorpsleven dat niet te vergelijken was met de Disneyachtige vertoning die ze opvoerden voor de toeristen. We bleven nog wat rondhangen en praatten met hen, terwijl we iets fris dronken.

'Om deze tijd kom je Petra niet meer uit,' hielden ze ons voor. 'Je kunt hier overnachten als je wilt en dan morgenvroeg vertrekken.'

Toeristen mochten niet in Petra overnachten. Dat wisten de plaatselijke bewoners heel goed. Maar door hun uitnodiging zouden we iets unieks meemaken. Een met maanlicht overgoten nacht in Petra dat klonk wel heel avontuurlijk en romantisch!

'Probeer deze hartige hapjes eens,' zeiden ze. 'Willen jullie soms een kopje thee?'

We schudden ons hoofd, terwijl we druk overlegden of we zouden ingaan op dit spannende, eenmalige aanbod. Het zou niet alleen een unieke ervaring zijn, het zou ons ook de moeite besparen om op dit tijdstip van de dag nog vervoer te vinden naar onze volgende bestemming. Petra was te ver van een grote stad om een taxi of een bus te kunnen nemen.

We waren met z'n vieren en fluisterden koortsachtig wat we zouden doen. We spraken zachtjes vanwege de privacy, maar medewerkers in de toeristensector zijn opmerkelijk scherp en lijken gesprekken in alle talen te kunnen volgen, zelfs al wordt er gefluisterd of gemompeld. Hun gezichten veranderden van uitdrukking, elke keer als we de voordelen van blijven van een andere kant bekeken. We draaiden ons ineens alle vier naar hen om en zeiden: 'Oké!'

De mannen keken ons verbaasd aan. We droegen alle vier een hoofddoek, dus het was overduidelijk dat we moslims waren. En we hadden er zojuist mee ingestemd in Petra te overnachten. Ze begonnen breeduit te glimlachen en likten hun lippen.

'Juist, ja,' zeiden ze grijnzend, 'vanavond zullen we ons in elk geval vermaken.' Waarop ze in lachen uitbarstten.

Op dat moment wisten we wat ons te doen stond. We wilden misschien avontuurlijk, onafhankelijk en moedig zijn, we waren niet zo dom om onze veiligheid in gevaar te brengen. We keken elkaar nog eens aan en wendden ons opnieuw tot de mannen. 'Nou nee, bedankt!' riepen we in koor, waarop we ons omdraaiden, de poort uit liepen en de heuvel op renden.

De volgende ochtend klommen we in de laadbak van een pick-up voor een rondrit door de woestijn van Jordanië. We zaten in de openlucht, onder een steeds feller brandende zon. Sara en ik zaten tegenover twee Engelse jongens en een Frans meisje. De twee bleek ogende jongens waren net begonnen aan hun pan-Arabische rondreis. Ze droegen honkbalpetjes, ruimvallende T-shirts en wijde broeken om hun nog ongebruinde huid te beschermen. Het Franse meisje was ongeveer zo oud als wij, droeg een korte broek en een laag uitgesneden hempje. Sara en ik droegen, zoals gebruikelijk, een linnen broek, T-shirts met lange mouwen en een witte sjaal. Er werd niet veel gepraat tijdens de hobbelige rit door de woestijn, waar de pick-up om de zoveel tijd even stopte zodat we de bizarre rotsformaties konden bekijken. We namen heel veel foto's en slaakten kreten van bewondering bij het zien van die ongelofelijk vreemde vormen midden in de duinen in een eindeloze zee van zand.

Uiteindelijk zei Anne, het Franse meisje, iets. 'Is het niet warm met die sjaal om je hoofd?'

'Het is slimmer om er in deze hitte eentje te dragen, anders loop je misschien een zonnesteek op,' zei Sara, die wees op de twee jongens met hun honkbalpetten.

'Maar er is hier niemand die je dwingt om een sjaal te dragen,' vervolgde Anne.

'Maar niemand dwingt ons ertoe,' reageerde ik. 'Het is onze eigen keuze.'

Anne raakte geïrriteerd. Zelf kiezen was in haar ogen niets voor een moslimvrouw. 'Jullie moslims gedragen je altijd als een stelletje proselieten.'

Ik had het woord nog nooit van mijn leven gehoord, maar gelukkig sprong Sara bij. 'We vragen anderen toch niet om een hoofddoek om te doen.' En ze herhaalde: 'Wij kiezen er zelf voor om een hoofddoek te dragen.'

Zowel Sara als ik moest op onze tong bijten. Het leek zinloos om met Anne in discussie te gaan. Maar in een land waar het dragen van bescheiden kleding onderdeel was van de cultuur en waar bedekkende kleding domweg nodig was om jezelf tegen de hitte te beschermen, trokken 'blote' kleren gegarandeerd de aandacht.

'Jullie zijn gewoon achterlijk, jullie leven nog in de middeleeuwen en hebben de religie van onwetende Arabieren overgenomen. Je zou een opleiding moeten volgen en moderne normen en waarden moeten aannemen, zoals we die in Europa hebben ontwikkeld.'

Ik glimlachte om wat ze eruit gooide, onder de indruk door de snelheid waarmee ze ter zake kwam. Zij verborg haar ware, kwaadaardige gevoelens in elk geval niet.

'Sara,' zei ik en ik draaide me naar haar toe, 'volgens mij heb jij de "Europese Verlichting" bestudeerd toen je in Oxford studeerde. Had je niet het hoogste cijfer voor je essay over de rationalistische denkers?'

Sara zette het gesprek voort in perfect Frans en ik volgde haar voorbeeld. 'Ik ben geen Arabische, Shelina, jij wel?' vroeg ze plagend.

Ik ging verder in een bekakt Engels accent: 'Ik ben Europese, jij niet dan, Sara? Ik ben geboren in Londen en woon daar al mijn hele leven.' Ik zweeg even. 'Behalve dan toen ik in Oxford studeerde.' Ik had die informatie bewust verzwegen voor huwelijkskandidaten, omdat ik niet wilde dat ze me daarop beoordeelden, maar nu maakte ik er juist gebruik van.

Maar Anne liet zich niet zo gemakkelijk uit het veld slaan. 'Jullie moslimvrouwen worden onderdrukt, worden gedwongen om die kleren te dragen en mogen je niet uiten. Je moet thuis zitten, terwijl de mannen alles regelen.'

Ik haalde mijn mobieltje tevoorschijn. 'Sara, wil jij alsjeblieft je man even bellen... o nee, dat kan niet, je hebt geen man. Laten we de mijne bellen. O! Ik heb er ook geen.'

'Laten we je vader bellen,' reageerde ze. Ze hield de telefoon tegen haar oor. 'Spreek ik met de vader van Shelina? Ja, ja. Ik wilde het even zeker weten. Ze wordt onderdrukt, toch? Ja, ja, ik begrijp het. U hebt haar gedwongen om in haar eentje op reis te gaan om haar duidelijk te maken hoe onderdrukt en onderworpen ze is. Ja, ja, dat lijkt me logisch. En ja, natuurlijk stond u erop dat ze zelfstandig zou reizen.'

Mijn onzekerheden staken op dit soort momenten altijd de kop op. Ik kookte van woede onder de verzengende zon. Hoe durfde ze te beweren dat we onderdrukt werden: we waren opgeleid aan een van de beste universiteiten in de wereld, we spraken samen waarschijnlijk wel tien talen, hadden veel literatuur uit verschillende culturen en landen gelezen en bovendien veel gereisd. En we zaten hier toch pal tegenover Anne, terwijl we onbegeleid door het Midden-Oosten reisden, helemaal uit eigen vrije wil? Kon iemand ons dan onderdrukt noemen? Ze keek naar ons alsof we eendenpoep waren. 'Jullie denken alleen maar dat je vrij bent, maar ze hebben jullie vrouwen totaal onder de duim. Houd jezelf toch niet voor de gek. Moslims zijn slecht en de islam is een geloof voor barbaren die mensen vermoorden als ze geen moslim willen worden.'

Iedere moslim zou tegen iemand als Anne kunnen zeggen: 'Moslims waren al bezig de wetten van de alchemie en de algebra te ontdekken en de basis te leggen voor de moderne wetenschap, de filosofie en de Europese Renaissance toen jouw voorouders nog steeds in de duistere middeleeuwen leefden en in lendendoeken rondliepen.' Maar die moeite namen we al niet meer. Ook zeiden we niet hoe absurd het was dat ze zo graag door het Midden-Oosten wilde reizen als ze dacht dat het haar niets kon bieden, dat er alleen maar barbaren woonden. Ze was duidelijk niet in de stemming om te luisteren.

Sara en ik vroegen ons af of mensen als Anne ooit echt zouden luisteren naar wat moslims zeiden, zelfs als die moslims in levenden lijve tegenover haar zaten en contact met haar wilden maken, of ze het nu eens zouden worden of niet. We ontdekten dat Anne nooit eerder een Europese moslim had ontmoet en dat haar ideeën helemaal gebaseerd waren op wat ze in de krant had gelezen en op tv had gezien.

Het was nooit in haar opgekomen dat wij ervoor *kozen* om moslim te zijn. Ja, we waren in een islamitisch gezin geboren. Nee, we zouden het antwoord op de vraag 'zou je moslim zijn geworden als je niet als moslim was geboren?' waarschijnlijk nooit weten. Zo'n vraag kan niemand ooit beantwoorden. We wisten in elk geval zeker dat we er bewust voor hadden gekozen om praktiserende moslims te zijn. Veel anderen die ook als moslim waren geboren hadden die keuze niet bewust gemaakt en zagen de islam alleen als een onderdeel van hun cultuur.

Maar wij hadden het gevoel dat onze vrije keuze voortkwam uit ons onderbewustzijn, waardoor we ook onszelf beter begrepen. We geloofden dat de islam eenvoudige antwoorden had op de grote levensvragen. Het begint met een heel simpele stelling: dat er geen god is. Niets. Behalve één goddelijke vonk. Sommigen noemen het Nirwana. Anderen noemen het Verlichting.

Sommigen noemden het de Waarheid of Gerechtigheid, Jahweh, God of Liefde. Voor moslims heeft het Goddelijke Wezen al deze namen, maar meestal zeggen wij Allah.

We maken allemaal de reis die ons bij het goddelijke in onszelf brengt. Dat betekent dat je een band hebt met de Schepper. Het betekent ook dat je de wereld moet verbeteren voor de mensen die er leven. Dus moet je vechten voor alles waar mensen naar verlangen: gelijkheid, gerechtigheid, liefde en vrede. We geloven dat de islam ons duidelijk de weg wijst om die grote doelen te bereiken. We hebben voor de islam gekozen, omdat die ons als mensen bevrijdt. We willen moslim zijn, omdat het voor ons de beste keus is.

In de woestijn van Jordanië had ook ooit Lawrence of Arabia zijn tenten opgeslagen. Door de grillige rotsformaties die we verspreid zagen in het verblindende, goudkleurige zand leek de zandvlakte griezelig en oneindig uitgestrekt. De hemel was onmetelijk. We brachten de warme nachten kamperend onder de fonkelende sterren, in de openlucht door. Ik zou graag willen opscheppen dat ik ervoor koos om in de buitenlucht te slapen, maar als stadsmeisje was dat niet echt mijn ding. Helaas waren alle bedden in de jeugdherberg al bezet. En dus werd het toch kamperen.

Ik legde me neer bij deze ontbering door te fantaseren dat ik een Arabische prinses was. Ik zag het al helemaal voor me: donkere, warrige lange haren, met zwarte kohl omrande ogen, verstopt achter de gordijnen van mijn zitplaats boven op een kameel. Ik lachte om het ouderwetse Europese plaatje van Arabische schoonheden en vond het nog grappiger dat mijn fantasie ermee was besmet. Een paar dagen lang ben ik prinses Jasmine, hield ik mezelf voor. Ik vroeg me af waar Aladdin zich schuilhield. Maar mijn prinsessenfantasie duurde maar kort.

'Zorg ervoor dat je jezelf goed bedekt,' waarschuwde de receptioniste, 'er vliegen daarbuiten hordes muggen rond.' Ze wees naar de donkere horizon, maar er was niets te zien. Ik kneep mijn ogen tot spleetjes en staarde verward in de aangewezen richting. Na een korte stilte van mijn kant stak ze van wal.

'*Habibti*, lieve schat, je slaapt er middenin, waar je ook ligt,' zei ze meewarig.

'Zorg gewoon dat er geen hinderlijke insecten bij je kunnen komen. En kies een plek waar niet zoveel stenen in de grond zitten, anders heb je morgen rugpijn.' Ze kromde haar rug en strekte haar armen uit om haar woorden te onderstrepen. 'Maak je geen zorgen, doe gewoon rustig aan. Je kunt hier in elk geval gratis slapen.'

Sara en ik grepen onze rugzakken en liepen de uitgestrekte open ruimte in. In de verte hoorde ik het ritme van een trommel. Boem, boem, doef, doef. We werden aangetrokken door het geluid en liepen erop af, in de ban van het stampende ritme dat onzichtbaar uit de duisternis opsteeg.

Sara viel bijna om van het lachen en wees op de reusachtige, lichtgevende rechthoek die ineens voor ons opdoemde. Hier, in de stille Arabische woestijn, waar we ons stadse leven vol licht, geluid en mensen bijna waren vergeten, dook plotseling een enorm filmscherm op waarop een populaire Bollywoodfilm werd vertoond. Ondanks de Arabische locatie waren alle liedjes en gesprekken in Hindi, met Arabische ondertiteling. Bij de dansnummers in de film bewogen de schouders en armen van de geboeide toeschouwers mee, net zoals die van de acteurs.

We liepen verder en vonden uiteindelijk een plekje in de buurt van de anderen die zich al hadden klaargemaakt voor de nacht. We haalden onze muskietennetten tevoorschijn en de handige lakens die we altijd bij ons hadden. Die waren geschikt als picknickkleed of om op, in of onder te slapen; we gebruikten ze als bidmat of om onszelf in te wikkelen als het koud werd; in noodgevallen dienden ze zelfs als handdoek. We maakten elk onze eigen cocon die ons moest beschermen tegen de besmettelijke vliegende beesten die dolgraag ons bloed wilden drinken. En toen, uitgeput van de dag, gingen we zwijgend liggen.

Maar ik deed mijn ogen niet dicht, ik hield ze open. Daar, in de prachtige saffierblauwe nacht, schitterde een caleidoscoop van sterren. Nooit in mijn leven had ik zoveel fonkelende sterren gezien die zo glorieus straalden, zonder voor elkaar onder te doen. Er was in de wijde omgeving geen stadslicht te bekennen en zelfs de dichtstbijzijnde stad was relatief klein: Amman, de hoofdstad van Jordanië. De maan stond anders dan ik gewend was. De Britse maansikkel staat schuin naar boven gekeerd. Hier hangt de maan als een zelfvoldane zilveren glimlach in de lucht, met zijn bijbehorende ster als een kattenneusje ernaast. De horizontale halve maan met ster is het symbool van de islam. Ze sieren talloze boeken, politieke bewegingen, vlaggen, websites, suikerfeestkaartjes en posters. Dat ik die halve maan en ster nu met mijn eigen ogen zag, was totaal nieuw voor mij.

Een uur lang lag ik alleen maar te staren. Staren en staren. De sterren stonden niet zo onregelmatig verspreid aan de hemel als in Londen, maar waren groot, compact, bijna voelbaar. Niet iets uit sprookjes of vervlogen dromen, maar hier en nu, een deel van mijn leven. Toen ik zag hoe de sterren de woestijnnacht overheersten, verbaasde het me totaal niet dat moslims allerlei belangrijke instrumenten voor navigatie en astronomie hadden uitgevonden. Dat het leven, het reizen en het lot in de middeleeuwen werden bepaald door de sterren voelde ineens heel dichtbij en echt.

Ik wil hier op huwelijksreis naartoe en met mijn lief onder deze sterren zitten.

De betovering was meteen verbroken. Romantische liefde was

op dit moment een stoorzender. Deze minuten waren voor mij, voor mij alleen, een moment waarin alleen mijn adem en de hartslag van de Melkweg zouden moeten bestaan. Waar kwam die gedachte aan een man ineens vandaan om dit speciale moment tussen mij en het universum te verpesten? Dit moment paste niet bij de run op die ene speciale persoon; het paste niet bij de wereld van kennismakingsgesprekken, Tantes, verlegen glimlachjes en knipperende wimpers. Dit moment was ver weg van alledaagse dingen als werk, kleren, feestjes, winkelen, giechelen, zorgen, plannen, stress en tranen. Uit dat oude leven in Londen, dat nu een vage herinnering leek, waren alleen liefde en hoop overgebleven.

Die twee waren aangeboren en onafscheidelijk. Ik weet niet waar ik op hoopte. Was liefde, romantische liefde zoals in sprookjes en romans mijn ware doel? Zou mij dat als mens verrijken? Ik wist niet goed hoe ik die vraag moest stellen toen ik daar zo op het zand lag en naar de sterren staarde. Ik hoopte. Ik hoopte dat ik betekenis zou vinden, dat ik zou ontdekken wie ik was en wat ik moest doen. En omdat ik spontaan aan een huwelijksreis dacht, begreep ik dat ik diep in mijn hart hoopte op liefde. De sterren alleen waren niet genoeg. De man alleen was niet genoeg. Iets in de combinatie van die twee zou voor vonken zorgen. Dat was de zoektocht naar de liefde. Het was niet de simplistische jacht op een lange, donkere, romantische droomprins. En ook niet alleen maar de wens om goed te doen en te bidden, zoals een monnik of non.

De twee zoektochten – naar de liefde van een man en de liefde van God – vielen bij mij samen. Ik wist toen nog niet hoe ik dit onder woorden moest brengen en pas later begreep ik dat het om dezelfde zoektocht gaat, om een en dezelfde liefde die niet op zichzelf staat. Daarom lijkt romantische liefde in het begin zo heerlijk, omdat het op zoek is naar een andere, diepere liefde.

En daarom voelt romantische liefde later zo leeg, of er moet een ander, dieper gevoel voor in de plaats komen.

Romantische liefde was dus een springplank, de liefde van een sprookjesprins. Ik geloofde met hart en ziel dat hij ergens rondliep. Zeker weten. Want wat was het leven zonder hem? Wat was liefde, als er niemand was om lief te hebben? Een man vinden, verliefd worden en daarna lang en gelukkig leven was een eenvoudig verhaal. Maar alle mensen dromen ervan. Misschien konden wij, jonge vrouwen, het beter beschrijven en durfden we het eerder uit te spreken omdat we minder snel werden uitgelachen om onze emoties, maar ik wist zeker dat mannen er ook naar op zoek waren.

Ik wilde een lief die mij vanbinnen zou raken en door wie ik zou groeien, zou leren over liefde met een hoofdletter L, waardoor ik deel zou uitmaken van die Liefde. Pas veel later las ik over yin en yang, die duidelijk maken dat een man alleen en een vrouw alleen niet meer dan twee helften zijn. Dat ze alleen samen één geheel zijn. Ik had ontelbare lezingen en cursussen gevolgd in de moskee en enorm veel bruiloften bezocht, waar altijd werd onderstreept dat romantische liefde tussen twee mensen deel uitmaakte van de liefde voor God, maar pas nu drong die boodschap tot me door. De hemel weerspiegelde in het woestijnlandschap. De woestijn heeft de hemel nodig en de hemel de woestijn, maar toch blijven ze totaal verschillend. Aan de horizon smelten ze samen en het werd me duidelijk: ieder was op zich prachtig, maar samen krijgen ze een nieuwe, magische betekenis.

Al liggend onder de sterren werden de zaadjes van Gods liefde voor het eerst in mijn hart gezaaid en leek mijn geloof als moslim voor het eerst op te bloeien. Ik had de woorden 'liefde komt na het huwelijk' al zo vaak gehoord en op zoveel manieren, maar pas op dit unieke moment begreep ik hoe mijn zoektocht naar de liefde van God me kon helpen de vriend te vinden die ik zocht. Mijn geloof vertelde me dat als ik liefde voor Hem vond, ik ook de liefde in een ander mens zou vinden.

'En een van Zijn tekenen is dat Hij jullie in paren schiep, zodat jullie rust bij elkaar kunnen vinden en Hij liefde en genade in jullie relatie kan brengen.' Ik hoorde deze woorden uit de Koran diep in mijn hart zingen. Ze ontroerden me altijd. Ik wilde zo graag een paar vormen, ik wilde die nieuwe liefde en vriendschap dolgraag voelen. Ik begreep het idee van evenwicht en harmonie nog niet helemaal. Toch verlangde ik er vurig naar. Maar wat was een sprookje en wat was echt? Ik had een clichébeeld van de liefde gekregen met de boodschap die liefde te vinden. Ik was hetzelfde als alle andere vrouwen die ik kende, moslima's en anderen. Maar we waren niet tevreden met de relaties die we vonden en kwamen erachter dat romantische liefde niet genoeg was.

Ik dacht na over hoe de Koran de zon, de maan en de sterren beschrijft. Ieder hemellichaam volgt zijn eigen koers, zonder de ander te willen overtreffen. En de Koran beschrijft hoe alles in paren komt: dag en nacht, aarde en hemel, licht en donker. Mensen zijn niet anders. De sterren fonkelden tevreden, vredig, kenden hun plek. Dat was iets bijzonders in mijn wereld. Ik glimlachte. Een van de sterren straalde me speciaal toe. Ik wist nog niet wat de ster me duidelijk wilde maken, maar op een dag zou ik het begrijpen.

Dromerig dacht ik opnieuw aan die woorden: 'Hij heeft een paar voor jou gemaakt.'

Ik was er klaar voor.

3x Liefde volgens Mohamed Habib

Hij was lang, maar niet te lang. En knap ook, een gezicht dat uitgesproken maar niet te scherp was. Zijn haar was donkerbruin en kort, nonchalant warrig gemaakt en het resultaat mocht er zijn. Zijn kleine sikje was markant, net als de bril met het metalen montuur die hij nu en dan afzette waardoor ik zijn chocoladebruine ogen kon zien. Die onthulden zijn diepzinnigheid en vormden de perfecte omlijsting voor zijn aanstekelijke lach die hij soms even liet horen.

Hij kleedde zich stijlvol maar niet opvallend. Zijn stijl was eigenlijk moeilijk te omschrijven, omdat alle kledingstukken goed bij elkaar pasten en zijn knappe uiterlijk onderstreepten maar niet echt opvielen. Hij had techniek gestudeerd in Cambridge; hij had 'zijn schouders eronder gezet en doorgezet' zoals hij zei, omdat hij graag cum laude wilde slagen. Hij was goed bevriend met een familievriend en zat dus al een hele tijd onopvallend en anoniem in ons uitgebreide sociale netwerk. Hij was enthousiast bezig met de islam en verslond boeken over filosofie, meditatie, gebed, wijsheid en filosofie. Hij overwoog, dacht na, lachte. Zijn naam was *Mohamed*, de uitverkorene, *Habib*, de geliefde.

We ontmoetten elkaar op het verjaardagsfeestje van de vijfjarige dochter van een familievriend. De jarige droeg een roze jurkje met lovertjes en drie sierstroken en haar gezicht was geschminkt als een vlinder. Ik zag hem bijna meteen. Hij was charmant en straalde iets voornaams uit. Hij was druk in gesprek met een andere man die even donker haar had als hij en ook een bril. Ze zaten tegenover elkaar aan de hoek van de eettafel, tête-à-tête, oog in oog, met in hun handen een zware mok vol filosofisch zwarte koffie en voor zich op tafel een bordje met onaangeroerde frambozentaart. Ze hadden het over *sayr wa suluk:* de reiziger op weg naar God. *Zoef!* Hun woorden suisden langs het puntje van mijn neus en scheerden vlak over mijn hoofddoek heen. Ik had het woord 'reiziger' op die manier nooit eerder gehoord.

'Ik heb de diepere betekenis van de qiyam aan het begin van het gebed al drie maanden intensief bestudeerd. Hoe meer ik er over lees, hoe meer vragen ik heb,' zei de ander tegen Mohamed. Elk ritueel gebed begint met de staande positie qiyam, rechtop en stil, met het gezicht in de richting – de qibla – van Mekka. Ik stond meermalen per dag op die manier, ernstig en volkomen stil, voordat ik vooroverboog en op de grond knielde. Wat was hiermee aan de hand dat je daar drie maanden over kon filosoferen?

'Ik zit nog steeds met de eerste zinnen van de *adhaan*,' reageerde Mohamed Habib. Adhaan is de oproep tot gebed, die gezongen wordt om mensen voor het gebed naar de moskee te roepen of om iemand te bewegen om thuis te bidden. Wat viel er te bestuderen aan een enkele zin?

Ik vroeg me af welke betekenis er achter die heldere openingswoorden van de adhaan lagen: 'God is groter, Allah is groter.' Ik wilde me in hun gesprek mengen en vragen wat er achter deze zinsnede zat.

Ik had altijd een eenvoudige uitleg gekregen voor de belangrijkste getuigenis in de islam: God is groter dan alles wat je je kunt voorstellen. God is Alomtegenwoordig, Eeuwig, Overal Bestaand, Altijd Genadevol en Altijd Rechtvaardig. Stel je iets voor en Allah is Groter, want hij is groter dan je eigen geest. En God heeft de geest geschapen.

Tot dit moment had ik altijd Sint Anselmus' bewijs voor God in mijn achterhoofd. Anselmus had gezegd dat God wel moest bestaan, omdat God perfect was, en perfectie bestaat wel degelijk dus, *pief-paf-poef*, God moest bestaan. Ik vond dit een mooi bewijs voor Gods bestaan, omdat het zo lekker logisch en simpel was. De eenvoud ervan maakte me aan het lachen. Hoewel, mocht ik wel lachen om het bewijs voor Gods bestaan?

Maar toch was dit bewijs te beperkt. 'Je kunt het "hoe" van God niet begrijpen, omdat God het "hoe" heeft geschapen. Je kunt het "wat" van God niet begrijpen, omdat God het "wat" heeft geschapen. Je kunt het "waarom" van God niet begrijpen, omdat God het "waarom" heeft geschapen.' Dat zei de schoonzoon van de profeet Mohammed, die belangrijke dingen onder woorden bracht en een bron van wijsheid vormt voor de islam. God is niet beperkt en je kunt Hem niet begrijpen met je eigen beperkte geest. Maar toch zegt een islamitische wijsheid dat: 'God nergens in het universum gevangen kan worden, behalve in het hart van de gelovige.'

Puur doordat ik dit gesprek opving over de diepere betekenis van ons geloof, begon ik me af te vragen of ik zelf wel zoveel wist als ik dacht.

Op dat moment kwamen de ouders van het jarige meisje binnen. Ze stelden mij voor aan de twee mannen naar wie ik zogenaamd niet had staan luisteren. Ik lachte nerveus toen ze me vertelden dat de mannen Mohamed en Yasir heetten. Yasir droeg een trouwring. Mohamed niet. We wisselden beleefdheden uit over werk, studeren, verjaardagsfeestjes en probeerden intussen uit te vissen of we gemeenschappelijke kennissen of familieleden hadden. Mohamed was accountant geworden omdat het een betere toekomst bood dan zijn studie techniek aan de universiteit.

'Bovendien kan ik me zo beter concentreren op interessantere en belangrijkere zaken,' verklaarde hij, meer tegen Yasir dan tegen mij. Hij keek Yasir nadrukkelijk aan en wilde duidelijk hun gesprek voortzetten. Mohamed was een vriendelijke, beleefde jongeman, maar tijdens ons gesprek keek hij telkens weer verlangend naar Yasir. Ik werd geroepen om de verjaardagstaart aan te snijden en de twee hervatten hun gesprek, aandachtig en zonder zich iets aan te trekken van hun omgeving.

Ik vergat Mohamed en ik vergat het gesprek. Het is soms makkelijk te vergeten wat belangrijk is.

Ik ontmoette Mohamed een paar maanden later opnieuw, op het verjaardagsfeest van een volwassene. Hij zat alleen, terwijl de rest van de groep vrolijk kletste, lachte en theedronk. Hij leek afwezig, zijn schouders hingen en er lag een donkere blik in zijn ogen. Hij begon mij te vertellen dat hij altijd erg bezig was met zijn studie, zijn werk en zijn spirituele reis. Mohamed was de eerste man die ik ontmoette die zijn carrière zag als een middel, namelijk om in zijn levensonderhoud te voorzien, zodat hij de rest van zijn tijd aan zijn geloof kon besteden. Anderen spraken over de balans tussen deen, religie, en dunya, de wereld waarin we leven. De meeste mensen die wij kenden, zagen deen en dunya als zaken die gelijkwaardig waren en prezen degenen die een evenwicht tussen beide hadden gevonden.

Maar zo te zien pakte Mohamed het anders aan. Voor hem was het dagelijkse leven een onderdeel van het spirituele. Hij was erop gebrand om de twee zo goed te combineren dat ze een en hetzelfde werden.

Mohamed was grootgebracht volgens de degelijke, traditionele leer van de islam. Zijn hele wereld draaide erom dat hij een goede moslim wilde zijn, zoals dat in de moskee en door imams werd uitgelegd. Dat straalde hij uit en daardoor was hij een goed mens op wie zijn familie en de gemeenschap trots konden zijn. 'Een betrouwbare burger,' zou je over hem kunnen zeggen. Ik zag grote overeenkomsten tussen hem en mij.

Maar hij had ineens ontdekt dat er meer was, iets wat dieper ging dan alles wat hij tot dan toe had geleerd. Er was een nieuwe deur voor hem opengegaan. Onder de regels en principes van de islam die hij kende, had hij een nieuwe, spannende betekenis ontdekt. 'Het is alsof je van de natuurwetten van Newton overstapt op de kwantumtheorie van Einstein,' legde hij uit.

Hij veranderde abrupt van onderwerp. Hij zag er moe uit en vertelde dat hij de afgelopen maanden een vrouw had leren kennen op wie hij halsoverkop verliefd was geworden. 'Ik had nooit gedacht dat ik zó verliefd kon zijn, dat ik dat kon voelen. Ik ben heel verstandig opgevoed en heb een verstandig, bescheiden leven geleid. Wat zij bij me losmaakte... die emoties kende ik niet. Ik wist niet dat het zo kon zijn. We wisten snel, heel snel dat we voor elkaar waren bestemd. Binnen een paar weken deed ik een aanzoek en zij zei "ja".' Hij keek niet eens op terwijl hij dat vertelde, maar roerde treurig in zijn thee. Ik vroeg me af wat er mis was gegaan.

'Ik had haar ouders al ontmoet en zij de mijne. We hadden alles volgens de regels gedaan. Ze was perfect voor mij, uit een prima familie, met een prima achtergrond en ik was straalverliefd op haar.' Hij stopte even met roeren.

'En toen, op een dag, zei ze domweg dat ze niet meer geïnteresseerd was.' Hij keek me afgetobd aan, als een soort Majnun die door de woestijn zwerft op zoek naar zijn geliefde.

Majnun was de man in het klassieke oosterse liefdesverhaal

van Layla en Majnun, een soort Romeo en Julia of Orpheus en Eurydice. Hij heette eigenlijk Qays en als kind werd hij verliefd op een meisje bij hem op school, Layla. Ze behoorden tot verschillende stammen en mochten van hun families niet met elkaar trouwen. Zijn leven lang werd hij verteerd door zijn verlangen naar haar en zwierf hij wanhopig door de droge woestijn, omdat hij niet bij zijn grote liefde kon zijn. Een wijze man raadde hem aan om de oorlog te verklaren aan Layla's stam, zodat hij haar zou kunnen ontvoeren. Maar haar vader had haar al uitgehuwelijkt aan een andere man. Toen draaide Qays echt helemaal door. Zodoende kreeg hij de bijnaam Majnun, 'gek', omdat zijn liefdesverslaving bij anderen als volkomen gestoord overkwam. Toen Layla's echtgenoot stierf, kreeg Majnun het advies om te doen alsof hij psychisch gezond was, zodat hij om haar hand kon vragen.

Hij antwoordde: 'Hoe kan iemand die verliefd is, doen alsof hij niet verliefd is?'

Layla en Majnun werden pas in de dood verenigd, toen ze samen een graf deelden.

Majnun is het verdrietige voorbeeld van een minnaar die helemaal wordt opgeslokt door zijn zoektocht naar liefde. Hij heeft er alles voor gegeven. Is Layla de echte geliefde van het verhaal of gaat het eigenlijk over Goddelijke Liefde? Majnuns liefde is de onbereikbare liefde voor God, die pas werkelijkheid wordt als iemand dood is. Eric Clapton was even ontroerd als ik toen hij de mythe over Layla en Majnun las. Hij schreef zijn lied 'Layla' over haar. Had hij het maar niet gedaan; ik vond het nummer niet zo super.

Mohamed was compleet overstuur door zijn gebroken hart. 'Ze zei dat ze niet meer om me gaf. Hoe kan dat? Eerst zet ze mijn leven helemaal op zijn kop en dan gaat ze er ineens vandoor? Ze heeft hart en ziel uit mijn lijf gerukt en waarvoor? Waarom?'

Hij zag er heel kwetsbaar uit. Daar zat hij dan, als een kind met kapot speelgoed. Hij had emoties ervaren waarvan hij niet wist dat hij ze had en was op een dimensie van het universum gebotst waar hij geen weet van had. Hij was een moslim die had geprobeerd de moeizame route van een deugdzaam, gelovig mens te volgen, iets wat hij 'islam' noemde, en op die reis had hij iemand ontmoet die hem kon aanvullen en vleugels kon geven.

Hij was een goede man, een man die zoekende was. Waarom werd me dat nu pas duidelijk? Zijn gevoelens raakten me diep. Ondanks alle herrie om ons heen hoorde ik een schrille stem in mijn hoofd: waarom heb je hem niet als mogelijke partner overwogen toen je hem de eerste keer ontmoette? Ik had wel gezien dat hij intelligent, diepgelovig, en, uiteraard, leuk was om te zien. Waarom was ik niet gemotiveerd geweest om meer over hem te weten te komen? Ik had gewoon mijn familie kunnen inschakelen om te kijken of er een ontmoeting, een eventueel huwelijk in zat. Ik moest ineens weer aan Zippora en Mozes denken en aan hoe Zippora haar kans had gegrepen en genoeg zelfvertrouwen had gehad om zelf een ontmoeting te regelen. Maar helaas viel Mohamed me pas echt op toen hij al een gebroken hart had en alleen iemand zocht die naar zijn liefdesperikelen wilde luisteren.

Nu en dan spraken Mohamed en ik elkaar op bruiloften en andere bijeenkomsten met familie en vrienden. Hij stortte zijn hart bij me uit, en de pijn werd geleidelijk minder. In ruil voor mijn luisterend oor vertelde hij me uitvoerig over de spirituele zoektocht van de gelovige. Toen ik in Jordanië onder de blote sterrenhemel lag had ik al begrepen dat mijn jacht op de liefde een belangrijk deel was van mijn ultieme doel om de Liefde zelf te vinden. Ik was de zoeker en ik was vastbesloten om mijn doel te bereiken.

Ik stond stevig met beide benen op het pad dat Mohamed beschreef als de reis naar de Liefde. Ik zat propvol energie tijdens die gesprekken. Ik voelde me vrij om mezelf te zijn, mijn grote wens. Ik was niet zozeer verliefd op hem, maar wel op zijn woorden, waardoor alle info en boekenwijsheid die ik over de islam had ineens echt iets betekenden en me verder hielpen als mens.

Mohamed vertelde dat sommige mensen de reis die hij beschreef 'het pad van *tasawwuf*' noemden.

Ik vroeg hem: 'Bedoel je dat je dan een soort soefi bent?'

Hij lachte. 'Het is tegenwoordig heel hip om een soefi te zijn. Niemand weet precies waar de naam vandaan komt. Volgens sommigen verwijst hij naar de grove wollen kleren die de soefi's vroeger droegen, anderen zeggen dat het gaat om hun toewijding aan zuiverheid.'

Hij zweeg even en grinnikte in zichzelf. 'Mensen denken dat het soefisme cool, hip en mystiek is, relaxed en ontspannen, zonder regels.' Hij leunde naar voren. 'Maar soefi's zijn de mensen die de wereld veranderen. Zij begrijpen hoe juist je geestelijke reis ervoor zorgt dat je de wereld verbetert.'

Ik keek hem met grote ogen aan. 'Ben jij een soefi?' vroeg ik verbaasd. Soefi's stonden niet altijd even goed bekend binnen de islam. Veel moslims vonden dat soefi's te veel bezig waren met mystiek en te weinig met de dagelijkse regels en handelingen, zoals salat, het gebed.

Hij lachte wijs en hij keek me even heel lief aan. 'Hoe je het noemt is niet belangrijk. We zijn allemaal te veel bezig met woorden, namen, etiketten. Om dat te omzeilen noem ik het zelf liever *irfan*, wat spirituele kennis betekent. Het ultieme doel van irfan is *ma'arifa*. God te leren kennen. Irfan en ma'arifa komen allebei van het woord "kennis".' En toen wist ik het zeker. Hier was ik al die tijd naar op zoek geweest.

Volgens Mohamed leek het erop dat alles wat met God te

maken had in drieën kwam. Het eerste wat je over het universum moest weten was dat elke dimensie uit drie punten bestond: twee extremen en een middelpunt voor het evenwicht.

'Denk eens aan moed,' legde Mohamed uit. 'Dat is een heel goede eigenschap. De meeste mensen zeggen dat het "goed" is en dan stellen ze dat het tegenovergestelde, lafheid, "slecht" is. Maar moed en lafheid zijn geen paar, ze vormen een "trio". Let maar op. Aan het ene uiteinde heb je dus lafheid, een gebrek aan moed, maar aan het andere uiteinde heb je roekeloosheid, een overdosis moed die totaal krankzinnig is. Echte moed is de gulden middenweg: de perfecte balans tussen jezelf kennen en de situatie inschatten. Als je als moslim aan je reis begint, moet je juist die extremen vermijden en het *rechte* pad bewandelen. Dat heet de *siratul mustaqeem*.'

'Er zijn ook drie soorten kennis. De eerste soort is wat anderen je vertellen, kennis uit de tweede hand. Daar beginnen we allemaal mee: de dingen die je leert van je ouders, op school, tijdens colleges, uit boeken en gesprekken.' Mohamed zei dat dat lang niet genoeg was, het was allemaal van horen zeggen. Je moest er maar van uitgaan dat de persoon die de boodschap overbracht, gelijk had.

Verder leer je dingen door ze met eigen ogen te zien. Dit is sterkere kennis en we zeggen dan ook: eerst zien, dan geloven. Zo krijgen de meeste mensen een beeld van de wereld. Ik dacht aan de mensen die getuige waren bij een bepaalde gebeurtenis. Die wisten inderdaad zeker dat het gebeurd was, terwijl de mensen die ervan hoorden het nooit honderd procent zeker zouden weten.

'Maar de ultieme zekerheid,' vervolgde Mohamed, 'krijg je pas als je iets zelf hebt meegemaakt. Niemand kan je iets wijsmaken over dingen die je persoonlijk hebt ervaren. En de kennis uit die eigen ervaringen weegt nu eenmaal het zwaarst. Mensen hebben er respect voor: dat is de reden dat ze naar ervaringsdeskundigen luisteren. Iemand die uit eigen ervaring spreekt, staat sterker dan iemand die zijn kennis uit boeken haalt.'

Ik merkte op: 'Daarom zeggen we "geen woorden maar daden", want zo laat je zien dat je het meent.' Ik vroeg me af wat mijn eigen gedrag over mij zei. Toonde het mijn goede manieren en was ik een voorbeeld voor anderen?

'Precies!' Hij stompte enthousiast met zijn vuist in de lucht. 'En daarom maakte iedereen zich zo druk om wat de profeet Mohammed heeft gezegd. Hij legde uit hoe belangrijk goede manieren, vriendelijkheid en etiquette zijn, en de mensen luisterden omdat hij zelf het goede voorbeeld gaf. Hij was zo voorbeeldig dat we nu nog steeds luisteren. Belangrijker nog, als je ma'arifa wilt verwerven, echte kennis van Liefde, dan zijn de woorden van de Profeet enorm belangrijk, omdat hij God zelf heeft gezien.' Niet met zijn ogen, maar met zijn hart. Daarom is liefde ook zo belangrijk.

'De Profeet heeft ervan geproefd. Hij heeft de zuivere Liefde ervaren en dat is de ultieme kennis.'

Ik stond perplex. Het was allemaal zo ingewikkeld. En wat betekende 'proeven van Gods Liefde' nu precies?

Mijn verwarring was overduidelijk, dus Mohamed probeerde het uit te leggen. 'Stel je voor dat iemand tegen je zegt dat er brand is in de kamer hiernaast.' Ik kwam er later achter dat hij een bekend filosofisch voorbeeld gebruikte. 'Je gelooft diegene misschien, maar misschien ook niet. Wat die persoon heeft verteld, is het eerste niveau van kennis.'

Ik knikte en begreep het idee van kennis uit de tweede hand.

'Stel dat je de kamer inloopt en het vuur met eigen ogen ziet, dan weet je zeker dat er brand is uitgebroken. Maar stel je voor dat je midden in de vlammen staat, dan weet je precies wat brand is. Je zou het persoonlijk proeven en ervaren.'

Ik staarde hem intens aan en begreep langzaam maar zeker dat kennis alleen niet genoeg is. Daarmee kon je de geheimen van het universum – de geheimen van de Liefde waarnaar ik op zoek was – absoluut niet ontrafelen. Ik wilde het zelf 'proeven'.

'Zo kun je ook drie soorten kennis over God onderscheiden. Als je een ware piek bereikt, kun je je er totaal in verliezen. Alleen zo bereik je de plek waar de "ik" die jij bent of de "ik" die ik ben totaal is weggevaagd. Je bent in het stadium van *fana*. Als je daar eenmaal doorheen bent, bereik je de *baqa*, het eindeloze bestaan. Dat is de onsterfelijkheid waar we allemaal naar verlangen.' Het toverdrankje waarover zoveel sprookjes gaan omdat mensen graag eeuwig willen leven, bestaat dus echt. Maar de reis ernaartoe, zoals Mohamed het vertelde, was superspannend en avontuurlijk.

Maar dat is eigenlijk wat het betekent om moslim te worden.

Ik dacht aan een koranvers uit een hoofdstuk 'De Liefdevolle Barmhartige': 'Alles zal in niets eindigen.' Dat is de grimmige, ontnuchterende waarheid waarover alle mensen het eens zijn. Maar het vers gaat verder met: 'En het gezicht van die Ene die liefheeft, blijft altijd, eervol en verheven.' Dat gebeurt ook met ons, als we God vinden.

Mohamed vertelde enthousiast verder. 'Als je arrogant bent bouw je een muur tussen God en jezelf. Hoe groter je ego, hoe meer je opschept over hoe geweldig je bent, hoe verder je afdrijft van de geheimen van God en het universum. Je moet de barrières tussen jouw hart en God opruimen. Wees Niets. Pas dan kun je alles zijn.'

Dit begon op een afknapper te lijken. Wees niets? Nou zeg… Toch zag ik ergens de logica. Jezelf vergeten is dé manier om dichter bij de Schepper te komen.

En dus vroeg ik wat critici van het mystieke pad altijd vragen: 'Maar de regels dan?' wilde ik weten. 'Wat doe je met alle beperkingen, alle wijze raad, alle wetten en rituelen? Dat hoort allemaal bij ons islamitische geloof. Dat kun je toch niet zomaar loslaten om "niets" te zijn.'

Hij glimlachte. 'Dat is een misverstand van mensen over geloof. We moeten onze trots opzijzetten en onze innerlijke demonen te lijf gaan. Dat is geen eitje, hoor. Geen luchtige liefde en zoete liedjes.'

Ik trok mijn wenkbrauwen zogenaamd beledigd op en zei: 'De mensen die de regels volgen doen ook enorm hun best om God te bereiken.'

'Maar dat zegt nog niets,' reageerde Mohamed. 'Om de hoogste "kennis" te bereiken, moet je in de echte wereld leven. Je moet in harmonie leven met het hier en nu, en andere mensen. Pas dan ben je een evenwichtig mens. En daar zijn die regels en wetten voor. Hoe kun je anders vredig met andere mensen samenleven?'

Ik knikte instemmend. Het was waar dat je, door met andere mensen om te gaan, kon leren een beter mens te worden.

'Je hebt wetten, medeleven en liefde nodig.' We waren terug bij de trio's, glimlachte ik bij mezelf.

'Er zijn drie wegen,' legde hij uit. Dit keer barstte ik in lachen uit vanwege zijn gecijfer.

Hij keek me aan, verrast dat ik zijn opmerking zo grappig vond, maar blij dat ik zo goed oplette.

'De eerste is de sharia. Daar hoor je mensen te pas en te onpas over in allerlei discussies over de islam, maar ze begrijpen het niet echt. De sharia is op zich niet barbaars, zoals handen afhakken of vrouwen opsluiten.'

Hij had gelijk. Ik voelde me altijd diep gekwetst wanneer de wetten van de sharia in één adem werden genoemd met middeleeuwse gruwelverhalen. Door de sharia vond men de islam 'achterlijk'. Maar de sharia verwijst simpelweg naar het wetboek voor plaatselijke rechtspraak. Juristen bestuderen het jarenlang, zoals ze ook de Britse wetten zouden bestuderen als ze hier advocaat zouden willen worden. Die lokale wetgeving verschilt per land in de moslimwereld. Het hangt af van de uitleg die plaatselijke geleerden aan de wetten geven en van de verschillende standpunten en behoeften binnen de eigen cultuur.

'Dat heeft allemaal niets te maken met de sharia waarmee wij ons nu bezighouden,' onderstreepte hij. 'In de sharia staan de principes van het hele universum, de Goddelijke wetten. Hoe geweldig de wereld om ons heen werkt, en hoe wij daarin passen, daar gaat het om.'

'Kan een simpele regel als "wat je zaait, zul je oogsten" ook bij de sharia horen?' vroeg ik hem.

'Ja, natuurlijk. Je hebt ook de nuchtere regel "de ene goede daad leidt tot de andere". Zo zit de wereld waarin we leven in elkaar. Hoe het universum werkt en in balans blijft: dat is de sharia. En als moslims zeggen dat ze volgens de wetten van de sharia willen leven, bedoelen ze simpelweg dat ze de islamitische gedragscode willen volgen, zodat ze in harmonie leven met alles om zich heen.'

Nu begreep ik het: de sharia gaf richtlijnen voor jezelf, maar ook voor je gedrag tegenover anderen. En voor hoe je zo goed mogelijk voor je lichaam kon zorgen. Vlees eten dat halal is, betekent gewoon dat je goed en gezond voedsel kiest. Het vasten helpt je om in vorm te blijven en je lichaam te ontgiften. Door geen alcohol te drinken, blijft je lichaam gezond. Als je nuchter bent, kun je helder denken en heb je altijd de controle over jezelf. Bovendien ben je alleen dan in staat om in contact te komen met God. De sharia geeft ook uitleg over zaken die er toe doen in het persoonlijke leven van een moslim: hoe je moet bidden, hoe je moet trouwen, hoe je moet vasten. Tot slot schrijft de sharia voor hoe je met anderen moet omgaan: dat je niet mag stelen of moorden, dat je moet strijden voor gelijkheid en rechtvaardigheid, dat je andere mensen goed moet behandelen, dat je je plichten moest vervullen tegenover de mensen om je heen en de maatschappij.

Volgens Mohamed was het moeilijkste van de sharia dat je moet streven naar rechtvaardigheid en gelijkheid. Daar draaien al die regels om. Mensen denken dat het alleen om de rituelen gaat, maar dat is maar een klein stukje. Moslims zitten soms vastgeroest in de details en vergeten waarvoor die details bedoeld zijn, namelijk om mensen gelukkig te maken.

Ik werd een beetje moe van zijn gedram over de regels. Ik had al heel wat regels gevolgd, maar wat voor vrijheid gaven ze mij? Alsof hij mijn gedachten kon lezen, zei Mohamed: 'De sharia is gewoon de springplank naar de *tariqa*, de *manier* waarop je dingen doet. Het is niet genoeg om je strikt te houden aan de letter van de wet: je moet in de geest van de wet handelen. Daarom zijn vriendelijkheid en medeleven ook zo belangrijk.'

Dit deed me denken aan Karim en zijn smoes over de bliksem. Hij had gewoon tegen me kunnen zeggen dat hij geen belangstelling had in plaats van me aan het lijntje te houden en vervolgens een absurd verhaal op te hangen over de bliksem, die zogenaamd een storing in zijn pc had veroorzaakt. Of Khalil, die me liet vallen nog voordat we elkaar ontmoet hadden omdat ik te klein was, maar toch wilde afspreken, en vervolgens mijn geld inpikte.

Het is gemakkelijk om te vergeten dat het niet alleen gaat om wat je doet, maar vooral om *hoe* je iets doet. Je kunt zuchtend en steunend de regels volgen óf het leven mooier maken met een glimlach, een klein gebaar, gulheid, meeleven met anderen. Als je alles precies volgens het boekje doet, let je alleen op de methode – de sharia. Tariqa is de manier waarop je je plichten vervult. Tariqa betekent dat je de dingen zo goed mogelijk probeert te doen.

Mohamed leefde helemaal op toen we het over de derde manier kregen: *haqiqa*.

Zijn ogen schitterden. 'Dat is wanneer je de Waarheid echt kent. Je proeft het Goddelijke en bent er getuige van. Dan is je ziel al bevrijd doordat je de sharia en de tariqa hebt gevolgd. Je ziel kan nu in de armen van de Geliefde vliegen.'

Geliefde? Wie heeft het nu over God als een Geliefde? Het klinkt heel romantisch, en misschien is dat het juist. Er zijn zoveel namen voor God. God is de Rechtvaardige. De Barmhartige, de Genadige. God is de Schone, de Majestueuze en de Levensbron. Ik was het ermee eens dat hij ook stond voor Liefde. Maar om nu een koosnaam als de Geliefde te gebruiken…

En toen vertelde Mohamed iets wat ik al duizenden keren had gehoord, maar dit keer ging me opeens een licht op. 'Allah zegt dat Hij ons heeft geschapen, zodat hij *bekend* zou zijn. Dus moeten wij hem leren kennen.' Hij zweeg even, zodat het tot me zou doordringen. 'Allah zegt ook dat Hij ons heeft geschapen, zodat hij *geliefd* zou worden. Dus… moeten wij hem liefhebben.' Ik wachtte tot het kwartje bij me zou vallen. Mohamed toverde zijn laatste troef tevoorschijn: 'Wij zijn gemaakt met maar één simpel doel: houden van God én van elkaar.'

Ik voelde hoe alles op zijn plaats viel. Ik begreep nu hoe mijn zoektocht naar de ware, mijn Prins op het witte paard, een zinnig onderdeel was van mijn zoektocht naar die Ene, de Geliefde. Ik was een mens, gemaakt om lief te hebben, zoals iedereen.

In onze moderne levens zijn we allemaal op zoek, in films, muziek, boeken, kunst, in het leven zelf en in dromen, en we zoeken allemaal naar hetzelfde, of het nu een mens, een Hollywoodster of God is. We zoeken naar een evenwicht met onze omgeving. Daarom moeten we liefde geven en moet iemand van ons houden.

Bijna iedereen verlangt enorm naar een partner, een maatje,

een minnaar. Dat is waar ons hart sneller van gaat kloppen. Wat stelt het leven anders voor? En daarom wist ik, heel zeker, dat ik de ware zou vinden. Ik wist dat mijn hart gemaakt was voor de liefde en ik had zoveel liefde te geven. Ik moest hem alleen nog even tegenkomen. Maar nu begreep ik pas dat het verlangen naar een lief, een man, tegelijkertijd een zoektocht was naar de Liefde van God.

Nu pas kende ik het ware geheim.

Relativiteitstheorie

Ik was zo hard op zoek naar een echtgenoot dat ik mijn eigen innerlijk had verwaarloosd. Ik moest mijn eigen hart en ziel tot bloei brengen. Een man vinden en trouwen is een deel van de reis die je maakt om als persoon te groeien: dat is de islamitische gedachte achter het huwelijk. Maar ik had me helemaal gestort op de uiterlijke zoektocht naar de ware jakob, overtuigd dat ik het zó goed deed. En daarom had ik mijn eigen ontwikkeling in de wacht gezet. Door de gesprekken met Mohamed wist ik hoe ik verder moest en ik maakte een enorme sprong vooruit in mijn ontdekkingsreis.

Langzaam drong het tot me door dat mijn toekomstige man en mijn geloof heel veel met elkaar te maken hadden; en toen begon ik pas echt te leven. Als mens was ik ook waardevol zonder hem en ik kon altijd blijven leren en groeien. Hij zou er zijn als ik er klaar voor was en dan zouden we samen, hand in hand, aan onze reis beginnen. Bevrijd van de foute ideeën in mijn hoofd, kan ik steeds meer met hart en ziel openstaan voor het leven.

Praten met Mohamed had deuren geopend die ik jarenlang

zelfs niet eens had gezien. Hij gaf me toegang tot een ander soort vrijheid, innerlijke vrijheid. Ik wilde niet met hem trouwen uit dankbaarheid zoals een student voor een docent voelt of vanwege de verliefdheid die je kan overvallen voor iemand met wie je kennis deelt. Nee, ik had het gevoel dat deze man de ideale reisgenoot was. Hij zou voor me zorgen, zowel in materiële als spirituele zin. Hoe meer ik met hem sprak, hoe meer ik met hém de rest van mijn leven wilde doorbrengen.

Beetje bij beetje herstelde hij van zijn gebroken hart, maar ik durfde mijn ideeën over hem niet ter sprake te brengen. Mijn ouders wisten al die tijd van zijn bestaan en onder alle andere omstandigheden had ik hen gevraagd om zijn familie via de formele route, via een koppelaarster, te benaderen. Maar dit lag gevoelig en we waren allemaal bang dat hij zich in het nauw gedreven zou voelen als we zijn familie erbij betrokken.

Ik nam mijn collega Jack in vertrouwen en vroeg hem om raad. 'Jij kunt me helpen, jij bent een man, net als Mohamed,' zei ik tegen hem. 'Wat moet ik doen?'

Ik legde uit dat Mohamed zijn vrienden had gevraagd om hem te introduceren bij andere vrouwen met het oog op een huwelijk. Na afloop van die gesprekken kwam Mohamed altijd bij mij klagen dat hij die vrouwen totaal niet zag zitten en somde hij hun fouten een voor een op. Maar hij vroeg mij nooit of ík soms iets met hem wilde. En ik maar wachten, hoopvol.

Ik troostte mezelf met de gedachte dat hij emotioneel nog steeds kwetsbaar was. Dat hij mij zou afwijzen om dezelfde reden waarom hij al die andere vrouwen afwees: omdat hij er niet klaar voor was. Hoe meer vrouwen hij ontmoette, hoe eerder hij over zijn verlies heen zou zijn, was zijn motto. Dat maakte me nijdig. Die vrouwen gingen het gesprek open en hoopvol aan en hij gebruikte hen alleen om zijn pijn te verzachten. Ik had beter moeten opletten.

Jack luisterde aandachtig en zweeg even voor hij zijn mening gaf: 'Als je hem echt leuk vindt en denkt dat hij de ware is, dan moet je dat tegen hem zeggen.'

'Maar hij vindt me duidelijk niet leuk, anders had hij dat wel gezegd!' jammerde ik.

'Is dat zo? Misschien denkt hij hetzelfde en durft hij niets te zeggen.'

Ik zette een pruillip op. Jack ging door. 'Denk na. Als je een baan wilt of een huis, ga je erachteraan, of niet soms? Kijk eens naar de moeite die mensen doen om hun carrière vooruit te helpen. Maar als het over hun privéleven gaat – en een partner is tenslotte het belangrijkste deel van je privéleven – zijn ze passief en hopen ze domweg dat het "gebeurt". Jij moet zorgen dat het gebeurt.'

Het verbaasde me dat zijn wijze woorden zo leken op die van de Tantes. Ik hoorde hun stemmen in mijn achterhoofd. 'Goede mannen zijn schaars, liefje, je moet hem grijpen als je hem tegenkomt.' Het was duidelijk dat zij ook zouden adviseren dat een partner boven aan mijn lijst met prioriteiten moest staan. De traditie en het gezonde verstand waren het hier eens.

Ik voelde me opgelucht. Hoewel ik al jaren bezig was, had ik het belangrijkste al die tijd overgeslagen: om helder en rationeel na te denken over hoe ik de juiste partner zou kunnen vinden. Ik had de tradities waarmee ik was opgegroeid mijn gedrag laten bepalen. En ook de filmsprookjes die in Hollywood en Bollywood golden, zoals 'de man moet het initiatief nemen' en 'het moet als een donderslag bij heldere hemel gebeuren' zaten dieper bij mij dan ik gedacht had.

Ik had wel kritiek op allerlei mensen die vasthielden aan hun eigen mening over wat de islam ons leerde, maar ik was precies hetzelfde. Ik was dol op het verhaal van Khadija, de eerste en meest geliefde vrouw van de profeet Mohammed, die zelf iemand op hem af stuurde om erachter te komen of hij eventueel met haar wilde trouwen. Ook Zippora had de zaak in eigen hand genomen door haar vader te vragen om Mozes bij hen thuis uit te nodigen en als zakenpartner aan te nemen. Ik zag deze krachtige, onafhankelijke en vastberaden vrouwen als een groot voorbeeld voor moslims en toch schoot ik zelf tekort.

Jack zei dat het niet het einde van de wereld was als ik Mohamed over mijn gevoelens vertelde, dat ik daar niet bang voor moest zijn. Ik begreep opeens dat ik met Mohamed hetzelfde gesprek kon voeren dat ik met talloze andere mannen had gevoerd tijdens de kennismakingen. Het zou erop neerkomen dat we overwogen of wij ons als een getrouwd stel konden zien. Ik had al zoveel van die gesprekken gevoerd, daar hoefde ik niet bang voor te zijn. Als ik echt geloofde dat Mohamed de ware was, moest ik deze kans grijpen en het met hem bespreken.

Ik had al zoveel meegemaakt, zoveel potentiële partners ontmoet, het hele proces doorgemaakt, de cultuur afgewezen en toch weer mijn plek daarin gevonden. Ik had geleerd wat liefde was en wat 'houden van' inhield. Als ik deze kans niet greep, zou ik mezelf diep teleurstellen. Ik ging nu niet ineens stoppen met mijn reis om dingen uit te proberen. Dat zou zonde zijn van alles wat ik had geleerd.

Onder het genot van een kop koffie zaten Mohamed en ik wat doelloos te kletsen over werk, moskeeën, literatuur, kunst, vakantie, lekker eten. En ineens, toen het even stil was omdat we allebei een slok namen, zei ik het.

'Ik vind je leuk.'

Hij keek me nieuwsgierig aan.

'Ik vond gewoon dat ik het even moest zeggen, enne...' stamelde ik, onzeker over wat ik verder moest zeggen.

Wees dapper, hield ik mezelf voor, *je bent al zover gekomen.*

'En ik vroeg me af...' Ik durfde hem niet botweg te vragen of hij mij leuk vond. Mijn stem liet me plotseling in de steek, zomaar weg zonder verlof. Krakend wist ik nog uit te brengen: 'Ik vroeg me af wat je daarvan vindt.'

Zo, het was eruit. Ik pakte mijn kopje op en verstopte mijn gezicht achter de donkere, ondoorzichtige vloeistof.

Hij zweeg een eeuwigheid. Aanvankelijk dacht ik dat het kwam doordat ik zo'n onverwachte opmerking had gemaakt. Misschien dacht hij na over wat ik had gezegd, misschien hadden mijn woorden diepe emoties bij hem losgemaakt. Hij zei nog steeds niets. Nu hij had nagedacht, had hij vast tijd nodig om zijn gevoelens goed onder woorden te brengen. Ik begon me een beetje ongemakkelijk te voelen. Zijn gevoelens waren toch niet zo overweldigend dat hij zo lang nodig had om ze op mij over te brengen?

Ik zat wat te wiebelen, wilde de stilte doorbreken. Maar dan moest ik herhalen wat ik daarnet had gezegd, en wie weet hoe lang het dan duurde – of ik moest van onderwerp veranderen. Nee. Het had me zoveel energie gekost om dit te zeggen, nu wilde ik ook antwoord. Ik besloot te wachten op wat hij zou zeggen. Ik wilde nu niet van onderwerp veranderen.

Ik had kunnen weten dat de stilte een voorteken was. Maar ik wilde het horen, het zeker weten. Een afwijzing zou pijn doen, maar dan had ik het tenminste geprobeerd. Ik zou een manier moeten vinden om hiervan bij te komen: dat ik zo dicht bij de echtgenoot was die ik zocht en dat ik al meteen de bons kreeg.

Mijn moed werd in elk geval beloond want zijn reactie zei meer over zijn emotionele toestand dan een jarenlang huwelijk had kunnen doen. Dat had ik eerder meegemaakt, mensen laten hun ware aard pas zien op momenten van grote emotionele spanning.

Zijn antwoord was een stuk informatiever dan ik had kunnen dromen. Het toonde aan dat hij geen idee had van mijn moed en kwetsbaarheid. En dát maakte het pijnlijk duidelijk dat hij als levenspartner voor mij heel wat minder geschikt was dan ik had gehoopt.

Het was erger dan ik had verwacht. Hij trapte niet alleen op mijn gevoelens, maar deed het zonder respect en zonder galant te zijn.

'Shelina,' zei hij, terwijl hij in zijn koffie staarde. 'Ik ben een wetenschapper. Ik heb net ontdekt dat de relativiteitstheorie van Einstein misschien wel niet klopt. Dat heeft mijn wereld op zijn kop gezet en ik kan momenteel aan niets anders denken. Aan niets. Ik word erdoor opgeslokt.' Waarna hij een slok koffie nam.

ACHT

☆☆☆

Lichtpuntjes in het zwarte gat

Voor altijd single?

MEDELIJDEN

De Tantes begonnen medelijden met me te krijgen. '*Zo'n* lieve meid,' riepen ze uit. '*Zo* goedgemanierd.'

'Ik *snap* niet *waarom* ze nog niet getrouwd is,' zei de ene tegen de andere, haar woorden benadrukkend.

Ik verwachtte dat ze mij de schuld zouden geven, omdat ik niet eerder had willen trouwen of omdat ik geen van de ongeschikte mannen die zij hadden *aanbevolen* wilde nemen. Mooie aanbevelingen, dacht ik bij mezelf. Maar de Tantes verrasten me.

'Zo *knap*, zo intelligent, zo lief en *gelovig*. Ik kan gewoon niet *bedenken* wie er goed genoeg voor haar is,' verzuchtte de ander op haar beurt.

Ik werd nerveus van hun medeleven. Waren ze vergeten dat ze medeplichtig waren aan mijn moeizame zoektocht? Of waren ze veranderd?

Altijd wanneer ik een kamer binnenkwam, staarden ze me aan en dan begonnen ze liefdevol mijn haar te strelen.

'Als je de juiste persoon eenmaal vindt, weet je dat het de moeite van het wachten waard was,' spraken ze troostend. 'Je bent nog jong en zo mooi, er is tijd genoeg! Een man zou wel gek zijn om niet met jou te willen trouwen!'

Ik kon wel in huilen uitbarsten. Volgens mij had ik al heel veel bereikt: een goede opleiding, onafhankelijkheid, een leuke baan, veel gereisd. Daarbij had ik een fijne relatie met mijn familie, mijn gemeenschap en mijn geloof. Net als veel andere vrijgezelle moslima's had ik de doorsnee problemen overwonnen. Het opgroeien in een nieuwe omgeving, willen uitblinken in je opleiding en je werk, en toch respect houden voor onze cultuur en ons geloof. Ik was 'onafhankelijk' maar had ook 'gemeenschapszin', ik was 'modern' maar ook 'traditioneel'. Kortom, ik had het respect van de Tantes verdiend.

Of hun woorden nu kwetsend of meelevend waren, de Tantes drukten me met mijn neus op wat ik miste: gezelschap. Voor hen had hun man gezorgd dat ze sociale status kregen en dat ze de traditie konden voortzetten. Het huwelijk had voor hen gewerkt en ze hadden hun plek gevonden door te trouwen.

Er was iets aan het huwelijk wat ze pas nu duidelijk wisten te maken. Waren ze daar nu maar eerder mee aangekomen: het ging om de bevrediging van met Iemand Samen Zijn. Mijn ouders zaten op dezelfde lijn: 'We willen gewoon dat jij ook iemand hebt, iemand die je gezelschap houdt, met wie je uit kunt gaan, met wie je dingen kunt ondernemen.'

Ze hadden gelijk. Ik had alle dingen die ik alleen wilde doen al gedaan. Ik had me niet laten afremmen door andermans verwachtingen, roddels of vastgeroeste opvattingen. Ik had ontdekt dat ik alles kon doen wat ik maar wilde. Ik *wilde* ze alleen niet langer alleen doen. De ervaringen zouden mooier zijn als ik iemand had om ze mee te delen. Ooit verlangde ik naar mijn eigen sprookjesprins. Dat deed ik nog, maar ik zou ook tevreden zijn met een Knusse Kameraad, iemand om de tijd mee te doden, om verder te komen in het leven, iemand, wie dan ook, *wie?*

Tante Jee: We moeten iemand voor Shelina vinden.

Tante Aitch: Wat vind je van die aardige dokter? Hoe heet hij ook weer? Het begint volgens mij met 'Muh' of zo. Is het Mehdi? Masood? Malik?

Tante Jee: Maazin?

Tante Aitch: Nee, nee, laat me even nadenken...

Tante Jee: Muna?

Tante Aitch: Nee, geen Musa, geen Munir.

Tante Jee: Malcolm?

Tante Aitch: Malcolm? Wie is Malcolm?

Tante Jee: De zoon van Sabin. Je weet wel, zij waren zo modern toen hun kinderen werden geboren, dat ze allerlei vreemde namen kregen. Nu is zij geloviger dan de malauna zelf! Bedoel je Mahbub soms?

Tante Aitch: Ja, ja, die is het! Mahbub!

Tante Jee: Maar hij is bijna vijftig! Veel te oud! En gescheiden. Met drie thuiswonende kinderen. *Nee, nee, nee!* Niet geschikt. Weet je, er gingen vreselijke roddels rond over de reden waarom zijn vrouw is weggelopen. Vriendinnen, avontuurtjes, *drank.*

Tante Aitch: Ze kan niet te kieskeurig meer zijn, weet je, op haar leeftijd, terwijl ze al zoveel goede jongens heeft afgewezen. Ze heeft veel noten op haar zang. Je weet toch wat ze zeggen over de kieskeurige kraai?

Tante Jee laat met een vermoeide zucht merken dat ze het weet.

Tante Aitch: De kieskeurige kraai haalt zijn neus op voor de talrijke restjes en eindigt op een mesthoop.

WOEDE

Overal waar ik kwam, werd ik met droevige blikken bekeken. De gemeenschap begreep niet waarom ik nog niet door iemand aan de haak was geslagen. In mijn hoofd vertelde ik ze ongezouten de waarheid.

'Je zei dat ik te hoogopgeleid was om een goede echtgenote te worden...'

'Je zei dat de jongens een jonger meisje zochten...'

'Je zei dat ik te gelovig was...'

'Je zei dat ik niet gelovig genoeg was...'

Ik voelde me boos en in de steek gelaten. Om de zaak nog erger te maken, was ik niet de enige vrouw die single bleef. Het wemelde ervan, helaas.

De gemeenschap begon eindelijk in te zien dat er problemen waren en dat het steeds moeilijker voor mensen werd om een geschikte partner te vinden. Hoewel er voldoende jonge, ongetrouwde vrouwen waren, was er een geheimzinnig gebrek aan jonge mannen. Sommigen waren echt weg. Anderen gingen, zoals hun vaders vóór hen, terug naar het vaderland om een vrouw te zoeken. Dat was hun goed recht natuurlijk; een partner kiezen is een heel persoonlijke kwestie. Maar het gevolg was wel dat ze gaten achterlieten, terwijl ze perfecte levenspartners zouden vormen voor vrouwen zoals ik, met dezelfde opvoeding, levenservaring, en onze nieuwe Britse moslimwaarden en -cultuur. Waarom zagen de mannen ons niet als geschikte partners?

Het antwoord was, volgens mij, dat wij vrouwen hadden móéten veranderen, vanwege de kansen die we hadden gekregen en de ervaringen die we hadden opgedaan. Hierdoor waren we als vrouwen sterker uit de bus gekomen. Maar de mannen waren niet met ons meegegroeid. In plaats van die uitdaging aan te gaan, voelden sommige mannen zich bedreigd door de levendige, energieke vrouwen die een actief leven wensten, of waren ze – op zijn best – niet geïnteresseerd in hen.

We moesten terug naar de wortels van de islam, waar mannen en vrouwen elkaars partners en kameraden waren in plaats van twee groepen die elkaar weinig te melden hadden. In de Koran staat tenslotte dat mannen en vrouwen in paren waren geschapen. De man-vrouwverhouding die voor een goede samenleving nodig was – en dat gold binnen mijn eigen, kleine gemeenschap maar ook voor de hele maatschappij – was vervaagd of zelfs verloren gegaan. Dus konden we niet meer van elkaar houden zoals we waren.

Was dit de prijs die mijn vriendinnen en ik betaalden voor het feit dat we pioniers waren en voor verandering zorgden? We hadden geen rolmodel of leider, moesten zelf op onderzoek uit. Er moest zelfs wat veranderen in de moskeeën en bij de imams: niet alleen jonge vrouwen, maar ook jonge mannen moesten van alles leren over relaties en het huwelijk om het evenwicht van het huwelijk en de zoektocht naar een partner te verbeteren. Wat had het voor zin om vrouwen te bekritiseren omdat ze single waren of gescheiden, als mannen niet bereid of geschikt waren om een huwelijk aan te gaan?

De leiders van onze gemeenschap zochten elkaar op om de kwestie te bespreken. Ze waren het erover eens dat het sluiten van geschikte huwelijken en de vele scheidingen een probleem vormden. Ze spraken af dat ze nog eens bij elkaar moesten komen om dit alles uitvoeriger te bespreken. Ze vergaderden opnieuw en kwamen erachter dat de problemen alleen maar groeiden en dat er echt een oplossing moest komen. Het gezin is tenslotte de hoeksteen van de samenleving. Ze planden een aantal bijeenkomsten om leden van de gemeenschap mee te laten denken. De bijeenkomsten werden druk bezocht en de mensen beaamden dat het probleem nu zo groot was dat er Iets Moest Gebeuren. Ze vonden het belangrijk dat jonge mensen trouwden. Er waren discussies onder leiding van experts. De experts bevestigden dat de situatie dringend was en dat nietsdoen Geen Optie was. Als er niets werd gedaan, was het een aflopende zaak. Actie was vereist. Ze zouden opnieuw bij elkaar komen om de kwestie te bespreken.

Mijn ouders bezochten een aantal moskeeën in de omgeving om hulp te vragen aan de imams, sjeiks en maulana's. Tijdens een van die bezoeken trok een vriendelijke sjeik een groot boekwerk uit zijn bureaula. Het was een enorm dikke ringmap die hij omdraaide en voor mijn ouders, die aan de andere kant van het bureau zaten, neerlegde. Elke bladzijde bestond uit een plastic map met een A4'tje waarop de gegevens stonden van iemand die zo wanhopig op zoek was naar een partner dat hij of zij een advertentie in het Grote Boek had laten opnemen. Elke bladzijde toonde een foto en het lijstje met biodata.

Er waren honderden bladzijden met jonge mannen en vrouwen die op zoek waren naar een partner die hen en hun geloof compleet zou maken. Het was een modern dagboek van de ellende in onze gemeenschap: de mislukking om gelukkige huwelijken te sluiten en de angst om de ware niet te vinden waren overduidelijk. De sjeik stelde mijn ouders voor dat ik mijn eigen advertentie met foto zou maken. Dan kon ik naar de moskee komen om de ringmap met hem door te nemen, aangezien hij de Bewaarder van het Beste Singles Boek was. Ik moest er niet aan denken om in die huwelijkscatalogus te staan, zodat iedereen het kon zien. Had ik mijn trots opzij moeten zetten om op deze manier een man te vinden? Door mijn afschuw van het boek begreep ik dat ik diep in mijn hart nog steeds niet toegaf dat openlijk laten zien dat je een man zocht volkomen normaal was.

Ook om me heen, in de hele samenleving, waren steeds meer vrouwen single. We zaten gezamenlijk te kniezen op het werk. Emma was single. Elaine en Nicola ook. De mannen waren, vreemd genoeg, allemaal getrouwd of hadden een langdurige relatie. Waarom leek er ineens wereldwijd sprake te zijn van een vrijgezellenexplosie?

Om toch niet te vergeten dat we op en top vrouw waren, kochten we tijdens de lunchpauze dure vrouwenbladen en lazen we elkaar de koppen voor. We lachten om de overdreven beweringen en treurden om de subtiele manier waarop ze ons singles als zielig afschilderden.

Emma pakte een van de tijdschriften op. 'We moeten eerst van onszelf leren houden, voordat iemand anders van ons kan houden,' las ze hardop.

Elaine reageerde: 'Dus als je single bent, ben je niet *geliefd*, en dat betekent dat we niet *klaar* zijn om liefde te krijgen.' Ze zweeg even. 'Dat is *afschuwelijk*. Ik zou het bijltje er meteen bij neer moeten gooien.'

Nicola las een hele serie kreten op uit een ander vrouwentijdschrift: 'Wie heeft een man nodig?' 'Onafhankelijkheid werkt het best!' 'Leef je eigen leven!' 'Als hij de ware niet is, stort je dan op de volgende!'

'Dit is absurd, wat een belachelijke tijdschriften,' riep ik over de glossy's, 'we weten al lang wat het is om single te zijn en willen juist een man! We kunnen onafhankelijk zijn én een relatie hebben. Stel dat de ware jakob niet bestaat? Misschien moeten we hem gewoon veranderen in de ware?'

Het was me altijd al opgevallen dat getrouwde mannen aantrekkelijker leken in de ogen van vrijgezelle vrouwen, omdat ze evenwichtiger waren, veelzijdiger en zich beter konden inleven in een vrouw. Misschien kwam dit juist doordat ze getrouwd waren en de nodige tijd hadden doorgebracht met een vrouw? Misschien moesten we een potentieel geschikte man uitkiezen in de hoop dat hij door met ons te trouwen in de ware jakob zou veranderen? Of zoals de Tantes beweerden: het was als een rivier en zijn rivierbedding die zich in de loop van de tijd naar elkaar vormden, zodat ze uiteindelijk perfect op elkaar aansloten.

Misschien had mijn vader ook al die tijd wel gelijk gehad. Hij had gezegd dat ik een man moest kiezen die ten minste vier van mijn zes wenseigenschappen had en dat ik naderhand aan de rest kon werken. Ik moest dus accepteren dat niemand perfect is, zelfs ik niet.

'Misschien ben ik erg cynisch,' begon Emma, 'maar wie weet willen de adverteerders in de tijdschriften dat we single blijven, zodat we bakken met geld uitgeven om mooi en jong te blijven, want daar is de ware jakob tenslotte naar op zoek. Maar ik betaal me scheel aan schoonheidsproducten en ik heb nog steeds geen man!' Emma liet haar depressieve gevoelens de vrije loop.

Toch had Emma had een goede, stabiele opvoeding gehad in Duitsland. 'Misschien willen ze voorkomen dat we keurig nette huismoeders worden en zijn we daar ingetrapt! Misschien moeten ze ons eens wat ouderwetse huishoudelijke taken bijbrengen, zoals het huishoudgeld beheren, Tupperware-bakjes uitkiezen en jam maken.'

We giechelden allemaal bij de gedachte dat we naar een Tupperware-party zouden moeten. 'Ik geef toe, dat heeft iets minder *glamour* dan het uitzoeken van haute couture,' voegde Emma eraan toe.

Misschien was er een gulden middenweg die de tijdschriften over het hoofd zagen of bewust negeerden: dat we aan de ene kant gelukkig getrouwd konden zijn met de Bijna-Perfecte-Man, wetend dat we zelf ook niet volmaakt waren, en tegelijkertijd mooi en stijlvol konden zijn. Duidelijk was dat de tijdschriften ons geen enkele kans of vooruitzicht op tevredenheid boden. Geen wonder dat we ons constant onder druk gezet voelden.

Emma bracht het gesprek op haar mislukte weekend: 'Ik was bruidsmeisje op een bruiloft en iedereen kwam gezellig met z'n tweeën. Behalve ik. Zelfs de getuige van de bruidegom was bezet! Wat is er mis met mij?'

Jackie reageerde: 'De enige mannen die nog vrijgezel zijn, zijn waardeloze types die al te vaak als grof vuil zijn gedumpt.' Het was een vreselijke vergelijking, maar ze keek zo ongelukkig dat we er niets van zeiden. 'Ze lijken allemaal op George uit de tv-serie *Seinfeld*.'

We huiverden vol afschuw en medeleven.

Elaine richtte zich met enige afgunst tot mij: 'Jij hebt tenminste nog mensen die proberen iemand voor je te vinden.'

'Dat is waar,' zei ik instemmend. 'Het is al moeilijk genoeg om een echtgenoot te vinden als Jan en alleman voor je zoekt en ontmoetingen regelt... ik kan me niet voorstellen hoe zwaar dat in je eentje moet zijn.'

Ik wendde mijn gezicht af en vocht tegen de tranen. Hoewel mijn familie inderdaad talloze mensen had gevraagd om uit te kijken naar een geschikte huwelijkskandidaat voor mij, werd ik nog maar zelden aan iemand voorgesteld. Ja, er werd driftig geknikt als we om hulp vroegen. Maar tot echte actie kwam het niet en de paar namen die werden geopperd waren totaal ongeschikt. Ik was niettemin gedwongen om ze in overweging te nemen, omdat ik anders wel erg ondankbaar zou lijken.

Ik ontmoette Arif, die de laatste tien jaar zelfstandig in Hongarije had gewoond. Nu was hij terug om een echtgenote te strikken. Hij was begin veertig en zijn lieve, geduldige moeder had uitgeroepen dat hij niet langer vrijgezel kon blijven en hem opgedragen te trouwen en zich te vermenigvuldigen en wel met spoed! Hij had zijn best gedaan om werk te vinden in Engeland, maar vond uiteindelijk een baan als financieel directeur van een kleine investeringsmaatschappij in Boedapest, in een van de buitenwijken. Ondanks zijn verblijf van tien jaar daar, vertelde hij vol trots dat hij erg op zichzelf was en geen vrienden had. Dat hij geen idee had waar de plaatselijke moskee zich bevond en dat hij geen enkele behoefte voelde om deel te nemen aan de Hongaarse maatschappij of om Hongaren te leren kennen. Maar hij zag zichzelf daar toch wel voor langere tijd wonen en dacht dat zijn vrouw heel gelukkig zou worden in hun tweekamerappartement. Hongaars leren, werken of sociale contacten opdoen waren in Arifs ogen niet belangrijk voor het geluk en welzijn van zijn vrouw.

Arif had in elk geval nog zijn eigen paspoort en het Britse burgerschap. Nabeel daarentegen kwam uit een klein dorp in Koeweit, en wilde dolgraag zijn huidige paspoort inruilen voor een Brits paspoort. Ik kreeg te horen dat dit gunstig was voor mij. Hij wilde iemand ontmoeten en snel trouwen, zodat hij zou beschikken over de juiste papieren, dus... hoefde ik niet al te lang meer te wachten op mijn visum voor Huwelijkseiland.

Asgar, Sadik en Jabir waren de volgende mannen in de rij, allemaal zonder visa, allemaal zonder baan, allemaal ongeschikt. Hun verwachtingen van een vrouw en echtgenote – en van het huwelijk – verschilden in elk opzicht van de mijne. Ze waren opgevoed met het traditionele voorbeeld van het huwelijk zoals dat 'thuis' gebruikelijk was en hadden geen idee van de spanningen van de nieuwe cultuur en de uitdagingen die daarbij hoorden. Ik stelde heel andere eisen aan mijn sociale leven en gezin. Een echtgenote was een echtgenote, en een huwelijk was een huwelijk, vonden zij, en ach, de relatie en de verwachtingen zouden – ongeacht de geografische plek of de cultuur – wel overal hetzelfde zijn. Alleen zouden zij daar mooi een Brits paspoort aan overhouden.

Ik had nooit kunnen bedenken dat het Britse burgerschap mijn grootste troef zou zijn. Ik vroeg me af of mijn biodata waren teruggebracht tot: vrijgezelle vrouw met paspoort.

SCHAAMTE

Een van de vriendelijke ooms stopte op vrijdag na het gebed een briefje in mijn vaders jaszak. Hij was discreet en lette op dat niemand keek. Het was belangrijk dat niemand zou zien dat hij informatie doorgaf of dat mijn vader het kreeg. 'Zeg tegen Shelina dat ze eens gaat kijken,' fluisterde hij vaag in mijn vaders oor. 'We hebben allemaal het beste met haar voor,' voegde hij eraan toe en hij verliet daarop de gebedshal zonder nog een keer om te kijken.

Ik vouwde het briefje in gezelschap van mijn vader thuis open. Er stond een websiteadres op. Maar het was geen gewone website, het was een website met huwelijkskandidaten. In die tijd was het internet nog relatief nieuw, onbekend en niet bepaald vertrouwd. Er was algehele hysterie over het internet zelf en een huwelijkswebsite was al helemaal beschamend. Maar de oom was een betrouwbare bron en stond in hoog aanzien binnen de gemeenschap. De nieuwe digitale kans werd aangedragen door een geloofwaardige man met autoriteit en dus stonden ook mijn ouders achter het idee om een partner via het internet te gaan zoeken.

Ik bezocht de website, waarop meer dan duizend profielen stonden. Er stonden geen namen bij, alleen nummers. Elke persoon gaf uitgebreide informatie over zichzelf, het was een online verzameling van biodata. Je kon zoeken op leeftijd, land, stad, zelfs op lengte, hoewel dat nog steeds een teer punt bij mij was. Daarnaast was er ruimte om jezelf te beschrijven en een gedeelte waar je kon omschrijven naar wie je op zoek was.

Ik besloot een poging te wagen. Ik koos voor 'Vrouw zoekt man'. Vervolgens selecteerde ik een ruime leeftijdsmarge, omdat ik wilde zien wie er allemaal op de markt waren. Als ik de voorwaarden te strikt opstelde, miste ik misschien iemand die maar net buiten de grenzen van perfectie viel. Ik koos 'Verenigd Koninkrijk' bij land en vulde geen stad in. Ik selecteerde bewust geen eisen voor lengte.

De zoekactie leverde een paar honderd resultaten op. Ik had

me opgetogen moeten voelen bij het zien van zoveel potentiële echtgenoten, die allemaal zaten te wachten op een cyberbruid. Maar de druk van al die profielen die ik moest doorworstelen om de ideale man te ontdekken, woog zwaar op mijn schouders. Zuchtend dacht ik aan de lange, moeizame marathonzit achter de computer vóór mij.

Het lezen van de profielen was grappig genoeg heel verslavend. Ik las er eentje, en toen nog een, nog een, nog maar eentje, en toch nog eentje. Het was echt een openbaring: deze enorme vijver vol vrijgezelle moslimmannen! Maar wat waren het voor mannen? Was er iets mis met hen dat ze online naar een vrouw zochten? Als ik mijn eigen gegevens op de huwelijkssite ging zetten, waren er maar twee mogelijkheden: ik was normaal, en dus waren zij ook normaal óf ze waren heel vreemd en er was iets mis met hen, en dus ook met mij. Ik gaf mezelf het voordeel van de twijfel en besloot dat we allemaal normaal waren. Dat was ook de meest logische conclusie.

Sommige mannen hadden helemaal niets geschreven in de ruimte voor een persoonlijke omschrijving. Ze vonden het zeker niet de moeite waard om zichzelf te beschrijven of om te zeggen naar wat voor iemand ze op zoek waren. Ik schreef hen meteen af, omdat ze de kwestie kennelijk niet serieus namen. Anderen hadden hele lappen tekst geschreven. Die bestudeerde ik uitvoerig. Sommigen waren behoorlijk veeleisend, anderen leken arrogant en weer anderen ronduit bespottelijk. Ze deden me denken aan de hopeloos onrealistische huwelijksadvertenties die we vroeger, toen ik nog een kind was, op Sunrise Radio hoorden. Soms was het profiel door de ouders van een jongen geplaatst.

Om de zoveel tijd stuitte ik op een gevoelig en verstandig profiel, dat me aansprak; iemand die eruit sprong en me raakte door zijn intelligentie, humor en spirit. Ik selecteerde de advertentie in kwestie en voegde hem toe aan mijn lijst. Toch twijfelde ik nog steeds en stortte me niet met volle overgave op de digitale zoektocht.

Ik had, zelfs in dit stadium, nog steeds het gevoel dat mijn zoektocht op internet een schandalig geheim was. Als ik ermee verderging, moest ik mijzelf blootgeven en een paar persoonlijke gegevens achterlaten. Ik zou anoniem zijn, maar gaf mezelf toch prijs. Ik was bang dat mensen op basis van mijn informatie exact zouden kunnen afleiden wie ik was en vervolgens aan iedereen zouden doorvertellen dat ik een man zocht via InterSchaamte. Het voelde alsof mijn dringende wens om te trouwen mijn waardigheid aantastte en ik wilde het restant daarvan zo lang mogelijk vasthouden.

Een paar weken lang bekeek ik de datingsite vanaf de zijlijn. Tot een van de profielen op een dag mijn aandacht trok en ik besloot de grote sprong te wagen. Hij was ongeveer van mijn leeftijd, woonde in Londen en beschreef zichzelf op een innemende manier, waaruit ik opmaakte dat hij heel graag iemand wilde vinden, maar niet egocentrisch of arrogant was. Om hem een berichtje te kunnen sturen, moest ik mijn eigen profiel aanmaken. Dus deed ik dat uiteindelijk.

Ik belandde weer in de hel van de biodata. Dit keer kreeg ik de kans om mezelf en mijn wensen in zoveel woorden te omschrijven als ik wilde en kon ik mijn gegevens rechtstreeks naar de mannen sturen die misschien in mij geïnteresseerd waren. Ik kon ook veel gedetailleerder beschrijven naar wat voor persoon ik op zoek was. Het zou hem helpen te bepalen of hij degene kon zijn die ik zocht. Ik zwoegde een paar kwellende uren lang op mijn tekst en klikte vervolgens op 'Versturen'. Daar stond ik dan, officieel op zoek naar een partner, in alle openbaarheid van het internet.

Zoeken werd steeds verslavender. Niet alleen was er een overvloed aan potentiële kandidaten online te vinden, maar ik zag ook profielen van mannen uit het hele land en zelfs uit de hele wereld. Ik leerde wat er speelde op plaatsen waar ik nooit van had gehoord of nooit was geweest. Het was een compleet nieuwe wereld, helemaal bevolkt door mensen die in hetzelfde schuitje zaten als ik. Ik las profielen, verstuurde nu en dan een mail, elk woord wikkend en wegend om te zien of de eigenaar van het profiel misschien iets speciaals had. Ik raakte in de ban van het hele proces. Er kwamen geen uitnodigingen meer via de 'oude' kanalen en toch had ik hier eindeloos keuze, van afgrijselijk tot veelbelovend.

Ik bracht elke week uren door met het screenen van verschillende huwelijkssites, het lezen van nieuwe profielen, het herlezen van oude en het versturen van berichten of reageren op berichten van anderen. Eens in de zoveel tijd vond ik een match. Dan volgde er een eerste mail, en als dat goed ging, een tijdje intensief mailverkeer. De gebruikelijke verlegenheid die je voelde als je iemand voor het eerst ontmoette, de twijfel of iemand echt wilde trouwen en of ze wel echt geïnteresseerd waren in jou, viel weg.

Nu en dan mailde ik met een kandidaat die óf ooit was afgewezen óf nooit via de traditionele kanalen en een bemoeizuchtige derde partij was voorgesteld. We maakten er grapjes over en bespraken de problemen van het traditionele koppelen. Het was echt een troost om de ellende en de emoties van de zoektocht naar een partner zo openlijk met iemand anders te kunnen bespreken. De afstand en de anonimiteit van het internet werkten enorm verfrissend. Ik kreeg het gevoel dat ik niet alleen was.

Er waren profielen van mannen uit het Midden-Oosten, Canada, Amerika, Australië en eigenlijk uit elk land dat je maar kon verzinnen. Ik stuurde mails dwars door tijdzones heen, kreeg te horen wat er elders in de wereld speelde en kwam tot een simpele, overduidelijke conclusie: we waren allemaal op zoek naar hetzelfde. We hadden allemaal de grote wens om een partner te vinden, iemand om van te houden, en deden er alles aan om die wens in vervulling te laten gaan. De wereldwijde contacten openden een totaal nieuwe wereld voor mij en de moslims met wie ik in aanraking kwam. Ik leerde nieuwe plaatsen kennen, hoorde nieuwe ervaringen aan en vond mailvrienden in verre oorden. De globalisering en het feit dat je zo gemakkelijk contact kon maken met mensen over de hele wereld veranderden mijn manier van doen. Ik had mannen uit het buitenland ontmoet die naar het Verenigd Koninkrijk waren afgereisd om een vrouw te zoeken, maar dit was de eerste keer dat ik er zelf voor kon kiezen om me voor te stellen aan een man, waar ook op deze planeet. Het was een reusachtige verandering in de wereld en in de moslimgemeenschap: het gemak en de snelheid waarmee je contact kon leggen met wie dan ook, waar ook ter wereld.

Mijn zelfvertrouwen en mijn gevoel van eigenwaarde groeiden. Ik begon deze wereldwijde communicatie steeds bevrijdender en spannender te vinden. Ik kon overal naartoe en praten met wie ik maar wilde. Het sloot feilloos aan bij mijn gevoel als wereldburger. En het versterkte me in mijn geloof omdat mijn taal en waarden die ik vrijuit liet zien over de grenzen van landen en culturen heen reikten. De wereldwijde communicatie veranderde ook de brede moslimgemeenschap. Doordat bellen goedkoper werd, overal internetaansluitingen kwamen en nieuws sneller doordrong, werden de banden tussen de wijdverspreide gemeenschappen sterker. Door de algemene trend van globalisering ontstonden groeperingen over landsgrenzen heen. De nationale grenzen waren niet zo belangrijk meer; in plaats daarvan draaide het om interesses, geloof, vrijetijdsbesteding. Nieuws, evenementen, trends en humor werden via internet met anderen in het mondiale dorp uitgewisseld. Een van die mondiale dorpen was Singlemoslimstad, waar ik woonde, hopelijk voor tijdelijk.

Het internet bood ook nieuwe kansen voor moslims als ik, die in Groot-Brittannië of een ander westers land waren opgegroeid. We konden onze nieuwe, veelzijdige identiteit met zielsverwanten delen. Nieuwsgroepen, bulletinboards en blogs verschenen in cyberspace en daarmee een gigantische groei aan activiteiten, teksten en meningen op het internet. Ooit had ik me eenzaam gevoeld door mijn multiculturele achtergrond als Brits-Aziatische moslima, maar nu wist ik dat veel meer mensen dezelfde gevoelens hadden.

Het was zó spannend om berichten uit alle windstreken te krijgen, rechtstreekse en respectvolle toenaderingspogingen van mannen die op zoek waren en jouw profiel interessant vonden. Ze waren doorgaans beleefd en zich steeds bewust van de pijnpunten van de huwelijksmarkt. Een bemiddelende partij was niet langer nodig; je kon iemand rechtstreeks leren kennen. Uit de berichten van mensen die jou wilden leren kennen, kon je heel verrassende dingen afleiden. Het was heerlijk om midden op de werkdag een charmant berichtje te ontvangen. En op een gegeven ogenblik, nadat je een x aantal mails had uitgewisseld, kwam dat ene moment waarop je een foto te zien kreeg van die persoon of de telefoon oppakte en zijn stem hoorde.

Ik probeerde niet te snel een oordeel te vellen als ik de foto eenmaal zag: foto's zijn misleidend. Een telefoongesprek was veel onthullender. Ik gaf mijn nummer nooit aan iemand, maar vroeg hun telefoonnummer wel en belde ze dan op voor een kort gesprek. Ik kwam erachter dat ook e-mails onbetrouwbaar waren. Het was heel gemakkelijk om alleen te lezen wat je wilde lezen. Zelfs aan de telefoon miste je de fysieke aanwezigheid en lichaamstaal van iemand om goed te kunnen beoordelen of de persoon in kwestie echt potentieel had.

Met een onbekende praten door de telefoon of een onbekende ontmoeten was geen punt voor mij door de vele kennismakingen die ik achter de rug had. Maar ik voelde instinctief aan dat ik nu voorzichtiger moest zijn. Deze mannen waren niet grondig gekeurd door de familie en ik had ook geen achtergrondinformatie over ze. De zeldzame keren dat ik uiteindelijk met iemand afsprak, zorgde ik er altijd voor dat mijn veiligheid gegarandeerd was. Ik had altijd iemand bij me of sprak af in een openbare gelegenheid en had natuurlijk het laatste redmiddel bij blind dates paraat: een goede smoes om weg te moeten.

SCHULDGEVOEL

Na een paar maanden kwam ik het profiel van Tayyab tegen. Hij was een Amerikaan, ongeveer van mijn leeftijd, en werkte in de technologische industrie. Hij had de nodige humor wat de online huwelijksmarkt betrof en ik moest hardop lachen om zijn persoonsbeschrijving. Hij nam zichzelf niet al te serieus, maar klonk gevoelig en boeiend. Ik verstuurde een verzoek om in contact met hem te komen en hij vond dat oké, waarna we met elkaar gingen mailen. Hij woonde in Houston, een wereldstad met een grote moslimgemeenschap. Aanvankelijk wisselden we alleen feiten en meningen uit, maar langzamerhand kregen we het over onze verwachtingen en dromen over elkaar en het huwelijk.

Tayyab was van Indiase komaf, geboren en getogen in de Verenigde Staten, en een actief lid van een van de progressievere moskeeën in Houston. Hij was sportief, hield van schrijven en wilde de wereld verbeteren. En hij wilde iemand om dat samen mee te doen. Hij was eind twintig en zocht een maatje, een vrouw. Hij had ontdekt dat hij eenzaam was. Hij had interessante politieke en sociale ideeën. Hij keek graag naar nieuwsprogramma's en was goed geïnformeerd over wat er zoal in de wereld gebeurde. We wisselden van gedachten over de Amerikaanse presidentsverkiezingen, de moderne wetenschap, de islamitische rechtspraak en emotionele intelligentie. Ik voelde me gestimuleerd en werd smoorverliefd. Ik dacht echt dat hij misschien de ware was.

We spraken elkaar aan de telefoon en hij leek alles wat ik me van hem had voorgesteld tijdens ons mailcontact. Hij was grappig, gevoelig, emotioneel, warm en intelligent. Hij stuurde me een foto waarop hij een kleine stip vormde tegen een donkere avondlucht. Hij leek een normale twintiger. Het enige waar hij moeilijk over deed was het feit dat hij maar één meter vijfenzestig lang was. Hij was klein, een paar centimeter langer dan ik, maar ik had hem verzekerd dat dat geen punt was. Ik had al eens te maken gehad met lengtediscriminatie en was niet van plan me daar schuldig aan te maken.

'Ik kom naar Londen om je op te zoeken,' mailde hij me op een dag. Dit was groots, dit was super, dit was geweldig. Tayyab had nog nooit een stap buiten Amerika gezet. Zelf had ik verschillende huwelijkskandidaten uit het buitenland op bezoek gehad in Londen tijdens hun zoektocht naar een bruid, maar niemand die ik via het internet kende.

Het duurde even voordat Tayyab alles had geregeld voor zijn reis naar Londen. Hij moest een paspoort aanvragen en op zijn werk regelen dat hij met verlof kon. Hij werd steeds enthousiaster en ik werd met de dag nerveuzer. Diep vanbinnen groeide mijn onrust. Ook al hadden mijn ouders enig speurwerk verricht naar Tayyab en zijn familie, we wisten feitelijk bar weinig van zijn achtergrond. Mijn ouders waren om die reden even bezorgd als ik, maar moedigden me aan om het eens te proberen. Dit was ook voor hen onbekend terrein.

Toen hij aankwam, stelde ik hem meteen voor aan mijn ouders en hij zag hen elke dag, zoals hij ook mij ontmoette, zodat we elkaar allemaal beter konden leren kennen. Hij bleek scherper en lomper dan tijdens onze telefoongesprekken. De mysterieuze afstand was verdwenen en in plaats daarvan zag ik zijn gezichtsuitdrukkingen voor me. De grootste uitdaging was om hem te leren kennen, want hij leek in het echt helemaal niet op de persoon die ik voor me zag tijdens onze gesprekken. Ik had dit wel vaker meegemaakt bij een ontmoeting met een potentiële partner. Maar door zijn lange reis, dwars over de Atlantische Oceaan en zijn overtuiging dat onze ontmoeting puur een formaliteit was voordat we ons gingen verloven, werd het contrast tussen Tayyab-op-internet en Tayyab-in-levenden-lijve een stuk groter. Hij was ook veel opvliegender dan hij aan de telefoon was geweest; door de afstand en ons mailcontact, dat niet dagelijks plaatsvond, was me dit ontgaan. Maar nu was het overduidelijk. Dit was uiteindelijk het eerste sein dat ik geen toekomst in hem zag.

Hij begon me te irriteren: hij leek er enthousiaster over dat hij als toerist in Londen rondliep dan over zijn ontmoeting met mij. Hij ratelde maar door over hoe anders de nummerborden op onze auto's waren, over het feit dat we aan de andere kant van de weg reden, over het schattige accent dat hij overal om zich heen hoorde, over onze kleine huizen, onze kleinere auto's, onze smalle straten. Maar het ergste was dat hij overal ging opscheppen over hoe goed hij verdiende. Ik wilde met alle plezier bijdragen aan onze gezamenlijke uitgaven, of zelfs alles betalen, vooral omdat hij de dure reis naar Londen al had gemaakt. Maar hij stond erop om te betalen. En toen begon hij al snel daarna te klagen hoe duur de koffie was, hoe duur het eten in Engeland was, hoe duur alles eigenlijk was! Algauw trok hij zijn aanbod om te betalen, of zelfs om samen te betalen, doelbewust en nadrukkelijk in, ondanks zijn grote mond over zijn dikke portemonnee en zijn galante karakter. Hij leek in alles op de tandarts. Bepaald geen goed voorteken voor een huwelijk.

Maar het was Tayyabs onvoorspelbare humeur dat bij mij de doorslag gaf. Ik voelde me enorm schuldig dat hij zo ver had gereisd om mij te zien, maar ik hield mezelf voor dat dat absoluut niet terecht was. Ik had hem niet gedwongen op het vliegtuig te stappen. Ieder mens deed wat hij moest doen om een partner te vinden. En Tayyab had een weloverwogen besluit genomen toen hij aan deze reis begon. Hij wist dat het misschien op niets uit zou lopen.

Was het mijn schuld dat het niets werd? Had ik beter mijn best moeten doen? Voor de rest leken we zo goed bij elkaar te passen en mijn ouders waren al bezig meer informatie over hem in te winnen. Maar nee, ik hoefde me niet schuldig te voelen; uiteindelijk had ik Tayyab gestimuleerd om iets te ondernemen wat hij nog nooit in zijn leven had gedaan en misschien ook nooit had gedaan als het vooruitzicht op een huwelijk hem niet had aangesproken. Ik zou tevreden moeten zijn over mijn rol.

Toch kreeg ik over alles wat ik deed een schuldgevoel. Want het draaide niet alleen om Tayyab, maar ook om mijn familie. Ze wilden zo graag dat ik zou trouwen en gelukkig zou zijn dat ik me ellendig voelde dat ik niet aan hun wensen kon voldoen. Ze zouden het geweldig hebben gevonden als ik was getrouwd. Het was bijna de moeite waard om te trouwen met iemand die maar een beetje geschikt leek, alleen om te zien hoe gelukkig ik hen daarmee zou maken. Dat ik hen dat geluk niet kon geven, gaf me een rotgevoel. Maar als ik zou trouwen met de eerste de beste Meneer Gemiddeld, zouden ze beseffen dat ik mijn idealen had opgegeven en daarmee gingen ook de verwachtingen van mijn familie in rook op. Ze hadden me gesteund in mijn zoektocht en me door alle moeilijkheden, diepe teleurstellingen en eenzaamheid heen gesleurd. Als ik het nu opgaf, zou ik me evengoed schuldig voelen.

Na al die jaren waarin mijn ouders me aangespoord hadden

om mijn eigen keuzes te maken, was het niet meer dan redelijk dat ik mijn zoektocht nu zelf voortzette. Er waren zoveel moslima's die geen vrije keuze hadden en ook niet de steun van hun familie. Mijn familie steunde me vanuit het islamitische idee dat ieder mens het recht heeft om te trouwen met de persoon die hij of zij zelf uitkiest en dat niemand tegen zijn wil een huwelijk moest aangaan. Ik probeerde die waarden hoog te houden en toch zorgde een bitter stemmetje vanbinnen ervoor dat er schuldgevoel door mijn aderen stroomde. Lag het allemaal aan mij? Had ik mijzelf iets wijsgemaakt met mijn dromen over een sprookjesprins en 'ze leefden nog lang en gelukkig'? Had ik mezelf en mijn familie al deze ellende voor niets aangedaan? Had ik kansen gemist? Het antwoord was duidelijk: nee. Spijt stond beslist niet bij mij op het menu.

Machtige Maria

Ik fantaseerde over een bruiloft, desnoods zonder man. Ik had niet alle hoop verloren, maar bereidde mezelf vast voor op het idee dat het misschien nooit zou gebeuren. Beeldschone jurk, romantische locatie, heel veel lekker eten, geweldig gezelschap. Het werd tijd dat ik in het middelpunt van de belangstelling kwam te staan. Zonder mijn sprookjesprins zou ik de vruchten van het huwelijk misschien niet kunnen plukken; dan kon ik toch op z'n minst een fijne bruiloft houden. Had ik echt een bruidegom nodig? Ik kwam in de verleiding om de bruidsjurk van mijn dromen te kopen, want stel dat ik er anders nooit echt een zou dragen? Ik stelde me een lange, witte zwierige japon voor, versierd met allemaal glinsterende steentjes en een dunne, doorschijnende sluier om mijn brede, gelukzalige lach te verbergen. Ik dacht aan ivoorkleurige zijde en met de hand geborduurde kraaltjes.

Maria, de moeder van Jezus, was een geweldige inspiratie voor me in deze periode. Ze wordt met grote eerbied genoemd in de islamitische tradities en werd beschouwd als een van de 'vrouwen van het paradijs'. Er is zelfs een hoofdstuk in de Koran naar haar genoemd. Maria's vader wilde dolgraag een kind en had tot God gebeden dat, als hij er met eentje werd gezegend, hij zijn nakomeling God zou laten dienen in de tempel. Maria's vader was dolgelukkig toen zijn vrouw hun kind ter wereld bracht, maar hij was verbaasd dat het een meisje was. Hij wees God erop dat de komst van een dochter in plaats van een zoon een onverwachte wending aan de zaak gaf. Hij had plechtig beloofd dat zijn kind zich aan God zou wijden, maar in de tempel dienden alleen jongens.

God was zich hiervan welbewust uiteraard, want God weet alles. In Zijn Wijsheid had Hij een meisje geschapen om Hem te dienen, en dit bracht de mensen in die tijd in verwarring. Zo werd immers duidelijk dat een vrouw in Gods ogen gelijkwaardig was aan de man. Maria's geboorte maakte een eind aan de culturele tradities waarin de vrouw ondergeschikt was, een wezen dat het niet waard was om God te aanbidden. Degenen die vrouwen buitensloten van godsdienstoefeningen deden dat omdat ze meenden dat alleen 'echte' mensen God konden aanbidden en vrouwen niet werden beschouwd als volwaardige mensen. De geboorte van Maria alleen al toonde de gelijkheid van vrouwen in de ogen van God.

Ondanks de tradities uit die tijd werd Maria toch aan de tempel overgedragen en groeide ze op tot een vrouw die bekend stond om haar voorbeeldige karakter en haar grote geestkracht. Ze ging er helemaal voor om een sterke relatie met God te ontwikkelen. Haar oom kwam haar wel eens opzoeken in de tempel en trof haar tot zijn verbazing dan aan terwijl ze van overheerlijk vers voedsel zat te smullen. Toen hij informeerde waar dit lekkers vandaan kwam, vertelde ze dat het voedsel een geschenk van God was dat een engel speciaal had gebracht toen ze zat te bidden.

Aangezien Maria de zuiverste van alle vrouwen was, koos God

haar uit voor het grootste wonder: een maagdelijke geboorte. Maar in de islamitische traditie komt er geen Jozef voor in het verhaal van de geboorte, is er geen man die afbreuk doet aan de hoofdrol van de vrouw in dit verhaal. Nee, zij is een stralende, zelfstandige ster, een vrouw die haar eigen leven leidt.

Als Maria op het punt staat te bevallen, zoekt ze een rustige plek in de schaduw van een boom. Haar reactie op de weeën beschrijft de Koran zó, dat alle vrouwen zich erin kunnen herkennen. Ze is geen afstandelijke, onbereikbare figuur, maar heeft dezelfde typisch vrouwelijke ervaringen die wij als vrouwen ook meemaken. Tijdens de bevalling schreeuwt ze een keer: 'Ik wilde dat ik dood was.' Veel vrouwen schijnen hetzelfde te gillen tijdens de pijnlijkste momenten van een bevalling. Mijn moeder zegt dat ze het ook heeft geroepen, meermalen zelfs, tot het moment waarop ze mij in haar armen had en alle pijn op slag was vergeten. Maria klemt zich uit alle macht vast aan de boom, in een poging de pijn te verdragen.

Hoewel Maria een vlekkeloze reputatie had, beschuldigden de roddeltantes uit die tijd haar van overspel. En ook de machtige aartsvaders vertrouwden haar niet. Om Maria te beschermen kon de kleine baby als door een wonder praten, en hij vertelt dat zij puur en onaangeraakt is. Dat hij de baby Jezus is, door God gezonden om de waarheid, de Heilige Schrift en de boodschap over te brengen dat de mensen moeten bidden, elkaar moeten helpen en God moeten vereren.

Volgens mij is Maria nooit getrouwd, maar heeft ze baby Jezus in haar eentje opgevoed. Ze is mijn idool omdat ze de gelijkwaardigheid van vrouwen in de godsdienst en in het sociale leven laat zien. God stuurde haar met opzet als teken dat vrouwen de moeite waard zijn. De uitdagingen van Maria waren heel reëel: een moeilijk leven als alleenstaande moeder, over wie werd geroddeld, terwijl ze zo goed mogelijk probeerde te leven. En desondanks wist ze een wonderbaarlijk kind als Jezus groot te brengen. Ze moet wel een supermoeder zijn geweest.

Ik vond het verhaal over Maria en haar rol als moeder vooral leuk omdat de naam van mijn eigen moeder, Maryam, de Arabische variant van Maria is. Zij liet zich ook niet van de wijs brengen door de roddels van anderen en had tijdens mijn zoektocht steeds achter me gestaan en me gesteund. Beide vrouwen gaven me de hoop dat ik als vrouw, of er nu een man in het spel was of niet, al mijn dromen kon waarmaken en een prima mens kon zijn.

De bruiloft zonder bruidegom is er nooit van gekomen. Ik bleef hopen dat nieuwe manieren om iemand te leren kennen me uiteindelijk mijn sprookjesprins zouden opleveren. Op een avond ging ik, samen met Noreen, naar een speeddatingsessie. Als het al bij binnenkomst afschuwelijk leek, zouden we meteen rechtsomkeert maken. Dat hadden we afgesproken. De organisatoren van de bijeenkomst beloofden ons iets wat we verder nergens konden vinden: vrijgezelle mannen in levenden lijve, en een heleboel ook. Er zouden twintig mannen en twintig vrouwen komen en elke deelnemer zou een gesprek van drie minuten voeren met iemand van het andere geslacht om te peilen of hij misschien de ware was.

De locatie was amper te vinden en na lang zoeken kwamen we erachter dat het eigenlijk een nachtclub was. We voelden ons meteen ongemakkelijk. Was dit wel de juiste plek om een geschikte man te vinden?

Als moslims waren we geheelonthouders en kwamen we nooit in bars. We waren allebei op zoek naar een praktiserend moslim. Zouden die hier echt op afkomen? De ruimte was groot en schaars verlicht, er stonden rode en oranje lampjes en de luxe, exotische stoffering zorgde voor een sensuele sfeer. Speeddaten bleek meteen een lastigere klus dan we hadden voorzien.

De organisatoren gaven ons allebei een kaartje. Links stonden de nummers één tot en met twintig. Daarnaast stonden drie kolommen: zeker weten, misschien, nee. Rechts was er ruimte voor aantekeningen. We schreven onze eigen profielnummers in de rechter bovenhoek. Alle deelnemers kregen een sticker met – in koeienletter – hun profielnummer, die ze op hun revers moesten plakken. Niemand mocht zijn eigen naam geven.

Elke vrouw kreeg een eigen tafeltje en om de drie minuten stonden de mannen op om naar het volgende tafeltje te lopen. Uiteindelijk zouden alle twintig mannen alle twintig vrouwen hebben gesproken. We krabbelden aantekeningen op het kaartje over onze 'dates', zodat we later konden beslissen wie 'zeker weten', 'misschien' of 'nee' moest krijgen. Na afloop verzamelden de organisatoren de kaartjes en als ze bij twee personen een wederzijds 'zeker weten' ontdekten, dan kregen die elkaars e-mailadres en konden ze hun contact privé voortzetten. Als eentje 'zeker weten' had ingevuld en de ander 'misschien', werd aan de twijfelaar gevraagd of hij/zij eventueel wilde mailen met de persoon in kwestie.

Toen iedereen binnen was, waren er twintig vrouwen en zestien mannen. Zoals altijd waren er minder mannen. De vrouwen gingen aan de tafeltjes zitten die in een kring in de zaal stonden, terwijl de mannen nerveus rondhingen bij de bar, die overigens gesloten was. Het viel me op dat ik de enige vrouw was met een hoofddoek. Sommige vrouwen zagen eruit alsof ze direct van hun werk kwamen, anderen hadden zich opgedoft alsof ze naar een filmpremière gingen. Na een korte inleiding van de gastheer verspreidden de mannen zich over de ruimte en namen ze ieder plaats aan een tafeltje. Voor vragen als 'hoe heet je en waar kom je vandaan?' was geen tijd. We konden beter meteen een interessant onderwerp aansnijden, wat echt iets zei over het karakter van de ander.

De eerste mannen die naar mijn tafeltje kwamen, keken niet bepaald enthousiast. Het meisje naast me had een betoverend, welgevormd figuur en meteen toen ze de zaal binnenkwam waren alle blikken op haar gericht. De jongens die aan mijn tafeltje kwamen zitten, probeerden niet naar haar te kijken, maar zaten bijna te watertanden terwijl ze een beleefd gesprek met mij probeerden te voeren. Ze deden eigenlijk wel hun best, maar mijn hoofddoek schrikte ze duidelijk af. En trouwens, met de lookalike van filmster Aishwari Rai naast me, waren hun hersens grotendeels uitgeschakeld. De avond vorderde en ik besloot eerlijke vragen te stellen. Zo kwam ik erachter dat deze jongens vanwege de cultuur of onder familiedruk een islamitische vrouw zochten, en eigenlijk niet uit geloofsovertuiging. Daarom namen ze mij niet serieus in overweging. Als experiment vinkte ik bij alle jongens het hokje 'zeker weten' aan, om te kijken of er iemand belangstelling voor me had. Ik kreeg geen enkele reactie.

Ik was ontmoedigd, maar hield mezelf voor dat ik sowieso geen van de aanwezige mannen echt zag zitten. Toch zat er diep vanbinnen een knoop van teleurstelling, hoe onredelijk dat gevoel ook was.

Ik dacht aan Maria's vastberadenheid, raapte mezelf bij elkaar en besloot het nog eens te proberen. Deze speeddatingavond was duidelijk niets voor mij, omdat er heel ander publiek op afkwam. Misschien kwam ik op een andere avond meer geschikte gesprekspartners tegen.

Ik vond een andere organisatie die beweerde dat ze een heel subtiele manier van speeddaten had ontwikkeld. De organisator stond erop dat alle toekomstige deelnemers eerst een grondige selectie ondergingen. Alleen als iemand voldeed aan allerlei criteria, zoals de juiste houding, realistische verwachtingen, een goed verstand, een beetje persoonlijkheid en succes, mocht hij of zij zich inschrijven voor deelname. Hij zei dat dit tijdverspilling voorkwam en dat het de mensen weerde die niet zoals wij serieus op zoek waren naar 'een relatie met het oog op een huwelijk'. Het klonk helemaal oké, alsof het een compleet, door de Tantes goedgekeurd kennismakingsproces was waarbij elke kandidaat – man of vrouw – uit het goede hout gesneden was.

Ik kreeg een tijd door waarop ik de selectiedame moest bellen en meldde me op het afgesproken tijdstip. Ongeveer dertig minuten lang zaagde ze me door over mijn opvattingen over het huwelijk, wat ik precies zocht en wat ik te bieden had. Aan het eind van de sessie feliciteerde ze me: ik was goedgekeurd. Geweldig: een puntje voor mij! Ik was gebombardeerd tot een goede partij. Het was een slimme marketingstrategie van de speeddatingorganisatie. De organisator gaf me een aantal data door en vertelde wat het kostte om een avond bij te wonen. Het was een flink bedrag, maar het kostte niet veel meer dan een normaal avondje uit. En wie zou het zeggen? Straks rolde er een goed gescreende, potentiële echtgenoot van hoog niveau uit. Het was niet overdreven veel geld, maar het maakte de avond een stuk serieuzer dan bij onze eerste poging. Zomaar weglopen was er niet bij. De man merkte dat ik nerveus was en zei dat als ik me inschreef voor drie of meer sessies, ik korting zou krijgen. Ik kwam in de verleiding, maar vond het ook irritant. De organisator dacht blijkbaar dat ik verscheidene avonden zou willen – en moeten – bijwonen. Na de vorige afknapper besloot ik me eerst maar eens voor één avond in te schrijven.

En weer ging ik samen met Noreen, voor de broodnodige morele steun. Deze bijeenkomst was een stuk beter verzorgd dan de vorige. Er stonden ronde tafels voor zes personen klaar. Aan het begin van de avond namen er drie mannen en drie vrouwen aan elke tafel plaats. Na twintig minuten wisselden de mannen van tafel. Er was voor deze groepsopstelling gekozen om het gesprek gemakkelijker te laten verlopen en door de langere tijd was er ruimte voor 'diepere' gesprekken. Gezien mijn vorige ervaring, vond ik dit een goed idee en ik was vol goede moed.

Maar… er was enig oponthoud aan het begin van de avond. Ook nu waren er zo'n twintig vrouwen, maar op de afgesproken begintijd was er nog maar een handjevol mannen binnen. We kregen te horen dat, omdat het een doordeweekse dag was, sommige mannen door hun werk verlaat waren. We wachtten geduldig op hen, maar na ongeveer drie kwartier werden de vrouwen onrustig en kwam de aap uit de mouw: sommige mannen hadden op het laatste moment afgezegd. Misschien waren ze te bang en te nerveus om te komen.

De organisatoren overlegden en de vrouwen werden nijdig. Sommigen waren al vaker op avonden geweest en de opkomst van mannen was altijd slecht. Ze eisten hun geld terug. De organisator rende druk heen en weer en haalde bezorgd zijn handen door zijn haar. Weer drie kwartier later druppelde er een aantal mannen de zaal binnen. Ondanks de opkomende woede verschenen er hoopvolle blikken op de gezichten van de vrouwen. Mannen! Eindelijk!

Langzamerhand veranderde de bezorgde, geïrriteerde sfeer in een bedrijvige drukte. Maar er was iets vreemds aan de houding van de mannen; ze leken wel erg relaxed en niet echt betrokken bij het proces. Ze vroegen weinig details over de vrouwen, maar praatten vooral onder elkaar. Tijdens de gesprekken met de ongeveer twaalf – niet de twintig, die ons waren toegezegd – mannen besefte ik dat ik weer de enige vrouw met een hoofddoek was en dat geen van de aanwezige mannen zat te wachten op een vrouw die een hijaab droeg. Ik voelde me opgelicht: alle kandidaten zouden van hoog niveau zijn, maar het gezelschap bestond uit slechts enkele middelmatige exemplaren. En dat was nog niet alles. Een van de mannen verklapte namelijk per ongeluk dat ze waren betaald om te komen.

Duizelig tolde ik om de tafels van het speeddaten heen. Mijn hoop werd gewekt en weer de grond in gestampt. Het voelde alsof ik in een mallemolen was beland, waarbij mijn innigste wens langzaam vervloog en ik steeds bleef ronddraaien in de hoop dat er ooit, op een dag, toch een man zou verschijnen die de gekmakende, afschuwelijke muziek zou stopzetten.

Ik vergat de akelige kermis van het speeddaten en de complete huwelijksmarkt op slag toen ik voor de Ka'aba in Mekka stond, klaar om aan mijn hadj te beginnen. Dat is de pelgrimstocht die elke moslim minstens eenmaal in zijn leven wil maken. De cirkelende beweging van die gigantische mensenmassa raakte me diep. Dit is de plek waar de profeet Mohammed is opgegroeid. Hier heeft Abraham, die de Ka'aba bouwde, zijn eerste voetstappen gezet; hier is de islam, zoals we die vandaag de dag kennen, geboren. Naar deze plek richt ik me elke dag als ik aan mijn salat, mijn rituele gebeden, begin. Rond en rond ging de enorme golvende menigte.

De Ka'aba torent hoog boven alles uit: hij is vijftien meter hoog, twaalf meter diep en tien meter breed. Hij heeft de vorm van een kubus en is meestal bedekt met een zwart kleed, vandaar de mystieke, bijzondere uitstraling. De Ka'aba staat ook bekend als het Huis van God, maar dat is figuurlijk. Het is meer een symbool voor moslims om zich op te richten. Want God is immers overal. In een hoek van de Ka'aba staat de Zwarte Steen, een meteoor die uit de hemel is gevallen, gelooft men. De Ka'aba staat op een reusachtig plein van wit marmer waar honderdduizenden mensen elk jaar, tegen de klok in, om het heilige gebouw heen lopen. Als ze zeven keer rond de Ka'aba hebben gelopen, hebben ze de *tawaaf* – de rituele omgang – volbracht. Dat is het eerste deel van de hadj.

In een cirkel om het plein met de Ka'aba heen is een reusachtige moskee gebouwd. Via de moskee komen de pelgrims op het plein en ze zoeken er schaduw en een plek om overdag te rusten tijdens de extreme hitte van de Arabische woestijn. Ik stond op de trappen van de grote moskee, keek naar de Ka'aba en zag de ene na de andere golf witgeklede mannen en vrouwen zich langzaam rond de zwarte kubus bewegen. We waren hier allemaal voor de hadj, de bedevaart naar Mekka. Stel dat de hadj geen verplichting van hun geloof was geweest, dan zouden sommige misschien nooit een stap buiten hun dorp of land hebben gezet. Voor minder welvarende moslims was het een grote droom om hier te zijn. Voor de moslims die comfortabel in het Westen waren opgegroeid is het een eyeopener. Ik zag nu met eigen ogen hoe groots en bijzonder de islam is.

De hadj is een fysieke maar ook een innerlijke reis. Bijna drie miljoen mensen proberen al hun spirituele energie op God te richten. Ze horen op dat moment met hart en ziel bij één gigantische, wereldwijde en super gevarieerde groep. De mannen dragen twee witte, ongenaaide doeken en de vrouwen hebben lange, eenvoudige witte jurken aan. Of degene naast je een koningin of een gewone burger is, kom je nooit te weten. En dat was ook het idee erachter: de ongelijkheid van de mensen valt weg en iedereen heeft dezelfde geestelijke status. Van de persoon naast je weet je niet hoe rijk hij is of wat voor baan hij heeft, maar je merkt wel of degene glimlacht bij het groeten, of iemand duwt of voordringt, en of hij vriendelijk is. Iedereen draagt witte kleren, zonder versiering, zonder stijlkenmerken en zonder accessoires, dus niemand kan je beoordelen op stijl, mode of rijkdom. Alleen het innerlijke telt.

Ook islamieten zijn soms racistisch, al willen ze dat niet toegeven. Maar hier lopen mensen van alle mogelijke rassen door elkaar heen, omdat ze in dezelfde God geloven. Ik voelde een sterke band met iedereen. De ene keer stond ik naast iemand die in een Afrikaans wildpark woonde en dan weer naast een Oeigoer uit China, je kunt naast iemand lopen die was opgegroeid in de voetheuvels van het Incarijk of je kreeg ineens hulp van een Arabische nomade, een blonde Bosniër of een breed lachende Nigeriaan. Het is overduidelijk: we zijn allemaal mensen. Mijn verwarring over de verschillen bij mensen verdween als sneeuw voor de zon. Ik dacht: wie van hen je er ook uitpikt, ze zijn allemaal moedig en trots op zichzelf en blij om hier te zijn.

'Zo moet het in Engeland ook kunnen,' dacht ik bij mezelf, terwijl ik naar al die verschillende mensen uit de hele wereld keek, 'zij aan zij, werken, studeren, leven, met elkaar praten en lol maken ongeacht onze etniciteit of geloof. De mensen om me heen zijn eigenlijk niet anders dan ik.' Onze kern is hetzelfde.

Al zoekend naar een man en door de verdieping van mijn geloof voelde ik me goed over mezelf en was blij met andere mensen, wat hun geloof ook was. We zoeken allemaal naar waarheid en geluk. Kijkend naar de cirkelende mensenmassa bedacht ik hoe geweldig dit was. Ieder mens is een uniek lichtpunt in de wereld.

Ik was op zoek geweest naar een lief om van te houden en had geprobeerd iets te begrijpen van Gods liefde. Maar er is nog een derde soort liefde: de liefde voor andere mensen. Alle mannen die ik tot nu toe was tegengekomen, hoorden daar evengoed bij, net zoals al die mensen voor me op het plein. Ik moest van hen houden, hen accepteren en van hen leren, of ik ze nu leuk vond of niet. De islam wil dat je de Schepper maar ook Zijn Schepping dient; daar komt het allemaal op neer.

Naast de Ka'aba bevindt zich het graf van Hagar, de vrouw van Abraham en de moeder van Ismaël. Als de pelgrims om de Ka'aba heen cirkelen, lopen ze ook om de plek heen waar Hagar is begraven. Hagar was een slavin voor ze met Abraham trouwde. Daardoor stelde ze voor sommige mannen weinig voor. En toch moeten ook die mannen om haar graf heen lopen, als een symbool voor haar hoge status in de ogen van God. Ik vond dat heel grappig. Sterker nog, ik moest hardop lachen. Er is geen enkele man die net als Hagar in de rituelen van de hadj is opgenomen.

Na de omgang rond de Ka'aba gingen de pelgrims naar een nabijgelegen woestijnvlakte van ongeveer een halve kilometer breed tussen twee heuvels, Safa en Marwa. Op bevel van God liet Abraham zijn vrouw Hagar hier achter met hun zoontje Ismaël. Hij vroeg hen daar op hem te wachten. Hagar, die water zocht voor haar zoon, rende tussen de twee heuvels heen en weer op zoek naar een bron of rivier. Daarom lopen de hadj-pelgrims heen en weer tussen diezelfde twee heuvels, omdat zorgen voor je familie net zo goed bij een vroom leven hoort als bijvoorbeeld bidden. De hadj, inclusief de tocht die Hagar tussen de twee heuvels maakte, is heel belangrijk voor iedere gelovige moslim.

Waarom zijn veel moslims eigenlijk het verhaal van Hagar vergeten, terwijl ze bij de hadj hoort? Omdat ze een vrouw was? Veel moslims vergeten Hagar maar liever. Die zien vrouwen liever als zwak en onderdanig, alsof dat zo hoort. Maar terwijl we hier om de Ka'aba en tussen de Safa en de Marwa liepen, bleek duidelijk dat vrouwen juist hoog in de rangorde thuishoren. Waar was het misgegaan?

Er is nog iets anders met Hagar aan de hand. Tot nu had ik wat zij deed juist heel moeilijk gevonden om een balans in te vinden. Om te begrijpen dat zoeken naar voedsel en onderdak net zo goed bij het geloof hoort als bijvoorbeeld bidden. De omgang rond de Ka'aba laat zien dat God het belangrijkste is voor een moslim, de hele dag door, vanaf zonsopkomst tot zonsondergang. Het heelal bestaat uit een herhaling van cycli en iedere cyclus volgt zijn eigen baan en heeft zijn eigen plek in de Goddelijke orde. Maar Hagars zoektocht, heen en weer, staat voor de dagelijkse sleur: naar het werk, terug naar huis, weer naar het werk, terug naar huis. En die bepaalde letterlijk mijn leven. Die twee stukken vonden elkaar in evenwicht en ik begreep dat het geloof en het alledaagse feilloos op elkaar aansloten.

En… tja, wat de ware jakob betreft; de hadj is ook een unieke mogelijkheid om aardige mannen te ontmoeten. Dat geldt toch voor elke gelegenheid waarbij je nieuwe mensen tegenkomt? De wijze Tantes waren daar heel duidelijk over. Het huwelijk was een spirituele daad en het zou reuze toepasselijk zijn als je je toekomstige partner tegenkwam op de trappen van het Huis van God. Wat een fascinerende gedachte. En omdat iedereen zo eenvoudig gekleed ging, make-up tot een minimum werd beperkt en opsmuk niet belangrijk was, kreeg je de kans iemand te leren kennen zoals hij of zij werkelijk was. Sommige stellen kwamen verloofd aan. Ze probeerden zich dan wel een beetje in te houden, zodat niemand hen van te veel lachen kon beschuldigen! Anderen kwamen in de hoop dat ze niet alleen naar huis gingen, maar met de extra bonus van een verloofde.

Fatima en Abdu bijvoorbeeld, hadden elkaar tijdens de hadj gevonden. De Tantes die meereisden op de hadj waren altijd op alles voorbereid. Ik wist niet wanneer de ontmoeting tussen de twee geluksvogels had plaatsgevonden of hoe het tot een aanzoek was gekomen. Ik was te druk met mijn eigen spirituele ervaringen om tijdens deze speciale reis bezig te zijn met dat kennismakingsgedoe. Ik wilde domweg mijn eigen plekje vinden in deze gigantische wervelwind van wereldwijde saamhorigheid.

Ik wilde op mijn knieën vallen, mijn hoofd diep buigen en huilen, uit blijdschap dat ik hier, in Mekka, was. God zegt dat we hier allemaal even puur en onschuldig zijn als jonge kinderen. Maar ik huilde ook omdat ik zo graag een punt wilde zetten achter mijn eenzaamheid en wanhoop als single. Ik gaf alle hoop nog niet op, maar ik wist gewoon niet meer waar ik de ware jakob moest zoeken. John Travolta had niet bij me aangebeld. De Prins op het witte paard was voorbij gegaloppeerd. En zelfs de middelmatige mannen die ik had ontmoet, leken onderhand te zijn getrouwd. Ik voelde me klein en nederig midden in deze oceaan van mensen. Misschien was mijn trots eindelijk gebroken, en was ik alleen nog maar een eenzame ziel die wachtte op die ene, speciale ander. Ik wist dat ik geduld moest hebben. Veel geduld.

In mijn yin

Extreem uithoudingsvermogen heeft zo z'n voordelen: je overweegt dingen die je anders nooit in je hoofd zou halen. Je gaat alles van een andere kant bekijken en... je ziet nieuwe kansen. Om eerlijk te zijn: ik stond open voor wie dan ook. En door de hadj was ik ook milder geworden. Ik moest wel verder kijken dan mijn eerste indruk, hoe zou de persoon vanbinnen zijn? Ik keek anders aan tegen iedereen die ik tegenkwam, of het nu tijdens een kennismaking via de Tantes was of in het gewone leven, en ik maakte er een sport van om te ontdekken wat er achter de buitenkant verstopt zat.

Ik probeerde mannen die ik normaal gesproken irritant vond een tweede blik te gunnen. Wie was deze man echt? Was hij misschien een Mohamed Habib, die me de mysteries van het universum zou kunnen uitleggen? Had een stille, alledaagse man misschien een heel mooie binnenkant, al was zijn uiterlijk onopvallend? Of ging hij, als hij zich in een ander stadium van zijn reis bevond dan ik, misschien wél dezelfde kant op? Als ik niet meteen op hem viel maar wel een hechte band voelde, zou ik hem dan na een poosje tóch leuk gaan vinden? De Profeet was daar duidelijk over: uiterlijke schoonheid was niet voor de eeuwigheid. Schoonheid vanbinnen was het belangrijkste (werd hier maar eens een cijfer voor gegeven op de websites met huwelijkskandidaten), want die groeide in de loop van de tijd.

Ik begon mensen interessant te vinden, gewoon om wie ze waren. Ik werd rustiger, zachter en opener tegen ze. Wat drijft deze persoon, dacht ik. Iedere ontmoeting was een heerlijk moment en het was zo relaxed dat ik me niet meer constant koortsachtig afvroeg: is dit misschien mijn toekomstige man? Andere mensen waren een soort ramen die me een kijkje boden in een nieuwe wereld. Ik vond het gewoon leuk om anderen als mens te leren kennen: spannend en interessant.

Op mijn weg vol valkuilen op zoek naar de ideale liefde had ik veel geleerd. Ieder mens is echt superbelangrijk en uniek. God mag dan overal zijn, maar vooral in de harten van mensen. Dus waar moest ik anders zoeken? Ieder mens helpt je bovendien om God te vinden, dat kun je niet in je eentje.

Ik was zo blij dat ik voelde hoe ik weer begon te stralen. Ik zag er heel anders uit dan toen ik nog stond te wachten op Station Wanhoop. Ik was weer tevreden en blij met mijn leven. En ik zou mijn toekomstige lief laten zien hoe fijn het leven kan zijn.

Dus nu denk je misschien dat je al weet wat ik ga vertellen: dat de liefde toesloeg juist toen ik het totaal niet verwachtte. De vrouwenbladen promoten dat, als je leert om van jezelf te houden, je er klaar voor bent, en hocus pocus, daar is hij dan, de ideale man. Maar dat klopt niet. Ik was er altijd al klaar voor, ik had alleen dingen bijgeleerd. Ik had een leuk leven en ik zat goed in mijn vel. Maar stel dat ik jonger was getrouwd, stel dat ik in het begin meer belangstelling had getoond voor Ali? Achteraf gezien was die namelijk best oké. Dan had ik net zo goed een heel gelukkig leven kunnen hebben. Ik zou nooit zeggen dat ik 'niets had willen veranderen' in de reis die ik had afgelegd. Dat was zinloos. Als ik een ander leven had geleid, had ik vast andere dingen op mijn pad ontdekt en was ik nu minstens zo gelukkig. Of... gelukkiger? Ik zou het antwoord op die vraag nooit weten.

Wachten tot de liefde 'als een donderslag bij heldere hemel' komt, is een gigantisch en akelig misleidend cliché, want daardoor schuif je de belangrijkste keuze in je leven voor die ene speciale man alleen maar voor je uit.

De romantische komedies uit Hollywood en Bollywood zouden vast een onverwacht, romantisch einde in petto hebben voor mijn verhaal, compleet met sprookjesprins. Of de film zou, in een wat realistischer genre, aflopen met het beeld van een vrouw alleen, die daar vrede mee had. Ik zou me neerleggen bij mijn lot en me als ongehuwde vrouw enorm nuttig gaan maken. Ik zou met veel wijsheid terugkijken op mijn leerzame levensreis en alle mensen die ik had ontmoet. Mijn verhaal zou eindigen met een vriendelijke vrouwenstem die zei dat meedoen belangrijker was dan winnen. En dat het 'vinden van de ware' niet de hoofdprijs was; het leven zelf was de enige echte prijs.

En inderdaad: ik had veel geleerd. Ik stond op de scherpe kruising van de Britse cultuur, het islamitische geloof en de Aziatische cultuur. Die kruising was nu voor mij een prachtige uitkijkpost met allerlei mooie vergezichten. En daar kan ik anderen over vertellen.

De jacht op mijn eigen ware jakob had me iets duidelijk gemaakt: mensen lijken tegenwoordig egoïstisch en doen veel alleen, maar er is één ding dat iedereen gemeen heeft. Iedereen wil iemand om van te houden. De wetenschap heeft daar, in al haar wijsheid, nog geen verklaring voor.

Het is niet alleen de magie van romantiek, maar ook onze

familie en geloof die zeggen dat we op zoek moeten. Helaas stellen ze alle drie totaal verschillende eisen, dus verwarring ligt op de loer. Die verwarring kan je heel wat ellende bezorgen, maar soms wordt het ook extra spannend en ontdek je dingen die je anders nooit had gezien. Maar je moet wel je kans grijpen en soms taboes doorbreken. Hoe moet je je man uitkiezen? Doe je dat in je uppie of moet iedereen zich ermee bemoeien en je helpen? Is de moderne manier verkeerd? Zo niet, waarom blijven steeds meer mensen dan alleen en waarom scheiden er zoveel mensen als we allemaal zo wanhopig op zoek zijn naar liefde en gezelschap? Wat is belangrijker, Romantiek met een hoofdletter of een maatje om dingen samen mee te doen? Komen we tekort door al die nadruk op korte, spannende scharrels?

Waarom moest de adrenaline voortdurend door je aderen gieren? Wat was er mis met gewoon samenzijn, tevreden en gelukkig zijn met een fijne partner die je kon verrijken? Adrenaline staat garant voor pieken en dalen: relaties afkappen vóór ze echt zijn begonnen, foute jongens uitkiezen of zomaar een verhouding beginnen, puur vanwege de spanning. Stabiliteit en tevredenheid moesten eigenlijk gewoon trendy worden. Ons geloof zegt luid en duidelijk dat we daar waarschijnlijk gelukkiger van worden. Maar dat was geen sexy boodschap, en sexy zijn was erg belangrijk. Alles en iedereen, vooral vrouwen, moesten blijkbaar voortdurend en van top tot teen sexy zijn.

Je moest sexy in het openbaar zijn, wilde je geaccepteerd worden. Als je geïnteresseerd was in de liefde, moest dat een geweldige, betoverend mooie, sexy soort liefde zijn. Dat was niet te doen voor een praktiserende moslima met een hijaab. Dus lijkt het ook erg vreemd als juist een moslima over de liefde praat. Want liefde staat toch voor romantiek en seks? Sexy zijn in het openbaar staat lijnrecht tegenover het dragen van een hijaab of hoofddoek, omdat het er daarbij juist om gaat dat je alleen in de privésfeer sexy bent. Voor mij waren de liefde voor een partner en seks hebben met een man heel persoonlijk. Net als andere moslima's was ik geïnteresseerd in de liefde, maar niet als het alleen draaide om sexy zijn. Het was mijn missie om de liefde van alle kanten te leren kennen en het avontuur in mijn eigen woorden na te vertellen.

Mensen vragen me wel: Hoe heb je hem gevonden? Heb je iets speciaals gedaan? Of had het lot er iets mee te maken? In dat geval, zeggen ze, kunnen we zelf niets doen en moeten we er maar het beste van hopen. Maar het gebeurde niet als een donderslag bij heldere hemel. Ik was er klaar voor en wachtte.

'Je partner zal jou wel vinden, juist als je genoeg hebt aan jezelf en niet langer "behoeftig" bent', volgens sommigen. Ik *was* behoeftig. Ik *wilde* graag een partner. Ik berustte niet in de 'donderslag bij heldere hemel'-theorie. Mijn prioriteit was nog altijd om een partner te vinden en de liefde te ontdekken door echt met iemand samen te leven.

Je kunt in je leven van alles doen, zoals onbekende gebieden boven op hoge bergen of eeuwenoude beschavingen in smalle valleien ontdekken. Je kunt God vinden, of dat nu gebeurt tijdens een massaal evenement als de hadj of dat Hij zich verschuilt in de harten van mensen die we ontmoeten, zoals de Karims, de Khalils en de Mohamed Habibs, of in onze vrienden, of ouders. Maar het geweldigste wat je kunt doen is van iemand houden; het is superbelangrijk, en tegelijkertijd onverklaarbaar, zeker voor de wetenschap.

Liefde maakt van jou een beter mens. Je kunt pas echt compleet zijn als je jezelf door de ogen van iemand anders hebt gezien. Pas dan ken je jezelf echt goed. Liefde maakt je tevredener, omdat je jezelf beter begrijpt en accepteert, en de fouten van anderen zijn minder belangrijk. We zijn vaak zo jachtig op zoek naar de perfecte, sprookjesachtige liefde dat we de zachtaardige, ontspannen liefde die groeit met de tijd niet zo boeiend vinden. Maar als de liefde alleen maar 'romantisch' is, maakt het ons enkel onzeker, onvoldaan en nerveus. Romantiek is net een snelle snack, veel calorieën maar weinig voedingswaarde.

Hoe vaker mensen zeiden dat hij ineens voor me zou staan als ik het niet verwachtte, hoe bozer ik werd. Er was geen enkel moment waarop ik hem *niet* verwachtte. Ik verwachtte hem *de hele tijd.*

En daarom koos ik die dag een Coco Chanel-achtige jurk uit. Ik wilde voorbereid zijn, voor het geval dat. Het was goed dat ik een jurk droeg die hij echt mooi vond. Later vertelde hij me dat de jurk hem opviel, omdat hij zo anders, zo origineel was. Het was een eenvoudige, stijlvolle jurk van zwarte stof met een crèmekleurige rand langs de onderkant die tot net boven de knie reikte. Het was een leuke jurk, vrouwelijk, en hij straalde zelfvertrouwen uit. Ik droeg er een elegante, crèmekleurige zijden broek onder en een bijpassende hoofddoek in zwart en crèmekleur. Ik trok zwarte plateauschoenen aan om een beetje langer te lijken en maakte het geheel af met een bescheiden vleugje lippenstift op mijn lippen.

Ik ging naar een liefdadigheidsbijeenkomst voor moslims, georganiseerd door vrienden van mij. Ik had hen al een tijdje niet gezien en het was een perfecte gelegenheid om weer eens bij te kletsen. En natuurlijk was er altijd de kans dat ik Je-Weet-Wel-Wie zou tegenkomen. Ik liep de grote aula in toen de lezingen al waren begonnen en de zaal zo goed als vol zat. Het licht was gedimd en ik liet mijn blik over de rijen met bebaarde ooms gaan, die bedachtzaam door hun baard streken en aandachtig luisterden naar de spreker, die samen met de andere panelleden op het podium zat. Ik keek nog eens naar het podium en zag tot mijn vreugde dat er een aantal vrouwen in het panel zat. De mannen namen de eerste vijftig rijen van de zaal in beslag en rechtsachter in de zaal waren tien rijen gereserveerd voor vrouwen die de bijeenkomst wilden bijwonen. Jammer dat er maar zo weinig vrouwen waren.

Er waren nogal wat lege stoelen en na een paar minuten constateerde ik dat er niemand was die ik kende en met wie ik een praatje kon maken. Ik besloot dat ik ze in de pauze zou opzoeken. Ik ging aan het uiteinde van een rij zitten, naast een paar Tantes die ik niet herkende en keek om me heen. Ik stopte een paar eigenzinnige haarlokken terug onder mijn hoofddoek. Na een paar minuten zag ik een collega van mij, Abdullah, met wie ik onlangs had samengewerkt aan een liefdadigheidsproject. We moesten nog het een en ander afronden, dus sloop ik zachtjes naar hem toe. Hij zat vlakbij en net als ik aan het uiteinde van een rij.

ZATERDAG 21 MEI, 14.31 UUR

En daar zat hij dan, naast Abdullah, een jongeman met dik haar en een korte, goed verzorgde baard. Hij droeg een donker pak en zelfs op een afstandje kon ik zien dat hij een innemend kuiltje in zijn rechterwang had. Ik had het gevoel dat ik hem kende en toch wist ik zeker dat we elkaar nooit eerder hadden ontmoet. Ik staarde naar hem, terwijl hij op serieuze toon iets in Abdullahs oor fluisterde. Onder het praten haalde hij zijn hand bedachtzaam door zijn haar. Zijn karakteristieke gezicht was intelligent en had warmte. Ik viel op hem. Ik liep naar Abdullah toe, maar hoopte stiekem dat ik de kans zou krijgen om met deze mysterieuze vreemdeling te praten. Ik kon niet weten wat de enorme gevolgen zouden zijn van de stappen die ik nu zette. Gelukkig zat hij nog steeds naast Abdullah, toen ik hen had bereikt. Ik begroette hen met een verlegen glimlach. De lange, donkerharige vreemdeling pakte een stoel voor me.

Vrijwel ongemerkt verdween Abdullah. Of dat toeval was of opzet zal ik nooit weten. Hij beweert dat hij ons een geschikt stel vond, dat we voorbestemd waren elkaar die dag te treffen en dat hij onze ontmoeting heeft geregeld. Waarna Abdullah dan de loftrompet over hem steekt.

Ik vroeg hem hoe hij Abdullah kende. 'Hij is een familievriend,' antwoordde hij. 'En jij?'

'We hebben samengewerkt aan een project. Ik wilde hem even spreken over een paar dingen die we nog moeten...' Ik keek om me heen, alsof ik Abdullah zocht, '...maar hij is er zeker vandoor.'

We zwegen opgelaten, wisten niet goed wat we moesten zeggen. Hij was echt heel knap, maar zich onbewust van zijn charme. Ik zocht koortsachtig naar nieuwe gespreksonderwerpen om zijn aandacht vast te houden en om te voorkomen dat hij zou weglopen. Gelukkig nam hij het woord.

'Ben je de afgelopen jaren vaker naar deze conferentie geweest?' vroeg hij op neutrale toon.

'Nee, dit is mijn eerste keer,' zei ik tegen hem. 'Het is wel indrukwekkend,' voegde ik eraan toe, beseffend dat hij een van de organisatoren was.

Een onbekende man passeerde ons, zag hem, hield stil om hem de hand te schudden en hem een warme omhelzing te geven. Hij ging weer zitten om ons gesprek te hervatten, toen er een tweede man langskwam, die hem na een introductie door de eerste man ook een warme omhelzing gaf. Hij was kennelijk geliefd en werd duidelijk gerespecteerd.

Hij wendde zich weer tot mij. 'Het spijt me, dit soort dingen gebeurt nogal eens. Ik wil niet onbeleefd tegen hen zijn.'

'Geeft niet,' zei ik glimlachend. 'Ik begrijp dat dit een belangrijk evenement voor je is. Ik zal je niet langer storen.'

Ik sloeg mezelf inwendig voor mijn hoofd vanwege die laatste opmerking. Ik wilde hem *juist* langer storen, en ik had niet moeten aanbieden weg te gaan. Idioot die ik was.

Gelukkig hield hij me tegen. 'Nee, nee, het is goed. Ze redden zich ook wel zonder mij.'

Terwijl we achter in de zaal zaten te kletsen, hoopte ik hartstochtelijk dat hij niet weggeroepen zou worden voor een klusje of om met iemand te praten. Met elke ademhaling wenste ik vuriger dat hij zou blijven zitten, en dat we langer konden praten. Stel dat hij vertrok? Stel dat hij beleefd, hoffelijk afscheid nam en het gesprek, onverwacht en abrupt, ineens afbrak. Hij zegt nu dat híj zich juist zorgen maakte dat ik zou opstaan en weglopen, en dat hij amper kon geloven dat ik de hele middag met hem bleef praten.

Hoewel er minstens duizend anderen in de zaal waren die dag, bekenden we elkaar later dat we tijdens dat eerste gesprek vergaten dat er anderen bij waren. We gingen helemaal in elkaar op en genoten. Hij had voor een baan gekozen die niet typerend was voor Aziaten; dat vond ik meteen interessant. Hij besteedde ook veel tijd aan liefdadigheidswerk. Hij was écht anders, gecompliceerd en veelzijdig, maar ook warm en hoffelijk. Hij gaf me een hoopvol gevoel: dat er dat soort mensen op de wereld rondliep, daar werd ik optimistisch van en... een beetje verliefd. Maar ik durfde niet te denken dat hij misschien de ware was.

We hadden al pratend alleen onze namen uitgewisseld en dus googelde ik hem een paar dagen later. Ik tikte nerveus zijn naam in, niet wetend wat het zou opleveren. Het internet gaf me zijn profiel en zo kwam ik ook aan zijn e-mailadres. Ik besloot hem een berichtje te sturen. Ondanks het fijne, vriendschappelijke gesprek dat liep als een trein tijdens onze eerste ontmoeting, wist ik niet goed wat ik moest schrijven, dus ik hield de mail kort en opgewekt.

> Na ons gesprek wilde ik even zeker weten of je echt was wie je zei dat je was en geen spion. Ik heb dit gevonden, ben jij het?

Even later klonk het geluid van een binnenkomend bericht op mijn laptop.

> Ja, ik ben het. Helaas ben ik niet James Bond, maar een gewone man, met een gewone baan. Ik weet zeker dat mijn werk lang niet zo boeiend is als het jouwe.
> PS: Wie weet ben ik wel een spion, maar die informatie kan ik niet vrijgeven.

Ik glimlachte. Dit begon leuk te worden. In de mailwisseling die volgde gedurende de rest van de dag bleef hij vrolijk en warm, maar tegelijkertijd nonchalant. Nu geeft hij toe dat hij de dagen voor ons mailcontact behoorlijk in de rats zat, omdat hij bang was dat hij me nooit meer zou zien.

Door de e-mails en de telefoontjes kwam ik erachter dat we dezelfde idealen hadden en dat we hetzelfde pad probeerden te volgen. Stel je voor dat wij hand in hand over dat pad verder konden? Bovendien ging mijn hart als een razende tekeer als hij naar me lachte. Ik popelde om meer tijd met hem door te brengen. Op een dag stuurde hij een enorme bos bloemen naar mijn werkadres. Het was een prachtig boeket en ik snakte naar adem toen ik de bloemen bij de receptie ophaalde. Ik was dolblij met dit fraaie cadeau, maar zat ook in de zenuwen. Had hij echt dezelfde sterke gevoelens als ik? Ik wist plotseling diep vanbinnen dat deze man voor mij was. Er was zonder meer iets speciaals aan hem, maar de reden dat dit liefde voor de lange termijn zou worden, was dat we allebei hadden laten merken dat we voor een relatie wilden gaan. Hij was de ware, omdat ik ervoor ging zorgen dat hij mijn ware zou worden. Hij zei dat hij er net zo over dacht.

Mijn ouders waren dolblij vanwege de brede glimlach die er op mijn gezicht verscheen elke keer dat zijn naam werd genoemd. Ze waren ervan overtuigd dat die lach een nieuw hoofdstuk in mijn leven inluidde. Hij verklapte dat hij ook steeds moest glimlachen als hij mijn naam hoorde of als er een e-mailbericht op zijn pc binnenkwam.

Zijn achtergrond en familie werden net zo goed nagetrokken als die van andere huwelijkskandidaten aan wie ik was voorgesteld. Mijn ouders nodigden hem uit voor een formele ontmoeting bij ons thuis. En ze spraken met vrienden en kennissen tot ze betrouwbare bronnen hadden opgespoord die belangrijke informatie en referenties over hem konden geven. Hoe de relatie ook was begonnen, hij werd evengoed volledig gescreend. Mijn lief werd gewikt en gewogen en hij slaagde met vlag en wimpel.

Ik realiseerde me dat we maatjes en partners zouden kunnen worden, 'kledingstukken voor elkaar', zoals de Koran zegt over een getrouwd stel. Had ik echt mijn grote liefde gevonden? Het antwoord was: ja, ja, JA! Ik had het gevoel dat hij zichzelf om mij zou vormen en vice versa, totdat we samen een complete cirkel waren, zoals het mannelijke en het vrouwelijke deel van het yin-yangsymbool. In die cirkel zijn de mannelijke en de vrouwelijke natuur perfect in balans, zwart en wit, actief en passief, aarde en lucht. De cirkel is het geheel: het werkt alleen als het mannelijke en het vrouwelijke in elkaar overvloeien. Je maakt de twee helften niet door een rechte streep dwars door het midden te trekken. In plaats daarvan lopen de twee delen vloeiend in elkaar over, in een gebogen, oneindige lijn. Wat ik nog mooier vind is dat in elk van de twee helften een druppel van de andere kleur zit. In het hart van de vrouwelijke natuur zit een stukje mannelijkheid gevangen; de mannelijke natuur heeft een sprankelende kern van vrouwelijkheid.

Toen hij mij een aanzoek deed en daarna de toestemming van mijn familie vroeg om met mij te trouwen, tekende ik simpelweg een onschuldig, sprookjesachtig hart. Dat gaf onze gevoelens het beste weer, nu onze bruiloft eraan zat te komen. Elke keer als ik een hartje tekende tussen onze twee namen in, verscheen er een glimlach op mijn gezicht.

Toen de Liefde haar pen oppakte om onze toekomst te schetsen, tekende ze met onuitwisbare inkt een partner, een maatje en een minnaar die mij zou aanvullen en die ik, op mijn beurt, compleet zou maken. En tot slot tekende ze die laatste druppel die ons eraan herinnert dat we onderling verbonden zijn. En waar ik ook zou kijken, daar zou ze zijn: romantische, goddelijke, heerlijke Liefde.

Epiloog

Het begin

Het is ochtend en ik sta voor mijn spiegel, klaar voor de dag die gaat komen. Ik heb al zo vaak op deze plek gestaan, op dagen dat er trouwlustige mannen bij ons thuis op bezoek kwamen. Ik heb mezelf dikwijls met gefronste wenkbrauwen aangekeken, op van de zenuwen, en me afgevraagd of de kandidaat van die dag de ware zou zijn. Vandaag ben ik niet nerveus of bezorgd. Ik weet dat het tijd is voor mijn begin.

Een verhaal begint altijd met Liefde. Hoe ingewikkeld ons leven ook geweest moge zijn; de Liefde verandert zwart-wit in fantastische, schitterende kleuren. Ook een leven alleen is de moeite waard, want Liefde is het leven zelf. We zijn allemaal in de wieg gelegd om van iemand te houden. Maar pas als wij de Liefde herkennen en onvoorwaardelijk toelaten in ons leven, dan begint ons verhaal echt.

Ik ben niet als een sprookjesprinses gehuld in roze of paars, blauw of groen. Ik heb niet lang gezocht naar wat ik moet aantrekken. Dit moment gaat niet over mijn jurk: het is tijdloos, omdat ik er zo lang op heb gewacht. Ik doe mijn ogen open en staar in de spiegel. Mijn hart klopt rustig en ik zie nog één keer het meisje dat zoveel dromen en verwachtingen koesterde, dat zoveel ideeën had en uitdagingen aanging. Dat meisje is nu een vrouw geworden, klaar voor het geloof, het leven en de liefde.

Mijn jurk is van ivoorkleurige zijde, precies zoals ik altijd heb gedroomd. Hij is speciaal voor mij ontworpen en daarna met de hand geknipt, genaaid, op maat gemaakt en geborduurd. Het lijfje past perfect. In de taille is de luxueuze stof bezet met honderden glinsterende steentjes en daar begint ook de prachtige rok van zijde en organza waarop talloze glimmende kraaltjes zijn genaaid. Ik heb een bijpassende dupatta, een lange, ivoorkleurige sluier van organza met borduursels en steentjes die passen bij die op mijn jurk. Hij is vastgezet op mijn hoofd en valt golvend over mijn schouders.

Ik houd een eeuwenoude bruidstraditie in ere: ik heb mijn handen en voeten laten beschilderen met henna. Een kunstenaar is gisteravond vijf uur lang bezig geweest om de ingewikkelde patronen op mijn huid aan te brengen. Nu hebben ze een diepere kleur en vormen ze een uniek kunstwerkje dat precies één dag meegaat.

Het is een prachtige dag voor een prachtig begin. De lucht is helderblauw en de zon straalt, zoals hij wel vaker doet als het ene seizoen plaatsmaakt voor het andere. De sfeer thuis is ontspannen en opgewekt. Ik voel me zorgeloos en tevreden. Ik heb mezelf gevonden en als ik in de spiegel kijk, staar ik mezelf met heldere ogen aan. Ik ben hier, aanwezig, mezelf. Tijdens het ontbijt heb ik mijn laatste kopje koffie met mijn ouders gedronken, in hun huis, als hun dochter, en me gekoesterd in hun ouderlijke liefde. Over een paar uur ben ik nog steeds hun dochter, maar ook een echtgenote.

Mijn tantes zijn gekomen en samen met mijn moeder en mijn schoonzusje geven ze mij overdreven veel aandacht, bewonderen ze mijn bruidsjurk en krijg ik complimentjes over mijn beeldschone uiterlijk. Het wordt één groot vrouwenfeest als ze allemaal herinneringen gaan ophalen aan hun eigen trouwdag. Ik geniet ervan.

Mijn ouders komen bij me staan. Dit is een speciaal moment, mijn familie omringt en beschermt me. We zeggen samen een kort gedicht op, speciaal bedoeld voor de bruid als ze haar ouderlijk huis gaat verlaten. Ik voel tranen opkomen, want ik sta op het punt een grote verandering in mijn leven te ondergaan. Ik kijk naar mijn vader, die altijd heeft geloofd dat ik alles kan zijn wat ik maar wil zijn; en naar mijn moeder, mijn hartsvriendin, die dat persoonlijk heeft bewezen en me geduld, hoop en geloof gaf om het vol te houden.

Mijn moeder en vader kussen me en gaan alvast naar de locatie van de bruiloft, waar ze de gasten zullen ontvangen. Mijn schoonzusje lacht naar me als ze mijn lange witte, bruidssluier over mijn hoofd drapeert en vastzet met spelden.

Ze houdt mijn hand vast om me naar de trouwauto te begeleiden. Als we de voordeur uitstappen, straalt de zon ons tegemoet. Ik glimlach, ik kan niet anders.

Ze loopt voor me uit en opent het portier.

'Uw koets wacht op u,' zegt ze en ze knipoogt ondeugend naar me.

Ik kijk nog eens achterom, naar ons huis. Ik voel me emotioneel maar niet verdrietig, omdat ik mijn ouderlijk huis niet voorgoed verlaat. Het hoort nog altijd bij me en dat blijft zo. Ik verhuis niet naar een ander leven; mijn wereld wordt alleen maar groter.

Ze plaagt me: 'Kom op dan! We hebben lang genoeg op deze dag gewacht!'

Ik stap in de auto, klaar om aan de reis te beginnen. Zoals altijd voor ik iets ga doen zeg ik: *Bismi'llah ir-Rahman ir-Rahiem*, in de naam van Allah, de Barmhartige, de Genadevolle.

Deze reis maken we allemaal: van alleen-zijn naar samenleven. Wat je als helft van een paar wordt beloofd, zijn vrede, tevredenheid en liefde. Zal ik die dingen vinden? Dat wordt mijn nieuwe verhaal.

Ik draai me om en trek het portier dicht. Ik kijk nog een keer achterom naar mijn ouderlijk huis en dan naar voren, naar de weg die voor me ligt.

Woord van dank

Het zou voor mij onmogelijk zijn om mijn dankwoord te schrijven, zonder de ware, met een kleine w, te noemen. Dat komt voornamelijk omdat hij erop stond als eerste in de lijst genoemd te worden en dat ik erken dat hij zich een uiterst geduldig man heeft getoond tijdens deze periode van creatieve waanzin. Iedereen die hem kent, zal beamen dat hij inderdaad een heel geduldige, zorgzame man is en extreem vriendelijk en hoffelijk bovendien. Hij is ook intelligent, knap, grappig en gevoelig, heeft visie en een enorm groot hart. Tot zijn talenten, waarvan ik dankbaar gebruik heb gemaakt, behoren onder andere zijn creativiteit, zijn kracht om te inspireren en te stimuleren en verder gewoon dat hij zijn geweldige zelf is. Dat ik dit boek heb kunnen schrijven, heb ik uiteraard ook te danken aan het feit dat hij zo lang op zich heeft laten wachten. Dank je dat je bent gekomen. Uiteindelijk. *Mithu*, liefste, het was het wachten waard.

Mijn ouders zijn al even inspirerend en het komt door hun onvoorwaardelijke liefde, hun geloof in mij en hun bemoedigende woorden dat ik voortdurend de ambitie voel om creatief te zijn, nieuwe ideeën uit te proberen en alles wat ik heb te delen met de mensen om me heen. Hun optimisme, geloof en gebeden hebben me begeleid door mijn leven. Omdat zij altijd achter me stonden, was er nooit iets onmogelijk en hun vertrouwen sterkt me in mijn overtuiging dat het mogelijk is de wereld te verbeteren en met liefde te vervullen. Ik had me geen geweldiger of verbazingwekkender ouders kunnen wensen. Mam en pap, ik bid dat jullie rijkelijk worden gezegend.

Hij en zij die niet genoemd willen worden, maar die weten wie ik bedoel: dank je wel voor jullie steun en voor jullie opgetrokken wenkbrauwen op momenten dat ik weer iets krankzinnigs had bedacht. Jullie zijn net zo behulpzaam en net zo nodig in mijn dagelijks leven als voor mijn carrière als schrijfster. De wetenschap dat jullie er zijn als ik jullie nodig heb is een immense zegen, waarvoor ik erg dankbaar ben. Jullie weten het misschien niet, maar ik heb van jullie allebei dingen geleerd die van mij een beter persoon hebben gemaakt en waardoor ik mezelf nog steeds blijf verbeteren.

Mijn grootouders, ooms, tantes, neven en nichten dank ik gewoon omdat jullie zijn wie je bent, omdat jullie van mij houden en me steunen in mijn werk. Alle beetjes hebben geholpen.

Er is een aantal mensen zonder wie dit boek domweg niet in deze huidige vorm zou bestaan. Als eerste komen de Tantes en de huwelijkskandidaten in me op. Ze waren verbluffende persoonlijkheden, echt en intens menselijk en – zo realiseer ik me achteraf – even sympathiek als frustrerend. Wat ik van ze heb opgestoken, direct en indirect, is uniek en daar ben ik hen allemaal bijzonder dankbaar voor. De imam die ik heb genoemd, neemt ook een belangrijke plek in mijn leven in, ook al is hij inmiddels overleden. Ik hoop dat hij overstelpt wordt met genade vanwege zijn passie, kennis en visie.

Ik dank alle meiden met wie ik heb gehuild en gelachen om hun al even hachelijke reis; door jullie wist ik dat ik niet alleen stond in mijn zoektocht. Vergeet niet dat jullie, en alle anderen die deze reis maken, ook niet alleen zijn.

Anderen die me steunden en mijn hand vasthielden mag ik ook niet vergeten en noem ik hier in een willekeurige volgorde: Malika Chandoo, Shaheen Bilgrami, Masoma Khoee, Tim Lloyd, Gary Ellis, Remona Aly, Peter Hobbs, Gillian Cargill, Mukul Devichand, Emily Buchanan en Irfan Akram.

Ahmed Versi wil ik speciaal noemen, omdat hij een onervaren beginneling zoals ik liet schrijven voor zijn krant, *The Muslim News*, en er gek genoeg mee instemde dat ik er met enige regelmaat een column in schreef. Ik raakte besmet met het schrijfvirus, zette mijn eigen blog op, won een paar prijzen en heb nu dus een boek geschreven. Dank ook aan al mijn lezers: ieder van jullie heeft invloed op mijn werk en ik heb grote waardering voor jullie steun en opmerkingen. Luqman Ali mag ik evenmin vergeten te noemen, vanwege zijn rust, welsprekendheid en creatieve inspiratie en gewoon omdat hij alles begreep. Abdulaziz, ook jou moet ik noemen. We weten wat je hebt gedaan en we zijn je er enorm dankbaar voor.

Tot slot moet ik, als het gaat om dit boek, nog enkele mensen bedanken omdat ze interesse hadden in een stukje onafgewerkte tekst van een beginnend auteur en geloofden dat er een mooi verhaal uit kon voortkomen. Dan Nunn, jij was de eerste; ik vind het jammer dat het ons samen niet is gelukt. Diane Banks, mijn altijd opgewekte en getalenteerde agent die het nog ver gaat schoppen; toen je mijn verhaal voor het eerst las en zei dat je je ogen niet van het beeldscherm kon losrukken, wilde ik je wel om de hals vallen. Ik vind het heerlijk dat je koppig en vasthoudend bent en ook (ondanks het feit dat je literair agent bent) volkomen menselijk. Dank je wel dat je in me geloofde. Tegen Karen, mijn ongelooflijk geduldige redacteur, wil ik zeggen: bedankt dat je inzag wat het boek kon worden en tjonge, wat hebben we een lange weg afgelegd. Ik ben je vooral dankbaar dat je me niet mijn nek hebt omgedraaid vanwege onze 'creatieve spanningen'. Gelukkig hebben de digitale wereld en eindeloos struinen dwars door Londen ons daarbij geholpen.

En ik mag ook absoluut de geweldige, intelligente en mooie Nahla El Geyoushi en Elaine Heaver niet vergeten te noemen. Zonder hen had ik het schrijven niet met zoveel vertrouwen en enthousiasme klaargespeeld. Ze geloofden in me, steunden me, huilden en lachten met me tijdens de totstandkoming van dit boek en deden me beseffen dat ik een buitengewoon bevoorrecht mens ben dat ik van die lieve en toegewijde vrienden heb.

Tot slot zeg ik tegen jullie allemaal, en tegen iedereen die mijn leven en mijn werk als schrijver tot een grote vreugde maken: dank je wel.